目錄

W9-ALK-099

序章　彌留前的堅持帶走終身秘密

　　四十年前，他積勞成疾告別人世。在國人眼中，他像兩千年前的諸葛賢相一樣，在國家存亡危急之秋，苦撐危局，鞠躬盡瘁，死而後已。舉國頓感痛失頂天棟樑，頃刻間，神州彷彿天塌下一半，「君今不幸離人世，國有疑難可問誰？」天地變色，國人的悲傷如汪洋大海，已無法言喻。當他的靈車緩緩馳過十里長安街，數十萬夾道送他最後一程的民眾搥胸頓腳，哭聲震天，直衝雲霄……。

　　忠良被害，奸臣當道，悲痛之後憤怒如火山爆發，「誓死保衛周總理」，於是有了向他的政敵、毛澤東代理人「四人幫」發難的轟轟烈烈的「四五」天安門運動。

　　在那個最艱難的年代，「人民的好總理」是在世的諸葛賢相。是好人的典範，中共道德完人的象徵，是黑暗中的唯一燈塔。

　　隨著時代的過去，周恩來這個紅色中國道德完人的溫情面紗逐漸除去。人們逐漸認識到，他以虛偽的假面顛倒眾生，迷惑了無數人，包括中共的敵人，他的角色是中共毛澤東時代殘酷政治的一張人性面具，亦是最複雜的政治人物，在他風度翩翩的儒雅的公眾面具下有著複雜、扭曲及幽暗的人格多重層面。至今他的真實人生還被包裹在如山之重的歷史謊言中，遮蓋在層層相掩的歷史迷霧裏。

　　一九七五秋後他全身癌細胞擴散，病臥醫院，處於生命最後關頭，當時葉劍英指示周恩來病榻旁邊的人，總理有什麼話，要記錄下來。但工作人員拿著筆和紙每時每刻守候在周恩來身邊，

始終未錄下周恩來任何一句私密的話，因為直到死神來臨，周恩來的嘴都閉得緊緊的。

　　這時在病榻上忍受著肉體劇痛的周恩來，更被精神上的劇痛折磨著，他一生陪伴最多的革命戰友，也是他幾十年來一直力盡臣子之道的大老闆，那位偉大領袖毛主席在他三年前檢查到患上癌症後竟反對他做手術治療，致使病情惡化到藥石無救。可憐貴為中國第二權勢者的周總理是否動手術，不是由他或他的妻子鄧穎超來決定，而是由他的黨來決定，換言之，是他的黨的領袖毛澤東來決定。這兩個並肩作戰五十年的革命戰友、路線鬥爭的生死冤家，現在人生進入黃昏，炙熱的烈日已垂西山，生命的時鐘朝著最後的末日開始滴答著倒數，但毛澤東不能容忍這位對他唯唯諾諾的二把手死在自己之後，哪怕只是享受僅僅幾天的最高權力，他都於心不甘，非要在他之前置這個忠心戰友於死地不可。

　　君要臣死，臣不得不死，病榻上的周恩來內心無比淒涼，在承受著巨大的肉體痛苦之時，還經受著撕心裂肺的精神絞殺。在此之前，他以絕症之身在中共高層內部被殘酷批鬥整整十一天，精神和肉體慘遭折磨，此外他還不得不承受了一場鋪天蓋地以他為目標的「批林批孔批周公」的運動。這一切，加速了他的死期。現在，在病榻上，見馬克思之日已屈指可數，全國又掀起新一輪輿論大圍剿──劍指所謂「投降主義」的評《水滸》運動，而他則被不點名地指為「投降主義」的頭號代表。而且，還有一個未定案的「伍豪事件」[1]像一把懸掛的達摩克利斯劍威脅著他的身後之名。

【1】　1932 年，時任國民黨中央組織部黨務調查科總幹事張冲，周恩來的好友，利用周恩來的化名「伍豪」，冒充刊登脫黨啟事《伍豪等脫離共黨啟事》。文革期間，天津南開大學造反派在舊報紙裏翻到這則「脫黨啟事」送中央文革。被指「投降」成為周恩來晚年揮之不去的一塊心病。

但一貫忍辱負重的他，沒有流露絲毫的不滿。他努力地在生命的最後一刻仍然扮演著「一不怕苦，二不怕死」的堅強革命者形象，扮演著對毛澤東終身不渝的忠臣賢相樣子。因此他咬著牙根，不為肉體的巨痛哪怕稍微呻吟一聲，「每當劇痛襲來時，便緊握住醫護人員的手，不露痛苦表情」，倒反過來安慰和鼓勵醫護人員。在肉體受到撕裂般煎熬的時刻，他還在做狀聆聽毛澤東那首「不須放屁」的詩詞，甚至還與守候在旁的妻子鄧穎超一起唱起了無產階級革命家的聖歌──《國際歌》。

周恩來為了打造自己的歷史形象而忍受痛苦的意志力確實驚人！如果歷史後來的發展真的是按照他的理解邏輯展開，周恩來今天的形象將會是一位頂天立地的巨人。可惜周恩來這位紅朝聖人的歷史感實在太差了。

即或周恩來不能想像馬克思主義倡導的共產主義運動在他死後不久即會迅速崩解，逐漸走入歷史。即或他以為一旦被革命領袖斯大林毛澤東清洗出革命隊伍，就會永遠被釘上歷史的恥辱柱，像蘇聯的托洛茨基、布哈林，中國的陳獨秀、彭德懷、劉少奇一樣，在周生前均無法見到翻案之前景。但他至少讀過中國史書，因為稍微讀過史書的人，都知道中國歷朝歷代，無論生前如何權傾天下，被高呼萬萬歲的強勢帝王，人一死茶就涼，最終不免人亡政息，生前製造的冤案最後都會被歷史翻過來。這也是所謂持「科學歷史觀」的馬克思主義者愛說的「歷史的發展不會為某些個人的意志所轉移」，因此中國未來的歷史走向也不會為毛澤東生前的意志而轉彎。

而且，即或按中國傳統的儒家倫理，而非現代的普世價值，陷害無數「忠良」的暴君，最終難免不會被歷史所鞭屍。周恩來難道對此毫無認知？

劉少奇受毛澤東迫害，死得比周恩來更慘，但他比周恩來高明，相信歷史的正義。劉少奇在「大躍進」後對闖下大禍的毛澤東說「餓死這麼多人，歷史要寫上你我的，人相食，要上書的！」，在他被打倒後還說「好在歷史是人民寫的」。

「歷史是人民寫的」，這是馬克思列寧主義者將人民力量神話了的一個虛妄觀念，只有部分是真的，因為在中國，大半歷史實際是勝利的統治者寫的。在國際共產主義陣營，歷史更完全是黨領袖塗畫的。但這些顛倒了的歷史終究會被後人再次顛倒過來。權力再大的君王都無法壟斷後世的歷史言說。劉少奇的畫外音其實是：將來的歷史不是你毛澤東寫的，你死後我的案子會翻過來。

相較劉少奇，周恩來何以認為整死黨內無數忠貞同志的毛澤東會免受歷史的功過評價，會是享有千秋萬代名的英明偉大領袖？

周恩來生前周旋於中共險惡萬狀的權力角鬥場，表現了非常高超的平衡能力，雖然死得很痛苦，說不上善終，但和對手毛澤東纏鬥到生命最後一刻，死後引發的「四五」天安門運動還大大地將了毛澤東一軍，可見他也是一位嫻熟於政治權鬥的超級角鬥手。

但論起對歷史的領悟力，他這位權鬥高手則遠遠低過比毛澤東打倒死得很慘的劉少奇。

最後歷史證明，劉少奇是對的。周恩來沒有劉少奇的歷史識見，可見蓋棺論定，聰明透頂的周恩來實際缺乏智慧。他死前拼命的扮演，他付出的痛苦代價，全部白費了。

周恩來死了，這位中國最知名的人物，帶走了屬於他個人的許多秘密。雖然他一生人都是在聚光燈下，但精於演戲的這位著名美男子革命家、政治家和外交家，他整個人生，人們看到的都

是他在舞臺上的姿態，而他真實的自我是在燈光照耀不到的後台，一個沒有觀眾的黑暗世界。

當他彌留之際，相伴五十一年的愛妻鄧穎超守候在病榻旁邊，等待丈夫最後能向他說幾句肺腑之語，揭開那使她纏繞她一生的疑惑，但她的丈夫緊閉雙唇帶走了這個秘密。鄧穎超又活了十六年，在這個漫長的居孀歲月中，她是否已解開了這個謎團？因為沒有留下任何資料，沒人知道。

妻子鄧穎超回憶他們這對中共模範夫妻在生離死別其中一幕：

> 恩來同志在得癌症以後，有一次我們在一起交談，他對我說：「我肚子裏還裝著很多話沒有說。」我回答他：「我肚子裏也裝著很多話沒有說。」當時雙方都知道最後的訣別不久就會殘酷無情地出現在我們的面前，然而我們把沒有說的話終於埋藏在各自的心底裏，永遠地埋藏在心底了。【2】

當年，看到這段描述，很多人不免困惑，中共標榜的這對模範革命伴侶真是太不近人情了，生離死別的最後關頭，為什麼他們仍然會各自帶著自己的秘密走向人生的盡頭？

鳥之將死，其鳴也哀，人之將死，其言也善，難道周恩來在與死神照面之前，只能唱《國際歌》，而無法向妻子講出埋藏在內心深處的實情真話？

那麼他肚子裏裝的是什麼神秘的話不能告人，甚至也不能向相處五十一年的患難夫妻剖白？是國家大事？還是各自的隱私？

一般人會以為當代賢相肚子裏裝的一定是國家大事，彌留之際讓他最放不下的一定是黨國大局。但是，非也。在周恩來徘徊於生命盡頭，他患得患失的是還是自己的身後名。

【2】　鄧穎超，「一个严格遵守保密纪律的共产党员」，《人民日報》，1982 年 6 月 30 日。

　　周恩來一九七二年五月十八日確診患上膀胱癌，因為偉大領袖指示不治療，整整拖了三年，癌細胞擴散轉移，病情惡化。從同情他的醫生處私下獲知自己病情真相後，通過葉劍英向老闆毛澤東求情，才得以在一九七三年三月十日得到檢查治療的機會，又在他親自向毛澤東寫信報告病情，哀求老闆高抬貴手，才能在一九七四年六月一日開始第一次動手術。

　　一九七五年九月二十日，周恩來病情再次惡化，需做第四次大手術。手術結果生死未卜，他很有可能死在手術臺上。周恩來要交代後事。

　　據周恩來年譜，施行大手術治療前：

　　　　鄧小平、張春橋、李先念，汪東興和鄧穎超等在醫院守候。進入手術室前，要工作人員找來自己於一九七二年六月二十三日在中央批林整風彙報會上所作《關於國民黨造謠污蔑地登載所謂（伍豪啟事）問題的報告》的錄音記錄稿，用顫抖的手簽上名字，並注明簽字的環境和時間：「於進入手術室（前），一九七五、九、二十。」之後，躺在平車上詢問：小平同志來了沒有？鄧小平即上前俯身問候。周恩來握住鄧小平的手，用力說道：你這一年幹得很好，比我強得多！進入手術室時，周恩來大聲說道：「我是忠於黨、忠於人民的！我不是投降派！」在場的鄧穎超要汪東興將此情況報告毛澤東。手術過程中，醫生發現癌細胞已擴散至全身，無法醫治了。鄧小平當即指示醫療組盡一切努力，「減少痛苦，延長生命」。

　　「文革」時的中國千瘡百孔，千萬生靈塗炭，人之將死，一國之總理竟無一語為天下受苦受難的蒼生而嘆息，也沒有為他那個分崩離析的黨留下任何解決的善策，唯一使他放不下心的就是他自己的身後名，不要因為「伍豪啟事」死了後也被打倒，不要被打倒後在他的畫像上畫上打叉叉（在他兩個月前，他與身邊工作

人員合影後說：我這是最後一次同你們合影。希望你們以後不要在我臉上打「XX」。）

　　周恩來之死，死得很痛苦，也死得很堅強，用最大的意志承受肉體的劇痛而不發出一點呻吟。令人感慨的是，他的超級忍辱忍痛能力是久經鍛煉出來的，是他用一生歲月來維護他最大秘密而鍛造出來的。

　　周恩來似乎很成功地將他的秘密帶入了墳墓，但智者千慮，百密一疏，小心謹慎心細如麻的周恩來生前還是無法將導向其秘密的蛛絲馬跡一一成功抹掉。

第一章　周恩來與鄧穎超的婚姻

1　模範革命夫妻外表下的反常伴侶

探索周恩來帶入墳墓中的秘密，應該從他與鄧穎超的婚姻談起。這是揭秘的第一條線索。

周恩來與鄧穎超這對夫妻在中共主流話語中是一對理想的模範革命夫妻，備受推崇，但透過模範革命夫妻的掩飾面紗，仔細審視，卻又讓人感到這對革命家的夫妻關係是說不出的奇特和反常，婚姻表面和內裏有難以解釋的衝突和矛盾。

男的是著名美男子，外表儒雅倜儻，風靡無數中外傑出女性。著名電影明星張瑞芳將周恩來的半身塑像放在自己的臥室中。女歌手郭蘭英晚年每次演出唱《繡金匾》，一唱到「三繡周總理」，就會淚流滿面，泣不成聲。終身未嫁的中國著名婦產科醫生林巧稚甚至視周恩來是她心中的上帝。就連後來在權力鬥爭中恨他入骨，必欲去之而後快的毛澤東夫人江青也一度為他而傾倒。

以寫毛澤東生前逸聞著名的作家權延赤說，在延安時候「江青喜歡接近周恩來，當年的衛士都知道這個情況。」從延安就跟著毛澤東的警衛員李銀橋說，江青很傾慕周恩來，常不避嫌地對身邊人說，周恩來性情好，謙恭有禮，風度翩翩。甚至還以此暗示毛澤東應該學習周恩來的風度，改掉粗魯不文的農民習氣，若得一身虎氣的革命家毛澤東大發脾氣。

江青一九四九年、五三年、和五七年曾三度去莫斯科治病。她第一次和第二次寓居莫斯科的俄文翻譯是一位叫卡爾圖諾瓦的

俄國女子。這個俄國女子也有江青傾慕周恩來的印象。一九九三年五月號的中國雜誌《人物》轉載卡爾圖諾瓦回憶文章「我給江青當翻譯」，提到一九五三年江青第二次到莫斯科時，「有一天江青莫名其妙地問我，想不想見見周恩來。我當然想。有誰能放過這難得的機會呢？第二天周要來吃午飯，江青請我也按時來。我準時到了，可是周恩來已經走了，他的排程變了。」然後「那一次江青動情地談了周恩來許多事。」但江青對卡爾圖諾瓦談到中共另一位重要領袖劉少奇，則「態度是審慎的。」似乎江青是在暗戀周恩來。

　　對周恩來的感受，中國女性可能比較含蓄羞於表達，但西方教育長大的女子則不加掩飾地表達她們對周恩來的傾慕。有一半比利時血統的英國籍華裔女作家韓素音一九五六年第一次見到周恩來，說「一見到他，我簡直好像受到了直接的衝擊。」從此一生癡迷周恩來，成為周最忠實的粉絲。[3] 她的《周恩來和他的世紀》（Eldest Son: Zhou Enlai and the Making of Modern China, 1898-1976）將周恩來描寫成天上有地下無的零缺點完人，說周恩來人格品德之完美，世界上許多偉人，如拿破崙、羅斯福都不能望其項背，一九七六年聽到周恩來逝世，是她「一生中最悲痛的時刻，甚至超過我父親去世使我難過的心情。」[4]

　　海明威和他的第三任妻子瑪莎·蓋爾荷恩（Martha Gellhorn）一九四一年三月被美國週刊 Collier's Weekly 派遣採訪抗戰中的中國（也有說他是派來為美國政府蒐集抗戰的情報），四月十五日他和瑪莎在王炳南的德國籍妻子王安娜的秘密安排下，於重慶曾家岩周公館採訪了周恩來。瑪莎是位很有才華的傑出新聞工作者，

【3】　黃薇，「為毛澤東和周恩來作傳記 混血兒韓素音因書寫中國紅遍世界」，《文史參考》，2013 年 01 期。
【4】　韓素音，「序言」，《周恩來和他的世紀》，中央文獻出版社，1992 年11 月。

個人感情生活亦多姿多彩，有很多羅曼史，當時的丈夫是最有男人魅力的大作家海明威，而且兩人剛剛新婚，正在蜜月中。但她立刻被周恩來迷倒，說：我被這位魅力十足的人強烈地吸引住了。事後甚至還在文章中寫道：如果他（周恩來）說，牽著我的手，我要領你去一個世外桃源，只要這個世外桃源不在中國（瑪莎對當時中國陪都重慶印象極差），我會即刻拿上我的牙刷，跟上他到天涯海角。【5】

就是這樣一位中外精英女性眼中的萬人迷，他自己的終身女伴侶卻其貌不揚，缺少吸引異性的女性美，但這位伴侶倒是一位黨性很強的典型女幹部，晚年時面目語言均很乏味的馬列主義老太太。兩人終身廝守，白頭到老。

強烈真摯的愛情可以超越家世、種族、社會地位，乃至外貌等社會偏見，但回顧兩人的婚戀結合，周恩來與鄧穎超之間並沒有那種可以穿越這些鴻溝障礙的刻骨銘心的愛情。首先，在周恩來向鄧穎超求婚前，兩人沒有談過戀愛。兩人半世紀的相伴也缺乏情感交流，婚姻生活中沒有浪漫內容，最多只能用相敬如賓來形容。甚至到周恩來彌留之際，他都未能向他結褵五十年的妻子剖開心扉，各自藏著自己的秘密離開人世。權延赤在《走下聖壇的周恩來》一書中形容兩人是彼此最瞭解又最陌生的一對夫妻。

雖然中國官方用各種美言來神話兩人的婚姻和愛情，但撥開這些美言編織的華麗面紗，就會發現兩人的結合有太多不合情理之處。

周恩來與鄧穎超在天津投身學運，共組「覺悟社」相識，但其實兩人相交淡淡，沒有緋聞，甚至可能沒有過私下的交談和往

【5】　Martha Gellehorn, *Travels with Myself and Another – A Memoir*, Jeremy P. Tarcher/Putnam Edition, 2001.

來，兩人絕對不是戀人。周恩來去歐洲後，在一九二三年春突然向鄧穎超求婚，確定了兩人的未婚夫妻關係。

　　一年後周恩來回國，兩人相隔已四年，但不見周恩來有任何相思之苦，他既不去見闊別已四載的未婚妻一面，也不要求未婚妻來到自己身邊團聚相會片刻。再過一年，直到在天津反帝反封建運動中聲名大噪的女社會活動家鄧穎超被北洋政府天津當局通緝，依照組織的命令南下來到大革命時代的革命根據地廣州，兩人才匆匆結成夫妻，次日洞房未暖，新郎周恩來就又趕著幹革命去了。

　　經過「五四」運動個性解放洗禮的革命男女，擁有浪漫的激情，追求個性解放，要愛就愛得轟轟烈烈，愛得死去活來。但這一對「五四」運動的弄潮兒周恩來和鄧穎超，戀愛和新婚都那樣理性，那樣淡泊如水，再怎樣看都好像缺少了那幾分男歡女愛的感情。

　　據說，周恩來在天津「五四」學生運動中，有一個遠比鄧穎超交情深厚的女戰友張若名。兩人曾一道赴京請願，一道坐牢，還同船遠赴歐洲求學，周恩來還把她引入共產革命的隊伍。而且中國大陸的文章都說此女遠比鄧穎超漂亮和有女人味。「覺悟社」的戰友，甚至包括鄧穎超都說他們是天生一對。但周恩來最後選擇了鄧穎超。多年後周恩來向侄女周秉德解釋，說放棄這位女友而選擇了之前完全沒有戀情而且其貌不揚的鄧穎超，是為了更好地革命。這和中共的著名國際友人路易‧艾黎解釋他為何不結婚，理由竟然驚人相同。

　　如果生活在相信革命出聖人的毛澤東禁慾時代，大家可能真的會相信周恩來是革命的清教徒，為了革命可以犧牲自己的七情六慾。但今天看來，周恩來的解釋比較虛偽。後面有沒有難言的隱秘？他要掩蓋什麼？如果說，兩人的結合有深藏的秘密。而這

個秘密是什麼？到他彌留之際，他的老伴鄧穎超肚子裏裝著的很多話，是否就是她疑惑一生的問號，要說出來希望丈夫給她一個能揭開這個秘密的坦白解答？

但周恩來帶著這個秘密走了，鄧穎超又活了十六年。但根據她生前的談話和回憶，這個疑惑仍然在纏繞著她，無法得到解答。

2　突然求婚讓鄧穎超大吃一驚

「五四」運動的高潮過去，當年投身轟轟烈烈「五四」運動的「覺悟社」同志各奔東西。周恩來和劉清揚、張若名等前往歐洲。鄧穎超直隸第一女子師範學校畢業，一九二〇年到北京的京師國立高等師範附屬小學（現在北京第一實驗小學）任教，同一年回到天津在達仁女子小學任教，直到五年後奉組織之命，南下國民政府所在的廣州，與黃埔軍校任職政治部主任的周恩來結婚。

以漂亮著稱極富魅力，為不少優秀女性心目中的男神的青年政治家周恩來為何選擇了其貌不揚的鄧穎超為終身伴侶？這是無數人的疑惑，也是周恩來一生難解的秘密之一。一般的解釋是出於愛情，因為愛情是盲目的。愛到骨髓，可以超越外貌的偏見。但周恩來真的是因為愛而追求鄧穎超嗎？

中國不少宣傳為突出周恩來和鄧穎超的愛情，硬說在周恩來出國之前，兩人在「覺悟社」已經成了無話不談的好朋友，甚至已產生了感情。實際上周恩來與鄧穎超在「覺悟社」只有工作上的聯絡，沒有私交，更沒有任何兒女私情，相交很淡。鄧穎超的回憶親自否認了兩人在「覺悟社」有深厚交情。鄧穎超一九八三年重訪「覺悟社」舊址，回憶了她和周恩來相識的過程：

> 一九一九年掀起了「五四」愛國運動……就在這次運動高潮中，我們相見，彼此都有印象，是很淡淡的。在運

動中，我們這批比較進步的學生，組織了「覺悟社」。那時候，我們接觸得比較多一點，但是，我們那時候都要做帶頭人，我們「覺悟社」相約，在整個運動時期，不談戀愛，更談不到結婚了。【6】

鄧穎超另一次與身邊的人回憶說，有一次開學生大會，一個同學指著臺上的周恩來告訴鄧穎超，「那個戴鴨舌帽、穿西服、白皮鞋的就是周恩來」，她當時覺得周恩來長得很漂亮。【7】鄧穎超這一回憶說明，周恩來的外表對女性是很有吸引力的，但儘管鄧穎超與周恩來同時參加天津的學生運動，並同為「覺悟社」社友，兩人沒有直接的交往。

講到周恩來與鄧穎超的愛情，中共官方媒體強調周恩來到歐洲與留在國內的鄧穎超頻繁魚雁往返，但有意忽略的是，其實周恩來當時也與國內的南開中學同學和「覺悟社」的其他舊人通信，其中也包括相交很淺的鄧穎超。兩人來往信件初與其他人內容大致相似，並無什麼兒女私情，而且最初並不頻繁。因為沒有前期戀愛的鋪墊，周恩來的求婚令完全沒有心理預期的鄧穎超大吃一驚。

周恩來侄女周秉德在《我的伯父周恩來》一書回憶，一九五五年鄧穎超曾當著她和周恩來面說，身在法國的周恩來是在一九二三年三月之後才開始與她頻繁通信，不斷寄來信和明信片，但突然之間周恩來信向鄧穎超求婚。

一九二三年春，小姑獨處的鄧穎超突然收到周恩來從法國寄來的一張明信片，據中國官方記錄說，在這張印有於一九一九年被殺害的德國馬克斯主義革命家李卜克內西（Karl Liebknecht）和盧森堡（Rosa Luxemburg）畫像的明信片上，周恩來寫道：「希望

【6】　張欣，「大愛無言，海棠依舊」，《創新文庫》，中國科學院北京基因組研究所，2009 年。
【7】　尹峰，「周恩來與那個時代的情感」，《三聯生活週刊》，2006 年第 2 期。

我們兩個人將來，也像他們兩個人一樣，一同上斷頭臺。」，明確
向驚愕不已的鄧穎超表達了求婚之意。

　　周恩來去世後，鄧穎超經常在與秘書趙煒的閑聊中，講起她
與周恩來當年的那些片斷，承認對周恩來的追求「連我自己都有
些納悶」。【8】

　　在南京電視台為鄧穎超一百週年承製的八集紀錄片《鄧穎超》
中，鄧穎超回憶說，一九二三年在歐洲的周恩來與她通信「突然
地」向她求愛，提出來兩人的交往「明確發展到戀愛關係」，並
非常急迫地要求鄧穎超回復他。在那個新舊過渡的時代，加上兩
人的世家背景，這等於是向鄧穎超求婚。鄧穎超告訴母親，母親
說：「現在不要答覆，等他回來看一看再說。」

　　對周恩來的來函求愛，鄧穎超相當愕然，除了兩人相交是淡
淡的，也因為那時她從來沒有想過戀愛婚姻這類兒女情事，是個
沒有任何戀愛經驗，甚至沒有憧憬的少女。鄧穎超是一位主張婦
女解放的新時代女子，在接受周恩來求婚之前，她看過太多女子
因為婚姻不幸而命運非常悲慘。一九二三年她一位天津女師同學
婚後慘死，給她很大震動，令她對婚姻的看法很負面。紀錄片
《鄧穎超》中說，在這之前她對婚姻很悲觀，上學途中碰見坐花
轎的新娘就想，這個女人完了。

　　鄧穎超與母親關係非常親密，而她本來對婚姻又是悲觀的，
但這一次竟然不顧母親的意見，立即明確回函答覆周恩來，接受
了周恩來的求婚。鄧穎超在紀錄片對著鏡頭回憶這段往事時，一
直面無表情的她露出了笑容，說從此她與周恩來不再是一般的朋
友同志關係，而是愛人了。顯見當年十九歲的鄧穎超，少女情

【8】　　趙煒，《西花廳歲月：我在周恩來鄧穎超身邊三十七年》，中央文獻出版
　　　　社，2004 年。

懷,被著名的漂亮帥哥周恩來的追求打動,因而毫不猶豫接受了周的求婚。

接受了周恩來的求愛後,鄧穎超在「女星社」刊物上發表的文章,對婚姻愛情的觀點一百八十度大轉彎,本來主張「獨身主義」的這位少女此時大讚兩性愛情的美好,顯示她正沉浸在幸福的愛河中:

> 兩性的戀愛,本來是光明正大的事,並不是污濁神秘的。但它的來源,須得要基礎于純潔的友愛,美的感情的漸馥漸濃,個性的接近,相互的瞭解,思想的融合,人生觀的一致。此外,更需兩性間覓得共同的「學」與「業」來維繫著有移動性的愛情,以期永久。這種真純善美的戀愛,是人生之花,是精神的高尚產品,對於社會,對於人類將來,是有良好影響的。【9】

注意,這裏鄧穎超講的愛情,是兩性之間的愛情,與後面周恩來對愛情的理解有很大的差異。

一九八七年九月三十日,鄧穎超會見日本公明黨前領袖竹入義勝先生時,也講述了她與周恩來的這段往事,再次承認她在周恩來去法國之前沒有任何私交,更談不上感情的交流。

鄧穎超說,周恩來很受女同學的歡迎,在「覺悟社」成立之前,鄧穎超所在的直隸女師同學已經常議論到周恩來。鄧穎超與周恩來同入「覺悟社」後,兩人交往很少。鄧穎超說那時男女授受不親的封建意識很強,男女交往也有限制,當時她看到周恩來與別人講話很多,話很長。而她那時還是個少女,他對她講話就比較少,而且很短。當時她情竇未開,反感婚姻,周恩來也揚言守「獨身主義」,兩人也不可能談戀愛。周恩來到歐洲後與她通

【9】　吳志菲,「揭秘:周恩來的情書如何打動鄧穎超」,中國共產黨新聞網,2013 年 6 月 4 日。

信，開初她也完全沒有留意，絕對沒有想到這個女子中的萬人迷周恩來會追求她。直到一九二三年春向她正式求婚。

鄧穎超在這次談話中，還提到有個細節也很重要。她說在兩人婚姻關係確定後到一九二五年兩人結婚，兩人的通信「很少談愛情」。[10]

看來周恩來寫信給她主要是為了求婚，而不是求愛，求婚目地達到，也就沒有必要在信中談情說愛了。因為周恩來後來說，選擇鄧穎超是因為鄧穎超是一個理想的革命伴侶，也就是說不是因為愛情向鄧穎超求婚，而是為了愛情以外的目的。

3　傑出的女社會活動家是理想的革命伴侶

在周恩來身邊其實有好幾位革命的女戰友，他與她們更熟悉，更親近，而其中之一的張若名比鄧穎超更有女人味，一度傳是周恩來的初戀情人，鄧穎超也信以為真。但周恩來最後選擇了鄧穎超。難道真是如他後來所說，是因為鄧穎超更適合做他的革命伴侶，是可以與他一道「上斷頭台」的愛人？

如果從周恩來回國是推動國共合作的革命任務來看，鄧穎超確實是周恩來最理想的伴侶。

周恩來從歐洲回來時雖然被賦予要職，卻是名不見經傳，但鄧穎超已是天津知名的女性社會活動家，尤其在國民黨發起的「五卅」運動中名聞遐邇，為一時風雲人物。因此長期以來，有個說法是周恩來在政治上的發跡最初是夫憑妻貴。

鄧穎超一九○四年出生於廣西南寧一個官宦之家，父親鄧庭忠任南寧鎮台，即南寧的綠營兵司令。鄧庭忠在生育了三個兒子的妻子亡故後，再娶家世已沒落的大家閨秀楊振德做繼室。楊振德婚後三年生下獨女鄧文淑（即鄧穎超）。

【10】　高振普，《周恩來衛士回憶錄》，上海人民出版社，p258、259、260。

楊振德在清末民初那個相當保守的時代是一位非常難得的有志氣的獨立女子。在獨生女兒三歲時，丈夫鄧庭忠獲罪發配新疆，後來暴病身亡，她不仰仗男子，勇敢地承擔起自食其力養大女兒的責任。為了謀生，楊震德攜帶著年幼的鄧文淑，從南寧輾轉廣州、上海，最後來到天津，在長蘆鹽業局辦的一所育嬰堂謀到一個教職。楊振德是有知識的女性，自幼習醫，以後一直以教書和行醫謀生，與女兒相依為命，最後將鄧穎超養大成人。母親是鄧穎超一生最親近的人，母親去世後，鄧穎超一直把母親的照片掛在她的臥室床前，朝夕相伴，直到她去世。

有其母必有其女，楊振德自強自立的人生對鄧穎超影響很大。鄧穎超從中學十五歲的少女時代開始就參加社會運動，成為新時代女強人，不能不說有其母親的影子。

六歲的鄧穎超隨母親來到北方後，寄居在長蘆鹽業局育嬰堂。後進入北京平民學校讀書。一九一五年秋季，鄧穎超進入天津的直隸第一女子師範學校。一九一九年「五四」運動爆發，像那個時代許多憧憬新世界的熱血青年，聰明能幹、性格鋒芒畢露，而又懷抱婦女解放新思想的少女鄧穎超找到了揮發自己熱血的新天地，毫不猶豫投身到這個令人激動的浪潮中，並且出類拔萃，尤以演講著稱。

一九一九年五月四日，北京學生為抗議「巴黎和會」（Paris Peace Conference）火燒趙家樓。次日消息傳到天津，鄧穎超和女子師範的同學郭隆真等熱血沸騰，起而呼應，在五月二十五日成立了天津「女界愛國同志會」，投身「五四」運動。會長即女師畢業生劉清揚，鄧穎超為演講隊長。中共官方記錄描述鄧穎超這位十五歲的少女在街頭演講時毫不怯場，能慷慨陳詞，有時講到國家的興亡更會聲淚俱下，感人至深，是位天生的街頭演說家，與她晚年時言語乏味的馬列主義老太太形象完全是兩個人。

在周恩來歐洲留學期間，鄧穎超在天津「達人女校」教書，同時投身於社會運動。在天津女師同學婚後慘死後，發起組織了女權組織「女星社」，探討社會問題，並開始與周恩來通信。鄧穎超隨後在國民黨發動國共兩黨合作煽動的「五卅」運動中鋒芒畢露，在這場把矛頭指向西方資本主義國家的民粹主義左傾運動中，鄧穎超組織天津婦女聯合會、天津各國救國聯合會，並當選為「各國救國聯合會」主席團委員，在天津是著名婦女社會運動家。

中共文獻還指鄧穎超此時投入天津紗廠工人運動，「致力於國民革命的統一戰線工作。」鄧穎超一九二四年加入國民黨（次年才加入共產黨），任國民黨順直省黨部婦女部長，為國民黨婦女界的聞人。

一九二四年十一月，孫中山發表《北上宣言》，要求召開國民會議，鄧穎超參與了國民黨的促成國民會議運動，任天津國民會議促成會總務委員。一九二五年三月十二日孫中山在北京病逝，鄧穎超作為天津派出的兩位代表之一前往北京出席國民會議促成會全國代表大會，當選為大會執行委員和國民會議運動委員會委員。鄧穎超還參加了孫中山的守靈和送葬。回到天津後又組織天津各界隆重追悼孫中山。

鄧穎超在北京出席國民會議促成會全國代表大會，其才能光芒四射，獲得各方矚目。許芥昱的《周恩來傳》說鄧「在會議中極為活躍，並在幾次公開演講中逞其口若懸河的辯才，不惟贏得與會代表一致讚美，許多報紙都把她的演說在顯著的地位刊登，成為該次會議中風頭最健的人，並為各地所周知。」[11]

【11】　許芥昱，《周恩來傳》，香港明報出版部，1976 年，p349。

如果周恩來回國從事國共工作，挑選這樣一位傑出的女社會活動家做妻子，很顯然是有利於他的統戰事業。而後來鄧穎超也確實起到了這樣的作用。

4　國共合作充當要角

蘇聯布爾什維克奪取政權後，一直謀求將中國納入其勢力範圍，在蘇聯遠東地區及其遠東最強對手日本之間，以中國作為戰略緩衝地帶。新成立的紅色政權在外交上被西方孤立，急於擺脫困境。因此列寧和斯大林一直在中國各方尋求親蘇的代理人，希望在中國建立親蘇反西方的政權。德國海德堡大學教授夏白鴿指出，「在蘇俄尋找遠東結盟對象初始，正是中國軍閥混戰時期，中國四分五裂的狀況恰好為蘇俄提供了機會。蘇俄派出大量人員在中國尋找可依附於己的政治力量，而且列寧親自過問。以孫中山為首的南方政府、吳佩孚的直隸政府、馮玉祥的軍隊都是蘇俄專心調查研究、積極拉攏培育的對象。」他說，一九一九年俄共（布）提出的遠東戰略指出要向中國推銷共產主義，並讓中國和日本、美國發生衝突，戰略還特別提到為激化中國與日美的衝突可採取各種所需手段。【12】

大陸歷史學者楊奎松的著作《中間地帶的革命》探討中國在蘇聯遠東地緣政治戰略中的工具性作用，指蘇聯在遠東地區，為了其國家安全利益，戰略部署主要是對付遠東勁敵日本，因此在中國扶持一切反日和反親日軍閥的政治勢力，從而大力推動國共合作。

中共的意識形態一直將中國的各路軍閥定性為「反動」勢力。其實蘇聯在中國尋找合作者代理人，是不問意識形態的，不計較誰「反動」誰不「反動」，只要親蘇即可。其間曾接觸過張

【12】　夏白鴿，「蘇俄對華政策與中共建黨」，《炎黃春秋》，2011 年第 8 期。

作霖、吳佩孚等軍閥，但都未能成功。一度還想拉攏後來被國民黨妖魔化的陳炯明。一九二〇年在中國南方擁有重兵的陳炯明被蘇聯看中，蘇聯派密使送列寧親筆信與陳炯明聯系，要求與陳合作，向陳許願可將儲存在海參威的軍械供給陳的粵軍使用，幫助他統一中國，但被陳嚴詞拒絕。最令人意外的是，蘇聯紅色帝國興起之初，不知迷惑了天下多少知識分子，他們都以為走紅色蘇俄的路，人類就會到達人間天堂，但陳炯明卻驚人的清醒，他指責蘇聯式政權剝奪人權，中國不能仿效。對紅色蘇俄的本性，陳是中國最早的先知先覺者之一。【13】

在拉攏多方勢力失敗後，蘇聯最後與一直懷有統一中國野心的孫中山一拍即合，決定幫助孫中山的國民黨北伐奪取政權。一九二一年國民黨受邀參加蘇聯的遠東人民代表大會。在一九二四年至一九二七年間，蘇聯一共向國民黨提供了三千萬金盧布的援助，蘇聯許願給陳炯明但被陳拒絕的這批軍火給了孫中山，為國民黨建立一支仿效蘇聯紅軍體制的黨軍。國民黨以這批蘇聯軍火首先打敗陳炯明，然後揮軍北上，最後北伐成功，武力統一了中國。中國最早的聯邦主義先驅陳炯明則被國共兩黨的歷史厚誣抹黑成阻礙中國進步的「反動派」。

當時，蘇聯用以在全球進行共產主義意識形態擴張的工具——共產國際已在中國扶持了一個嫡系勢力，即中國共產黨，但當時與國民黨相比，共產黨在中國完全不成氣候。據楊奎松在《孫中山與國共合作》一書，一九二一年中共在共產國際遠東局外交人民委員部遠東事務全權代表維經斯基策劃下成立時，只有五十餘人，次年中共二大，也只有不到二百成員，力量不但微不足道，而且還處於地下狀態。雖然一九二二年八月十七日，在馬

【13】　陳欽，「揭秘陳炯明、孫中山分歧的真相」，《北洋大時代：大師們的理想國》，長江文藝出版社，2014年。

林督促下，中共中央杭州西湖會議根據共產國際的指示，已作出做出了與國民黨組織聯合戰線，共產黨員以個人名義加入國民黨的決定，但紅色蘇聯仍在拉攏更有實力的中國軍閥。

據張國燾回憶錄，中共曾在吳佩孚與孫中山之間選擇合作夥伴，本來傾向直系軍閥吳佩孚，其全權大使越飛致函吳佩孚要求合作，承諾將大力援助吳佩孚逐鹿中原，因為吳佩孚當時在中國為實力最強的軍閥，而且也比較左傾，曾通電宣稱保護農工，形象「進步」。但這份送上門來的「好意」被重民族氣節的吳佩孚一口拒絕，而後來發生的「二七」慘案也斷絕了斯大林收買吳佩孚的一廂情願。【14】

當時信心爆棚的中共以為蘇聯式赤色革命很快就能在中國獲得勝利，中國工農蘇維埃政權已出現在地平線上。一九二三年二月中共煽動數萬工人發動京漢鐵路大罷工，並大肆破壞鐵路軌道，導致中國北方大動脈一千兩百公里的京漢鐵路完全癱瘓，因此與當時對京漢鐵路有管轄權的吳佩孚發生劇烈衝突，最後被擊潰，導致中共所謂的「二七」慘案。中共出乎意料，張國燾還專程到莫斯科匯報。蘇聯因此拋棄了聯合中國直系軍閥的幻想，另以奪取政權為目的但手段可以不擇的孫中山代之。

相當震驚的中共這時才知羽翼未豐實力不足，遂正式決定接受共產國際指示，寄生於比較有實力的國民黨，圖謀發展。五月，在共產國際馬林的催促下，中共將中央機關遷往國民黨政府駐地的廣州，開始公開活動。中共隨即召開三大，確定了全體中共黨員以個人名義加入國民黨，與國民黨建立革命統一戰線。

孫中山為了獲得蘇聯援助他北伐奪取政權，甘心接受共產國際幫助他改組國民黨，將一個原本有民主意識形態傾向的民族主

【14】　張國燾，《我的回憶》，明報月刊，1971。以下所引用張國燾回憶錄資料均來自張國燾《我的回憶》。

義政黨改變為準共產主義意識形態的左翼民粹政黨，推行聯俄容共扶助農工的左翼政策。在共產國際派來的顧問鮑羅廷坐鎮下，一九二四年國民黨召開第一次全國代表大會，通過了反西方的左翼外交路線，提出了打倒帝國主義這種有濃厚蘇聯意識形態色彩的口號。

北伐宣言稱中國人民的痛苦皆出於帝國主義的侵略和賣國軍閥的暴虐，將中國所有問題都歸咎於西方。國民黨這個左翼政策是導致共產黨在中國壯大的溫床。國民政府這一段所謂反帝反殖，打倒列強，北伐統一中國的歷史應該作批判性梳理。

張國燾回憶錄曾回顧他以中共唯一代表的身份參加共產國際遠東局一九二二年一月二十一日在莫斯科召開的「遠東勞苦人民大會」的經歷。他說這次大會中國代表團中包括了在野反對勢力各界人士，如政黨、勞工、婦女界、自由職業者、學生團體等，其中有孫中山以國民黨代表名義派來參加的代表張秋白、後來黃埔要人賀衷寒等。張國燾說，這次會議使中國社會各界受到蘇聯馬列主義意識形態的強烈影響，「最主要之點是：這次會議在正式的和非正式的商討中，確定了中國革命的反帝國主義的性質，換句話說，反帝國主義被視為中國革命的主要任務。」他說：

　　當時一般中國人還不知「帝國主義」為何物，甚至像胡適這樣著名學者也還認為「反帝國主義」是海外奇談。後來經過中共的宣傳和出席這次會議（遠東勞苦人民大會）的代表們的多方介紹，「反帝國主義」這個名詞，不久就成為人所共知。不管後來中國革命起了一些甚麼變化，但這把「反帝國主義」的火，放得確實不小，它燒遍了中國，也蔓延到了東方各地。

中國社會關心國事的精英階層開始赤化、左傾，甚至一些覬覦蘇聯盧布的政治勢力，如新軍閥馮玉祥等，也以左翼形象示

人，西方自由主義在中國受到擠壓。其後國民黨領導組織，共產黨活躍參與的兩場工人運動（「五卅」運動、省港大罷工），都是中國左翼社會精英因應蘇聯的意識形態和國際戰略而發動的左翼民粹運動，把本來屬於單純勞資糾紛的事件上升為政治事件，拔高到反日反英帝國主義的高度，在國共兩黨的運作下，事件波及全國，使中國社會進一步激進和左傾。

一九二五年五月上海一家日資紗廠發生勞資糾紛，因為資方是日本商人，國民黨上海執行部（國民黨上海執行部的工農部長為于右任，秘書為邵力子，幹事為共產黨員鄧中夏、王仲一）於是發動工人罷工，領導工潮，將一場單純的勞資糾紛高調升級為反日本帝國主義的運動。紗廠工人顧正洪被槍殺後，國民黨中央執行委員會第三次全會通電全國，呼籲聲援上海紗廠工人，從而發動了一場反對帝國主義的「五卅」運動。國民黨上海執行局甚至還主張與英國和日本這兩個帝國主義國家斷絕經濟交往。在後來的北伐中，中國革命軍亦使用打倒帝國主義的口號不斷衝擊西方國家在華機構和利益，直到蔣介石「四一二」清黨，與中共決裂為止。

這場以打倒西方帝國主義為口號的蘇式激進民粹運動，最後導致的結果是紅色帝國主義在中國的崛起。在中國權力的角逐場，往往是厚黑者笑到最後，做人有底線的陳炯明和吳佩孚失敗了，成了「反動」軍閥，不擇手段的孫中山，則至今供奉在國共兩黨的神壇上。

當時國共兩黨的口號是反帝反軍閥。實際任何不建立在憲政之上，而是建立在槍桿子之上的政權都是如假包換的軍閥，北洋軍閥是軍閥，但反北洋政府的地方政權，及孫中山的廣州國民政府和後來的共產黨蘇維埃政權何嘗不是軍閥。前者可稱為新軍閥，後者可名之為紅色軍閥。以「打倒軍閥」為口號的國共兩黨

武力北伐，實際就是經過蘇聯意識形態漂亮包裝的新一輪軍閥混戰而已。

周恩來就是在這個第三國際主導下的國共合作背景下，走上歷史舞臺的。而周恩來與鄧穎超也是在這樣的歷史背景下結合為夫妻的。

國共合作在中國掀起大革命高潮之時，人在歐洲的周恩來也在同時接受共產國際指示，以共產黨人的身份開始了與國民黨的合作。一九二二年八月，因進佔里昂大學被驅逐回國的國民黨留法學生王京歧受孫中山派遣回到法國籌備組建國民黨旅歐支部。一九二三年三月十日，在周恩來的主持下，旅歐共青團總支部在巴黎舉行會議，決定旅歐共青團總支部成員加入國民黨。該年六月十六日，周恩來親自率領旅歐共青團總支部代表去里昂與王京歧商談國共合作問題。雙方最後達成協議，旅歐共青團總支部所屬八十餘人全部以個人名義加入國民黨，此後不久，孫中山和國民黨總部委任周恩來為國民黨巴黎通訊處（後稱巴黎分部）籌備員。

十一月二十五日，國民黨歐洲支部在里昂召開成立大會。會上，中共旅歐黨團組織中有五人當選為國民黨歐洲支部領導成員，其中，周恩來任國民黨歐洲支部執行部總務主任（即秘書長），李富春任宣傳主任，會議規定了國民黨歐洲支部執行部部長王京歧回國期間，其職務由周恩來代理。因而，在一個時期內，國民黨歐洲支部的整個工作實際上由周恩來負責。

一九二四年七月，人在歐洲的周恩來奉召回國，九月初經香港抵達國共合作的國民政府所在地廣州，十月出任中共廣東區委委員長兼宣傳部長，其後被派往廣州黃埔軍校任教官，教授馬克思主義的政治經濟學。十一月就任政治部主任，按蘇聯模式，在黃埔軍校建立政治工作制度。時年，周恩來僅二十六歲。

　　周恩來，一位名不見經傳的歸國留學生，在歐洲沒有進過大學，但卻能教授政治經濟學。他沒有到蘇聯受過訓練，但回國後卻能夠在黃埔軍校複製蘇聯的軍隊政工模式。這是相當令人奇怪的。為何籍籍無名的青年周恩來能擔此重要職務？這一非同尋常的現象引起了各種猜測，直到近年這個謎一直未能解開。

　　有人說他是夫憑妻貴，因為周恩來雖然無名氣，但他的妻子鄧穎超當時已是國民黨的著名婦女活動家。記得國民黨老報人陸鏗有次與我談艾蓓的《叫父親太沉重》這本書時，談到鄧穎超，他即持這一說法，說周恩來是因為鄧穎超的地位而得以重用。周恩來在外交部的親信下屬張穎甚者說是鄧穎超把周恩來引上革命的道路。但此說有個很大漏洞，因為周恩來是先當上黃埔軍校政治部主任，然後才與鄧穎超結婚。

5　經張申府引薦投入革命進入黃埔軍校

　　周恩來一生事業以黃埔軍校政治部主任起家。但籍籍無名的海歸青年周恩來為何有此機遇？

　　近年來有人傳他是由共產國際派回國，帶有共產國際總書記季米特洛夫（Georgi Dimitrov）一封致孫中山的蘇聯顧問鮑羅廷（Mikhail Borodin）的推薦密信。當時，鮑羅廷是孫中山的太上皇，孫對他言聽計從。但此說可能性不大，因為季米特洛夫當時並非共產國際領袖。當時的共產國際總書記是季諾維也夫（Grigory Zinoviev）。季米特洛夫直到一九二三年夏天一直在保加利亞幹革命，該年九月發動起義失敗隨後流亡到南斯拉夫，再到蘇聯，後又前往德國。他是經歷著名的德國「國會縱火案」聲名大噪後，於一九三五年才被斯大林提名選為共產國際總書記的。因此周恩來不可能持有季米特洛夫的推薦信。

　　「文革」後，中共黨史一些真相慢慢解禁，一些被封殺的歷史人物重新浮出水面，這才使得周恩來何以能當上黃埔軍校這個被人猜測很久一直得不到答案的謎團才開始解開。其中一位曾被歷史封殺者就是周恩來加入共產黨的引路人張申府。

　　劫後餘生的張申府一九八〇年三月二十二日接受美國歷史學家舒衡哲（Vera Schwarcz）訪問，首次透露說，周恩來能任黃埔軍校主任是出自他的推薦。數年後張申府此說出現在中共刊物上。二〇〇六年六月一日《南方週末》李楊文章「張申府：中共黃埔第一人」，對經過作了更為詳細的披露。

　　周恩來到歐洲的次年，求學無門飽受挫折，走投無路的周恩來見到了剛抵達法國不久的「覺悟社」舊人劉清揚和劉清揚的男朋友張申府。一九二一年二三月間經張申府和劉清揚介紹，周恩來加入了共產黨。據張申府講，他是一九二〇年在北京與周恩來相識。是年八月十六日，赴京的天津「覺悟社」在陶然亭開茶話會，邀請多個團體人士共商國事。李大釗和張申府代表「少年中國」學會出席，發表了演講。張申府由此結識周恩來，以後周恩來到北京，兩人還去過中山公園的來今雨軒茶社飲茶。

　　與周恩來這些籍籍無名以勤工儉學名義赴歐洲的青年不同，張申府是赫赫有名的北京大學哲學教授，家世也相當顯赫，父親為前清進士、民國眾議員張濂。他是以北大校長蔡元培的秘書身份，應聘里昂中法大學教授邏輯學，搭乘法國客輪科迪勒拉號（Cordillère）的頭等艙來到法國。

　　但張申府私下另有一秘密身份。

　　張申府在北京大學與中共兩位創黨人陳獨秀和李大釗共事，並且參加《新青年》雜誌和《每週評論》工作，活躍於「新文化」運動，三人彼此非常投契。一九二〇年四月斯大林派共產國際遠東局代表維經斯基（Grigori Voitinsky）來華策動成立中國共產黨，

首到北京，最初見兩人即李大釗和張申府。兩人再將人在上海的陳獨秀介紹給維經斯基。陳獨秀八月在上海成立中國第一個共產主義小組，兩個月後李大釗和張申府，再加一個由張申府拉入夥的北大學生張國燾成立了北京共產主義小組，其後這兩個小組再經活動，在全國乃至歐洲日本陸續成立共產黨小組和社會主義青年團，再於次年七月在上海舉行中共一大，宣告中國共產黨成立。

因此共產黨在中國的出現，論首功應是李大釗、陳獨秀和張申府三人。但在「文革」結束之前，中共歷史書上的中共創黨主要發起人是沒有張申府這個名字的。張申府這個中共歷史上的一位關鍵人物因為後來的經歷，被中共官修歷史有意抹掉了。

張申府赴法前夕，陳獨秀和李大釗委託他在歐洲發展黨員。張申府是在一九二一年元旦這一天從法國馬賽港來到巴黎，僅比周恩來晚到半個多月。

在張申府遊說周恩來加入中共之前，這正是周恩來在英國求學失敗走投無路之際。當時周恩來的政治信念正面臨一個何去何從的十字路口，是效法英國的自由主義，還是俄國的暴力革命，他躊躇不定。他在一九二一年一月在英國寫給其表兄陳式周的信顯示他尚未決定，「取俄取英，弟原無成見」。但個人的前途困境和整個旅法學生的激進傾向使他很快地倒向了共產主義。

英國作家迪克・威爾遜《周恩來傳》記載，由於資助中國學生旅法勤工儉學的「法華學會」破產，在法國的中國學生頓時陷入困境，許多人找不到工作，甚至沒有地方學習或聚會。一九二一年周恩來和蔡和森帶領留學生向中國駐巴黎公使館請願，要求中國公使為他們解困，公使本人默不表態，公使只是把學生的要求轉達給中國政府，而中國政府卻回話說不再給這些學生提供資金了，那些既沒有錢又沒有工作的留學生應該被遣送回

國。這下激怒了廣大學生，由此導致了一九二一年二月二十八日學生向公使館的請願事件。法國警察驅散了請願隊伍。在這個事件中，總共有四位領導人，其中兩位就是周恩來和蔡和森。

迪克·威爾遜上述資料是錯誤的，實際周恩來非但不是這個所謂「二·二八請願運動」的領導人之一，而且本人沒有參與這個事件，雖然他已從英國回到法國，但只是一個旁觀者而已。周恩來三月二十一日為國內的《益世報》寫了兩萬字的報導「留法勤工儉學生之大波瀾」，並沒有一面倒地支持已是狂熱共產主義信徒的蔡和森（蔡當時還未加入共產黨組織）領導的這場運動，立場相當中立客觀，對無能為力的駐法公使館和法華學會的處境很諒解，甚至還批評了蔡和森等激進學生「徒其空洞無辦法，徒恃盛氣凌人，以作爭勝之具。」可能周恩來此時還沒有加入共產黨，所以對中國學生的激進行動稍有微詞。當然周恩來加入共黨後，立場就大為改變。

周恩來初抵歐洲時的經濟狀況不是很好，經張申府和劉清揚介紹加入共產黨後，周恩來從此成為職業革命家。從南開中學畢業，一直漂泊不定飽受生存之困前途渺茫的周恩來終於安定下來，有信仰，有組織，有讓他們感到充實的活動，還有雄厚的財力支持。共產國際向他們提供了衣食無憂的支援。

一九二一年三四月間由張申府和當時在法國的上海共產主義小組成員的趙世炎、陳公培發起在巴黎成立了共產主義小組，周恩來在張劉二人介紹下加入。巴黎共產主義小組是後來籌組中國共產黨的八個共產主義小組之一。周恩來很快成為赴歐中國共產黨人的領導者，受到共產國際的相當重視，頻繁奔波於巴黎和柏林之間。

周恩來後來為中共創辦情報系統，因此有個傳聞說，周恩來在歐洲可能接受過共產國際的情報訓練，可能已秘密加入共產國

際情報機關——共產國際國際聯絡部 OMS。此說是否符合事實，還需要更多資料證實，但有一點是可以肯定的，周恩來在歐洲已接受共產國際指示，開始著手國共合作事宜。

張申府於一九二三年十一月經蘇聯回國，在蘇聯認識了受孫中山派遣訪蘇考察的蔣介石。被中共指為最「反動」的蔣匪幫頭目的蔣介石此時卻是共產國際的大紅人。他訪蘇目地之一是希望蘇聯幫助孫中山建立一培訓「革命軍人」的陸軍軍官學校。蔣介石在蘇聯一共停留了三個月，在一九二三年十一月二十五日應邀出席了共產國際的會議，並當選共產國際名譽執行委員，是共產國際歷史中地位最高的中國人。蔣隨即返國，十一月三十日接孫中山電報赴廣州革命政府駐地，向孫中山匯報蘇聯考察經過，一九二四年一月開始籌組黃埔軍校。

張申府在蘇聯與蔣介石這一見，兩人談得很投契，彼此欣賞。張申府對舒衡哲說，在莫斯科他第一次見到蔣介石，對蔣介石軍事方面的敏銳洞見印象很深。【15】張申府一九二四年二月回國，來到廣州，因與蔣介石這層關係做了黃埔軍校校長蔣介石的德語翻譯（張申府通英文、德文）並參與黃埔軍校的籌辦。五月軍校公佈人事安排，因校長蔣介石的提名，張申府這位白面書生擔任了政治部副主任，主任是國民黨元老戴季陶。

張申府當時為黃埔軍校教官中唯一的共產黨人，任政治部副主任這個安排，既有他與蔣介石這層關係，也有可能是由共產國際在某後操縱，經國共兩黨協商促成的。張申府同時也在孫中山於黃埔軍校同時創辦的國立廣東大學（現廣州中山大學）任教，因兩校交通來往費時，以及他與蔣介石關係變差（張申府後來之

【15】　Vera Schwarcz, *Time for Telling Truth Is Running Out*, Yale University Press, 1992, p.118.

說），而於六月十九日（黃埔軍校開校三日後）辭去黃埔軍校職務。

但在離職之前張申府向戴季陶和代理軍校籌備委員會委員長，後擔任軍校黨代表的國民黨左派人物廖仲愷推薦了周恩來等十五位共產黨員。周恩來為名單上第一人。廖仲愷同意後，向周恩來寄出了歸國路費。

國共合作後，在中國掀起了所謂的「大革命高潮」，在歐洲的中國共產黨人認為革命形勢大好，紛紛束裝回國或被黨派遣回國，投入到「大革命的洪流」中。據《周恩來年譜》，周恩來於一九二四年七月下旬從法國啟程，經海路於九月一日抵香港，九月初到達孫中山的國民政府所在地廣州，當時國共合作的大本營。

周恩來並非一開始即任黃埔軍校政治部主任，他先被任命黃埔軍校政治教官，講授政治經濟學。十一月任政治部主任。周恩來以此起家，開始了他以後政治上叱吒風雲的生涯，最後攀登上政治上的頂峰。

但他的革命引路人、中共三大創黨元老之一的張申府後來的政治命運卻與他判若雲泥。張申府先是在中共四大退出中共，重當大學教書先生。隨之在抗戰時與一班左翼人士成立國共之外的第三勢力黨派——民盟。因不識時務，在一九四八年秋國共內戰中共佔上風奪取政權即將獲勝之時，張申府卻站在了失敗者一邊，竟然發表文章呼籲和平要求中共停戰，從而激怒中共。在中共操縱下，這位民盟創始人被民盟開除，已到解放區的妻子劉清揚還登報與他解除夫妻關係。更倒楣的是，中共上臺後他又在一九五七年被打成「右派」。

張申府成為中共歷史上一個污點人物，為了維護周恩來形象，他在周恩來政治人生中兩個關鍵時刻拉拔周恩來的事實被長

久掩飾遮蓋。周恩來一九二二年在柏林時與張申府、劉清揚、趙光宸【16】等四人在万塞湖（Lake Wannsee）一艘小船上留下一張合影，但中共發表這張照片時，把其餘三人裁掉，只剩周恩來一人。直到八十年代之後這張照片的原始版才逐漸出土。

張申府的歷史作用似乎就是為了給周恩來的歷史地位墊底，周恩來的宏大塑像高高聳起，但作為基座的張申府則淹沒在渾濁的泥水中。由於張申府被中共歷史封殺，以致周恩來進黃埔之謎一直被人解不開。

一個赴歐留學失敗的歸國青年能夠當上黃埔軍校政治部主任，引發很多猜測，另一個原因可能是太高估了黃埔軍校草創時的實力。現在看黃埔軍校很了不起，用大陸流行話語來說，是很牛的。這是因為國共兩黨先後都是由黃埔軍校的槍桿子起家最後建立政權，從而使黃埔軍校成為創世的神話。但黃埔軍校建立之初，不過是一個在野政治勢力搭建的草台班子而已。開辦之初，蘇聯援助到來之前，沒錢沒槍，學員甚至三餐不繼，其窮酸地步很被當時南方的軍閥輕視瞧不起，當校長的蔣介石甚至被滇軍軍閥范石生當面奚落「辦什麼鳥學校？」【17】

這樣一個在野政治勢力的草台班子，雖然求才如渴，但最優秀的人才未必願意屈就，因為沒有人會預言到其後國共兩黨政權的許多要人都會從這個草台班子崛起，黃埔的光輝是在多年後才被世人所肯定。因此一個留洋歸來的二十六歲青年當了這個草台班子的什麼主任，在當初不是什麼了不起的事情。

雖然獲得季米特洛夫的推薦信是不太可能的，但亦不排除背後有共產國際的安排。周恩來在歐洲加入共產黨時，很大可能被

【16】　趙光宸是周恩來南開校友，「覺悟社」成員，在法國加入中共，但後來退黨，任國民黨中央監察委員，一九四九年移居台灣。

【17】　單補生，「有關黃埔軍校的幾個問題」，《黃埔軍校回憶錄專輯》，廣東人民出版社，1982 念 12 月。

共產國際的情報機關——共產國際國際關係部（OMS）秘密招攬，接受其秘密軍事情報訓練。周恩來在歐洲時，曾從巴黎移居到柏林生活過一年，解釋是因為德國生活費比較低。這一解釋表面上成立，但細究之下還是有一些漏洞。因為當時周恩來在共產國際的秘密財力支持下，已衣食無憂，生活費用的高低已不是讓他焦心的事。

　　許芥昱的《周恩來傳》說周恩來在柏林住威廉街，那是相當高級的住宅區，每月房租四十八馬克，約十二美元。【18】但周恩來一九二二年三月二十五日給南開同學常策歐寫的明信片，地址則是瓦爾姆村皇家林蔭路 54A，據周恩來在這封明信片所說，似乎也是相當好的住宅，室內陳設比常策歐倫敦居家「還好得多」，房費三百五十馬克，比許芥昱所說的威廉街的房租還要貴。此外周恩來還向同樓一位德人學德文，每小時十五馬克。這都不是一個清貧的中國留學生可以負擔的。

　　迪克·威爾遜《周恩來傳》說，周恩來初到法國時生活很困窘，到法國一年以後，他一位老同學去拜訪他，發現周恩來服裝剪裁得體，居室很整潔，頗為羨慕。迪克·威爾遜的英文版《周恩來傳》有中文版刪去的一段話，說周恩來一位同學指周恩來每個月從共產國際處獲得二千五百法郎，從比利時天主教會得八百法郎（這可能是周恩來為天主教會的《益世報》作特約記者所得酬勞）。此外周還從雷諾汽車廠得到三百法郎（周在此打工三個星期）。【19】

【18】　許芥昱，《周恩來傳》，明報出版部，1976 年 1 月，p42。
【19】　Dick Wilson, *Chou: The Story of Zhou Enlai*, 1898-1976, Hutchinson, 1984, p56.
　　　該書的中國大陸版（封長虹 譯）刪改甚多。僅作者序言就有多處刪改，原著指周恩來「下令處決叛徒的無辜家人」，中文版則刪去「無辜家人」。再如英文原著指周恩來「批准屠殺數以百萬計的地主和鄉紳」，中文版則改寫為「容忍了對反革命分子的鎮壓」。

韓素音的《周恩來傳》指周恩來成為職業革命家後，常來往於幾國之間，「為了避免警察懷疑他是個流浪漢或極端分子，需要做一兩件較好的衣服，均由共產國際出錢。」「一位名叫蘇珊·吉羅的法國女共產黨員定期送錢來給中國共產主義小組。周恩來還負責把一些未來的黨員從法國、比利時和德國通過柏林送上火車，安全地轉送莫斯科。」張申府女兒張燕妮二〇一一年接受淮安新聞網記者訪問說，周恩來未接到廖仲愷匯去的路費已動身啟程回國。周恩來回國這筆不菲的路費應該也是共產國際提供的。

這說明周恩來定居柏林，不會全是經濟方面的考慮。

當時德國共產黨是共產國際中歐洲最大的共產黨支部，是蘇聯之外的共產國際勢力的帶頭人，共產國際西歐局即設在柏林，而周恩來在歐洲時期，蘇聯駐柏林大使館的三等秘書俄國猶太人杰克佈（Jakob Mirov-Abramov）即是共產國際情報機關 OMS 的歐洲主管。中共的國際友人史沫特萊（Agnes Smedley）現已證實曾是共產國際間諜，而她正是在僑居柏林時被杰克佈招募入局，隨後在一九二九年以《法蘭克福日報》記者身份途經蘇聯派往中國為共產國際工作。[20]

《周恩來年譜》和不少談及周恩來在歐洲的文章都提到周恩來在柏林的一項工作是幫助中國學生拿蘇聯簽證，安排他們去蘇聯，顯見周恩來與蘇聯使館關係非常密切，因此一定與杰克佈有聯絡。因此不排除周恩來與他的入黨介紹人張申府、劉清揚一道定居柏林，主要是以便就近接受共產國際領導，並接受其政治工作和軍情工作訓練，為他回中國從事類似工作打下基礎。

周恩來回國時帶了一份旅歐中國共產主義青年團執行委員會給他的評語，該評語對周恩來評價很高，說他：

【20】　Ruth Price, *The Lives of Agnes Smedly*, Oxford University Press, 2005, p.7.

誠懇溫和，活動能力富足，說話動聽，作文敏捷，對主義有深刻的研究，故能完全無產階級化。英文較好，法文、德文亦可以看書看報。本區成立的發啟（起）人，他是其中的一個。曾任本區三屆執行委員，熱心耐苦，成績卓著。

這份介紹信對他當上黃埔軍校要職也肯定起了作用。

因此雖然不可能有季米特洛夫為周恩來寫推薦信這回事，但共產國際在柏林的頭子為周恩來寫一封信給共產國際駐華代表鮑羅廷倒是大有可能的。當時鮑羅廷為黃埔軍校政治總顧問，亦是黃埔軍校的財神金主，加上孫中山生前對他是言聽計從，如果周恩來有共產國際情報機關的特殊背景，自然是共產國際在中國最可以信任的核心骨幹人物，被鮑羅廷安插到重用崗位也就是可想而知的了。

按中共官方的說法，因周恩來的前任政治部主任邵元沖為舊時文人，思想陳舊，言論為青年學員不喜，黃埔軍校黨代表遂要求中共方面推薦人選，最後是由中共廣東區委推薦了周恩來。周恩來的任命也獲得校長蔣介石和蘇聯軍事顧問加倫將軍的認可。鮑羅廷在後面如何發功，則有待資料披露。

周恩來是在回國擔負國共合作重任之前的一九二三年春，寫信向鄧穎超表達了愛意和求婚。

嫁給周恩來，鄧穎超開始扮演國共合作的要角，而周夫人鄧穎超的確表現不凡。一九二六年一月國民黨二大，年僅二十二歲的鄧穎超當選國民黨中央候補執行委員，任國民黨婦女部（部長何香凝）秘書，是當時共產黨在國民黨中地位最高的女性。

鄧穎超秘書趙煒接受鳳凰衛視訪問說：

一九二五年（作者注：趙此說有誤，應該是在一九二六年一月一日至十九日召開）國民黨二次大會吧，我們黨派了七個代表（此說也是錯誤的，國民黨二大中共派出了大量

代表，僅當選進入中央執委和監委的即有三十四人。）她的
票就比毛主席少一些，比國民黨的很多人都高啊，她得了
一百五十多票，她的威望在國民黨當中很高的，當時就這麼
一個女的。鄧穎超一九二六年一月當選國民黨中央候補執行
委員。

趙煒接受訪問，數字記憶有錯，恐怕是將鄧穎超參加國民黨
二大和後來參加國民參政會或全國政治協商會議搞混了，因為後
二者共產黨剛好是七個代表。但趙有關鄧穎超的說法部分還是準
確的，鄧穎超確實是國民黨心目中共產黨中最有影響力的女性。

中國抗戰時期，一度血戰的國共兩黨又在斯大林的撮合下第
二次國共合作，鄧穎超成為這個國共合作戰略中來自共產黨的第
一女性代表。國民政府首都南京淪陷後武漢成為臨時首都，周恩
來夫婦來到武漢的八路軍辦事處。這段時間，鄧穎超代表中共婦
女參加了宋美齡在廬山主持的知名婦女談話會。一九三八年在重
慶參加國民參政會，是中共代表中的唯一女性，唯一的女參政
員。以周恩來夫人和女參政員身份活躍於重慶社會各界，風頭很
勁。

當時鄧穎超任中共南方局委員，專管婦女工作。南方機關八
路軍辦事處撤退到重慶紅岩，鄧穎超周旋於國民政府的陪都各
界，其人能言會道，大方能幹，為公關高手，廣受好評。曾見過
鄧穎超本人的前中央社記者陸鏗很佩服鄧穎超為人，他評論艾蓓
的《叫父親太沉重》一書時，親自對筆者說：鄧大姐為人大度，
絕非艾蓓所說的如此心胸狹窄。可見鄧穎超社交能力的高超，獲
得很多人認同。

抗戰結束後一九四六年一月鄧穎超到重慶參加政治協商會
議，中共一共七名代表，鄧是中共方面唯一的女代表。五月以中

共代表身份赴南京參加中共南方局工作，國共關係徹底破滅後才於該年十一月十九日隨中共代表團飛回延安。

鄧穎超出色地完成了黨指派她的統戰工作。甚至在中共上臺後仍然扮演統戰角色。一九四九年中共開國，宋慶齡不願意去北京「共襄盛舉」，最後是由鄧穎超專程到上海去遊說宋慶齡，成功陪宋慶齡坐專列到北京。

周恩來與鄧穎超的戀情是從一九二三年周恩來在歐洲與她通信後，突然寫信向她求婚才正式開始。而正是在這年，周恩來在歐洲奉共產國際之命，積極從事國共合作，準備回國迎接中國革命高潮的到來。因此不免引人懷疑，周恩來對鄧穎超的求愛，是否有很強烈的政治實用目的？兩人的婚姻與是否與共產國際的中國政策有關？

最重要的是，不論原因如何，兩人最終相伴五十年，相濡以沫，生死與共，表面看來是恩愛的，但究其實，是否真有愛情在維繫著兩人終身不渝的夫妻關係？

6　同鄧穎超婚姻真相

對鄧穎超來說，當初大帥哥周恩來突然襲擊，向她求婚，雖然是出乎意料，但這位十九歲的少女也肯定喜出望外，春心由此萌動，毫不猶豫立即捧接了這個天上掉下來的甜蜜果實。她一生對周恩來之愛是毫無疑問的。

鄧穎超之愛周恩來，有篇文章「李知凡太太」表達得相當顯目。

鄧穎超因為患有肺結核，坐著擔架走過長征之路，到陝北後，一九三七年五月經組織安排秘密前往北平西山的平民醫院，以李知凡太太的化名療養。同病房有位清華大學女生胡星芬，兩人相處了兩個月，建立深厚友誼。後來在重慶，這位女士知道鄧

穎超的真實身份後，寫了一篇散文「李知凡太太」刊登在《新華日報》上，回憶了她在西山平民醫院與鄧穎超朝夕相處的兩個月的日子。在這篇散文中，李知凡太太對他那位沒有現身的丈夫是一往情深，向作者講到自己的丈夫是一個英俊有才華的男子。

　　「我的太太，你的先生是怎樣一位人呢？」胡杏芬問。
　　「他呀，濃眉毛，大眼睛，高個兒，闊肩膀，聰明能幹，極有才華，更有氣派，並且有強烈的愛國思想。」

鄧穎超的回答中充滿妻子對遠方丈夫的深情熱愛。

周恩來秘書紀東在《難忘的八年——周恩來秘書回憶錄》（中央文獻出版社）記述一九六九年九月越南共黨領袖胡志明逝世，周恩來率團前往弔唁，回國後鄧穎超當著工作人員，要周恩來擁抱輕吻她。

　　總理一進門，大姐就急匆匆地從沙發上站起來，快步上前，邊走邊說：「哎呀，老頭子，你可回來了！你得親我一下，我在電視上看到你在越南親吻了那麼多漂亮的女孩子，你得同我擁抱，同我親吻。」大姐的話讓我這個年輕人頓時目瞪口呆。
　　總理「哈哈」地笑著，把大姐攬到懷裏，兩人溫柔而又有風度地緊緊擁抱在一起，總理深深地在大姐的臉上吻了一下。那麼自然，那麼親熱，那麼旁若無人。大家為總理平安歸來而欣喜，對大姐以這種方式迎接總理既感到驚奇，又興高采烈。

周恩來逝世後，鄧穎超在一九八八年寫了一篇懷念丈夫的文章「從西花廳的海棠花憶起」（實際為鄧口述，秘書趙煒和警衛員高振普記錄），文章雖然不免俗的有不少革命大義的表述，但字裏行間也確實傳達出鄧穎超對丈夫的一往情深：

　　春天到了，百花競放，西花廳的海棠花又盛開了。看花的主人已經走了，走了十二年了，離開了我們，他不再回來了。

　　你看花的背影，仿佛就在昨天，就在我的眼前。我們在並肩欣賞我們共同喜愛的海棠花，但不是昨天，而是在十二年以前。十二年已經過去了，這十二年本來是短暫的，但是，偶爾我感到是漫長漫長的。

　　你在參加日內瓦會議的時候，我們家裏的海棠花正在盛開，因為你不能看到那年盛開著的美好的花朵，我就特意地剪了一枝，把它壓在書本裏頭，經過鴻雁帶到日內瓦給你。我想你在那樣繁忙的工作中間，看一眼海棠花，可能使你有些回味和得以休息，這樣也是一種享受。【21】

　　一九九八年中共中央文獻出版社發表的《周恩來鄧穎超通信選集》，兩人一生通信無數，但《選集》只精選公佈了周恩來與鄧穎超在一九三八年到一九七一年間的七十四封通信，出版說明稱：

　　這些書信的內容，既有他們對革命和建設事業的不懈探索，也有對理想與信念的孜孜追求，既有彼此同志式的關心與叮囑，也有夫妻間的情感交流；既有對新朋舊友的關照，也有對長者晚輩的親情。

　　中央文獻研究室選擇這七十四封信，是考慮到兩人思想和情感方面的代表性，其中之一就是夫妻感情，以突出兩人革命模範夫妻的形象。

　　七十四封信件分為兩部分，一部分是周恩來和鄧穎超分開兩地時的來往通信，包括周恩來重慶生病住院、一九四四年十一月

【21】　鄧穎超，「從西花廳海棠花憶起」（代序），《周恩來鄧穎超通信選集》，中共中央文獻研究室編，中央文獻出版社，1998年2月。其後周恩來、鄧穎超書信皆來自此書。

周恩來飛重慶但鄧穎超留在延安，以及周恩來赴莫斯科、日內瓦等的兩地書。第二部分是最後十五封信，兩人並未分處異地，全是鄧穎超寫給周恩來的便條。由於周恩來忙於工作，「時刻生活在工作人員的包圍中…兩人說話的機會也是很少很少」，鄧穎超同丈夫說不上話，只好寫條子傳達關懷。

　　第一部分的兩地書中，鄧穎超有的信浸透著一個少婦對遠方丈夫不盡的思念，其中一封寫於一九四四年十一月十二日於延安的讀信起來無限繾綣情深：

　　來：

　　　　你走了三天了。我可想你得太！

　　　　這回分別不比往回，並非惜別深深，而是思戀殷殷！這回我們是在愈益熱愛中分別的，何況在我還有歉意繚繞心頭呢！我真想你得太！你走了，似乎把我的心情和精神亦帶走了！我人在延安，心則嚮往著重慶，有時感覺在分享你與兩岩內外故人相聚之歡呢！

　　　　你走了，好像把舞場的鬧熱氣氛亦帶走了！昨晚的舞廳卻是冷淡而減色呢。鐘聲未響十點，男女舞星都散場回窰了。「怎麼散得這樣早？」我問。「快垮臺了！」三元答。「今天人不多嗎？」超複問。「頂多不過二十對。」「女的少極啦。」我心裏想，走了一個跳舞男星，就這樣減色了麼？──一笑。

　　　　但當舞廳音樂奏起來的時候，還是那些照舊的調子──《西宮怨》、《梅花三弄》……當音樂聲聲送入我的耳裏的時候，亦還照舊覺得那些跳舞的快樂的人們中有個你在。然而當情感透過了理智，環顧眼前的現實，才意味到你已離開了延安，於是我便惘然了！你如何慰遠人之念呢？

　　　　你走了，兄姊和妹子們都很關心我，頻來慰我的寂寥。大姊、小崔、瑞華，尤其是小浦、雲臻、彭總諸人。感謝

她、他的友愛情誼，然而卻不能減釋我對你的想戀！你一有可能與機便，還是爭取飛回來吧！我熱烈地歡迎你！

你走了，渝辦寄來各件，已處理，你可勿念。

你到渝後，所見所聞，歡樂趣訊，望你盡可能地告我一些，以使我亦得分享其樂。願望渝機來時，得在你讀我信之先，先得你給我的信，想你不致令我失望吧？

你到渝後不久，正屆媽媽的四周年忌——十一月十八日。你如有暇便，望一掃二老之墓，代我獻上一些鮮花，聊寄我的哀思啊。你事忙，不一定限於是日。

你到渝後，如果有信給朋友，你如願如約給我轉的話，我真心願意做一個和平賢淑的使者——現代的「紅娘」，你以為如何？

深深地吻你！輕輕吻你！

你的超

一九四四・十一・十二 延安

無疑鄧穎超深愛自己的丈夫。為了周恩來的事業，鄧穎超甘願犧牲了自己的政治仕途，在中共上台周恩來當上國務院總理，直到他去世的近三十年時間，這位傑出的女社會活動家竟然像傳統婦女一樣自甘退縮為周恩來官邸西花廳的一個家屬，並忍受著周恩來嚴苛的家規。

但周恩來愛自己的妻子鄧穎超嗎？

從表面看，好像是恩愛夫妻，中共官方也大力營造兩人模範夫妻的形象。但如果認真探究兩人的的關係，發現遠非中共宣傳的那樣恩愛。兩人婚前沒有戀愛，婚後周恩來對自己選擇的伴侶也缺乏熱情，對鄧穎超的感情相當令人玩味，特別是兩人結婚時周恩來的反應可說是很怪異的。

他與鄧穎超沒有戀愛過，但卻在離開中國三年後在歐洲寫了封信向她求婚，確定了兩人的夫妻關係。周恩來一九二四年九月

初回國赴廣州黃埔軍校任職，但他並沒有急於想見他在信中熱切追求，甚至希望一起「上斷頭台」的愛人。兩人天南地北各處一方，長達一年未見過一面。直到鄧穎超被北洋政府通緝，北方混不下去，才由黨組織下令她南下廣州，使她與周恩來可以完婚。

南京電視台為鄧穎超一百週年承製的八集紀錄片《鄧穎超》說，因為鄧穎超在「五卅」運動中在天津發動聲援上海罷工工人，被北洋政府天津當局通緝，考慮到鄧的安全，黨組織決定派她南下廣州。但也有其他的記載說，鄧穎超南下主要是周恩來要求她到廣州結婚。不過根據中共官方公佈的正式文獻，鄧穎超應該是奉命南下。即是說黨組織決定派她南下廣州，而非周恩來要求她到廣州結婚。

鄧穎超由天津南下廣州途中，到上海停留了數日。一九二五年八月六日，她登上了從上海開往廣州的客輪。離開上海時，她曾給周恩來發過電報，告訴他輪船到廣州的時間，希望他能到碼頭接她。但八月七日鄧穎超到達廣州碼頭，周恩來以太忙為理由未去碼頭接未婚妻，而是叫秘書兼警衛副官陳賡拿著一張鄧穎超的照片去接人，結果兩人錯過，是鄧穎超自己叫了輛人力車到周恩來的住處。

鄧穎超的秘書趙煒引述鄧的回憶說，鄧穎超當時是很生氣的，說「離別五年了，我今天不遠萬里來到廣州，他卻不來接我，真讓人生氣。」【22】

鄧穎超到了周恩來寓所，見到了在門房處等待她的陳賡，放下行李後由陳賡帶著她到省港罷工委員會，周恩來和蘇兆征、鄧中夏、陳延年等罷工委員會的領導人在開會。鄧穎超回憶說：

【22】　趙煒，《西花廳歲月：我在周恩來鄧穎超身邊三十七年》，中央文獻出版社，2004年。

　　我四下尋找恩來，看到他在屋子的一角正低頭寫著什麼，五年不見，他比以前瘦了一些。這時陳賡走到他身旁在耳邊說了幾句話，他才抬起頭向我點點頭笑了笑。本來我想他一定會過來同我說幾句話，沒想到他和蘇兆征、鄧中夏、陳延年繼續談工作，談完了也沒打招呼，站起來就和陳延年一起走了。這時，我心中真有點委屈，人家不遠萬里而來，難道說一句話的功夫都沒有？怎麼不打招呼就走了。[23]

　　結果鄧穎超到廣州第一天居然沒有和周恩來說過一句話。鄧穎超以周恩來忙於工作原諒了新婚丈夫，但在人性上是完全不通情理的。再忙，也不至於打個招呼說一句話的時間也沒有。周恩來是以感情細膩，能在百忙中細心體貼人著名，這樣的例子可以舉出不少，為何對自己分別五年的未婚妻竟是如此？

　　當時的中共革命黨人是愛情革命兩不誤，沒有一個像周恩來這樣革命工作徹底壓倒了愛情的個案。

　　據鄧穎超回憶，第二天結婚她和周恩來請了兩桌客，客人有鄧演達、陳延年、鄧中夏、張治中、惲代英、陳賡，以及家住對面的李富春和蔡暢。那天晚上周恩來不加節制地拼命飲酒，最後酒醉，一直折騰到下半夜。

　　八月八日兩人舉行婚禮，可以說是倉促成婚。一九二〇年十一月七日，周恩來乘船前往歐洲，該年八月初「覺悟社」部分會員與「少年中國」等學生組織在陶然亭聚會，這是鄧穎超在周恩來離國前最後一次見到周恩來，到結婚這天兩人已經整整五年未見過面。上次見面兩人是關係淡淡的普通革命戰友，這次重逢卻是新婚夫妻。人說小別勝新婚，何況一別五年。

　　從已有的中共官方正式資料對周恩來鄧穎超婚禮的描述，兩人的新婚平淡如水，只過了新婚之夜，「第二天一早，周恩來就

【23】　同上。

走了，他此時正在忙於指揮省港大罷工，鄧穎超也離開了新婚的小家，到廣東區委上班去了。也許這聚少離多的生活在一開始就已註定？」

關於當晚周恩來酒醉狀態，鄧穎超的回憶說：

> 那天客人們一杯又一杯地向我們敬酒，我不會喝酒，恩來把客人敬我的酒全代喝了下去。我不知道恩來的酒量，只見他一杯又一杯，竟喝了三杯白蘭地，我心裏又急又擔心，但怎麼也擋不住敬酒。那天恩來真的喝多了，但他有自制力，沒有失態。等大家都走了，恩來不讓李富春和蔡暢走，他自己明天還得去廣東大學主持黃浦軍校新生入學考試。後來，蔡暢和我將恩來扶到陽臺上吹風，蔡暢打來一盆涼水，我用毛巾給他擦臉還找來一碗醋讓他喝掉醒酒，就這麼一直折騰到下半夜，恩來漸漸醒來，連忙謝了李富春和蔡暢讓他們休息，我也扶著他回房休息。哎呀，那一晚真熱鬧，我沒想到恩來會有那麼大的酒量。[24]

當晚實際情況比鄧穎超的這段回憶還不堪，是他死活拉著蔡暢不讓走。權延赤的《走下聖壇的周恩來》說：

> 那天晚上，蔡暢大姐也在場，看到天色已經很晚，且又是周恩來的新婚之夜，就要告辭。周恩來攔住，死活不讓走。蔡大姐看他醉得厲害，說也沒用，只好留下來陪著鄧穎超，同周恩來一道談天說地。

春宵一刻值千金，何況這個春宵是對一位不近女色已多年的壯年男子。既然是周恩來主動追求鄧穎超，今天終於得償所願，可以合法地與情人享受愉悅的男歡女愛。但為何卻不想進洞房，怕得要死，佯醉躲避，拉住他人的太太死活不讓離開？周恩來是自制力很強的人，為何新婚之夜會如此失態，大醉出醜？難道周

【24】　同上。

恩來內心有苦衷，不願與鄧穎超共度良宵，同享洞房之樂魚水之歡？

鄧穎超因組織命令南下廣州與他會合，這個婚禮他是被動的，是否他別無選擇，只有接受？妻子是自己主動追求到手的，但在談婚論嫁，以至於洞房花燭之夜，卻逃避躲閃，內心的苦衷又是什麼？

退一步來說，他選擇鄧穎超是政治上的原因，不是出於愛情，但一位妙齡女郎（鄧穎超時年二十一歲）送上門來，對於一個單身禁慾已久的男子，難道一點誘惑也沒有？從兩人當年的照片來看，年輕時的鄧穎超雖然說不上美若天仙，但也還是青春可人的。他在迴避什麼？難道他有生理上的缺陷，不能人倫？

周恩來和鄧穎超結婚後，兩人相敬如賓，被視為模範夫妻。但很多關於周恩來和鄧穎超如何恩愛的記述完全是為了塑造兩人革命夫妻形象的憑空想像，這種文學手法連當事人鄧穎超本人也看不下去。

一九七九年中共為慶祝建政三十週年推出的話劇《八一風暴》，鄧穎超指責該劇無中生有編造，劇情說當時國民革命軍北伐，周恩來在武漢前線作戰，鄧穎超在廣州懷孕在身，兩人「彼此飛鴻傳書，通信頻繁，卿卿我我，情深意切，相當的浪漫主義。但是實際情況是，當時戰事激烈，彼此音訊不通，絕無上述情況。」她生前曾要求侄子周爾鎏對外界作一些澄清。【25】

如果仔細檢視周恩來和鄧穎超兩人的感情生活細節，很難發現周恩來對鄧穎超有浪漫激情。兩人表面相敬如賓，但夫妻生活似乎有名無實。周恩來對鄧穎超是否有一個丈夫對妻子那樣的親

【25】　周爾鎏，《我的七爸周恩來》，三聯書店（香港），2014 年 8 月第一版第一印刷。

密感情，乃至肌膚之愛，是相當令人懷疑的。在周恩來的繁忙生活中，妻子鄧穎超幾乎是被排除在外。

權延赤在《走下聖壇的周恩來》中引用周恩來秘書的話說：

> （周恩來）完全是圍繞工作「見縫插針」，毫無規律可言，吃飯和睡眠時間極少，而鄧大姐基本是正常作息時間。所以常常是鄧大姐睡醒一覺，周恩來還在辦公；鄧大姐起床洗漱，周恩來剛回臥室吃了安眠藥睡覺。鄧大姐吃午飯時，周恩來或早或晚剛吃早飯。除非請客，他們很少吃在一起，更少睡在一起。在我印象中，一周難得在一起吃幾頓飯或睡在一起。
>
> ……
>
> 周恩來基本是屬於國家，屬於民族和人民的，極少屬於個人，因而也更少屬於妻子。
>
> 從一九四〇年我來到他身邊，直到他住進三〇五醫院，到他逝世，他與鄧穎超的夫妻生活很少。
>
> 從鄧穎超偶爾談到的過去生活，可以知道在大革命時期，在紅軍戰爭時期乃至整個戰爭年代，夫妻生活更少，他們都是無保留地將自己的一切奉獻給了中國共產黨和中華民族的解放事業。

鄧穎超告訴新上任的保健醫生張佐良說，因為周恩來太忙，她跟周恩來雖然同居於一室，但一天說不上幾句話，有時，甚至一兩天都見不上面。「說起來，別人還不會相信呢。」

因為周恩來忙，鄧穎超想與周恩來同吃一餐午飯有時都會惹來一場夫婦之間的冷戰。張佐良曾記述過這樣一宗風波：

> 「文革」初期的一天上午，周恩來同平常一樣，起床後到衛生間洗漱，警衛人員去忙於準備早點等事，我隨侍在側。

「昨兒夜裏睡好了嗎？中午不出去了吧？」鄧穎超關切地問周恩來。

「……」周恩來沒有吭聲。

其實，鄧穎超由值班人員工作記錄本上早已瞭解這些生活情形，她也從秘書那裏知道當天的工作安排。

「我已讓老桂（廚師）給你準備了蟲草燉鴨子，我們好久沒有在一起吃一頓飯了，今天一起吃頓午飯吧。人家說『少年夫妻老來伴』，我跟你呀，連個說話的機會都沒有……」沒等鄧大姐往下說完，周恩來有點不耐煩了。

「哎呀，你在說些什麼啊？我們中午一起吃飯就是了。」話音剛落，恰好秘書敲門進來向周總理報告工作，我隨鄧大姐離開衛生間。這時，鄧穎超在剛進衛生間時臉上的笑容消失了，不高興地回自己房間去了。

當時，我在一旁看到這種情形，心裏同情鄧大姐，有點埋怨周總理，鄧大姐誠心誠意一大早到衛生間來向他「問早安」。她希望老倆口見了面能在一起好好呆一會兒，說說話，一起吃頓午飯。她想營造那種溫馨的家庭氣氛，才沒話找話的說了這麼幾句極平常的玩笑話。

周恩來成天忙於工作，白天常去國務院、大會堂、京西賓館或釣魚臺等處開會，參加外事活動或是找人談話，很少在家裏辦公。他起床後只要一離開西花廳，大多在後半夜，甚至第二天天亮才回家。大多數情況是，周恩來忙碌了一天從外面回到西花廳已是深更半夜，鄧穎超已經睡覺了。

周恩來「早晨」起床的時候，剛好在鄧穎超吃午飯或是睡午覺時間，待至鄧大姐午睡後起來，周恩來已經又離開西花廳去了大會堂、釣魚臺等處，……進入第二個 24 小時「迴圈」。老夫妻倆的作息時間常常不同步，因而見不上面、說不上話。這一對革命伴侶缺少普通百姓那種溫馨的家庭生活。【26】

【26】　張佐良，《周恩來保健醫生回憶錄》，上海人民出版社，p80。

　　兩人共處一室，但周恩來是否忙得與妻子見面說兩句話、吃一餐飯的時間都沒有？共居一屋簷下連見面說話只有見縫插針的很少時間？無論如何說，這肯定是影響夫婦的實質生活的。杜甫詩有「人生不相見，動如參與商」句子。參商二星位於天際的一東一西，此出彼落，永不相見，杜甫以此表達朋友聚少離多的傷感。鄧穎超一九五二年八月二十六日在國內寄信給在蘇聯訪問的丈夫，即忍不住抱怨夫婦兩人關係「猶如參商二星」。【27】

　　筆者認為周恩來製造忙碌，是他以此藉機逃避對鄧穎超的丈夫義務。這種逃避從他新婚的第一天就開始。鄧穎超抵達廣州，因為他忙於工作，沒有去碼頭接人，因為忙，見到鄧穎超第一天，只是抬頭笑笑，一句招呼也沒有。因為忙，洞房之後次日即趕著去幹革命。《走下聖壇的周恩來》說：

　　　　婚後的生活，鄧穎超曾對我們回憶說：那時周公很忙，一早要從廣州天字碼頭乘船去黃埔軍校，晚上進回廣州，還要參加廣東區委的會議，向幹部講課作報告。我有我的一攤工作，我擔任廣東區委委員，婦女部長。兩個人都很忙，見面不多，說個話的機會都很少。婚後不過一周左右，發生了國民黨左派領袖廖仲愷被刺一案，他就更忙了……

　　　　這種職業革命家的「蜜月」預示著今後漫長的夫妻生活都將是伴隨著奮鬥與犧牲的革命進行曲度過。從統一廣東到北伐；從領導上海工人武裝起義到衝出「四一二」「七一五」大屠殺的血雨腥風；從南昌起義到堅持白區鬥爭，到投入中央革命根據地的鬥爭；從長征到「西安事變」，到抗日戰爭……到轉戰陝北。他們夫妻聚少離多。並且聚時匆匆，離後悠悠，連毛澤東主席都兩次大不忍地說：「可苦了恩來

【27】《周恩來鄧穎超通信選集》，中共中央文獻研究室編，中央文獻出版社，1998 年。

呀」，「你（鄧穎超）這個後勤部長沒有當好，這麼久，你連到前委來慰問（恩來）也沒有啊……」

那種聚少離多的動盪顛沛的生活我曾經歷過，不難體會。就是不曾經歷過的青年，也可以想見。因為就是建國後相對穩定的生活，他們也仍然在作出最大的犧牲與奉獻。實在說，周恩來與我們工作人員在一起的時間，遠遠超過與鄧穎超在一起的時間。

周恩來的生活習慣前面章節都講過，完全是圍繞工作「見縫插針」，毫無規律可言，吃飯和睡眠時間極少，而鄧大姐基本是正常作息時間。所以常常是鄧大姐睡醒一覺，周恩來還在辦公；鄧大姐起床洗漱，周恩來剛回臥室吃了安眠藥睡覺。鄧大姐吃午飯時，周恩來或早或晚剛吃早飯。除非請客，他們很少吃在一起，更少睡在一起。在我印象中，一周難得在一起吃幾頓飯或睡在一起。

由於總理時刻生活在工作人員的包圍中，可以說，從兩眼一睜到吃過安眠藥入睡，身邊總有秘書等人跟著遞彙報條、請示，送審批文件。所以，總理和大姐就連說話的機會也是很少很少。

他們有什麼事要說，多數是在衛生間，利用周恩來洗漱的機會，鄧穎超去跟周恩來談點事，當然也有公事，主要還是談點家庭裏的事。所以，衛生間被我們稱為「第一辦公室」，也曾被大姐苦笑著稱為「成了我們的談話間」。我們也自覺，逢大姐來跟總理談話時，儘量不跟大姐搶這幾分鐘的洗漱時間，除非有特別重大的事。

劉亞洲紀實小說《恩來》描述周恩來與鄧穎超婚後生活，相處連相敬如賓都談不上，感情交流疏離，同桌吃飯幾十年氣氛異常沉悶，雖然是文學描寫，但也反映了幾分真實：

一九七五年底，周總理病得快要死了。一天，鄧穎超去醫院探望。二人共用晚飯。我不敢離去，就坐在屏風外面。

裏面很靜。偶有碗碟之聲，便什麼聲音也沒有了。周恩來鄧穎超夫妻吃飯，從來聽不到老倆口說話，氣氛異常沉悶。他倆就這麼枯坐了幾十年。

周恩來與鄧穎超相伴五十年，鄧穎超並對他無限忠誠，兩人肯定有感情，但這種感情是患難與共的忠實朋友的感情，但離相親相愛的夫妻感情還有一段距離。

7　對待陳毅和鄧穎超的雙重模式

鄧穎超在民國時代，是相當活躍的政治女性，其出色的政治活動能力也受到國共兩黨的肯定。在中共建黨之初，鄧穎超作為出色的婦女社會活動家，名氣一度比周恩來還大。周恩來去世後，周恩來鄧穎超身邊的人回憶及鄧穎超自己發牢騷披露，中共建政之後，周恩來在政治上一直壓制鄧穎超，使她無法出頭而鬱鬱寡歡。

鄧穎超自她一九二三年接到英俊帥哥的求愛信後就對周恩來死心塌地，無怨無悔地付出。鄧穎超嫁給周恩來，雖然她是女革命家，主張男女平等，反對封建家庭，但面對丈夫周恩來封建官僚的長輩，她也像舊式家庭的媳婦一樣，謹守後輩之道。

一九二八年五月，周恩來和鄧穎超奉令前往莫斯科參加中共六大，周恩來化裝成古董商人與鄧穎超途經吉林時，在四伯父周貽賡家藏匿了幾天。周貽賡是周恩來父親的同胞大哥，血緣關係近，由於無子，很照顧周恩來等姪子，不但常寄錢到淮安津貼他們，還把周恩來以及他的弟弟周恩壽帶到東北和天津讀書。周恩來讀南開中學後，一直以天津法租界 33 號路清河里 17 號的四伯父家為家。周恩來說，四伯父對他恩重如山。

周貽賡治家很嚴，講究尊卑長幼。平時在家裏，只要長輩在場，後輩就只能站不能坐。鄧穎超這個姪兒媳婦在他家中也遵守

了這個後輩的禮節。淮安「周恩來紀念館」周恩來研究室主任秦九鳳在一九九五年訪問過周恩來弟媳，周恩壽的妻子王士琴。因周恩壽過繼給周貽賡作嗣子，周恩壽夫婦也同周貽賡夫婦生活了好長一段時期。王士琴回憶四伯母楊氏曾多次對他說，鄧穎超雖然是革命黨人，但很懂規矩，在她家什麼家務事都做，長輩在，她幾乎未坐過，一直是站著。後來王士琴到中南海西花廳作客，兩妯娌談起往事，鄧穎超還笑著說周家媳婦不好做。

　　一位反傳統的著名革命女子能如此謹守夫家的舊時為媳之道，究其因都是源於她對自己的丈夫一往情深，所以甘願委屈自己。

　　周恩來後來當上一國總理，鄧穎超再為丈夫犧牲自己的政治生涯，在周恩來的官衙西花廳被閒置起來，無所事事，最多為周恩來應付夫家的眾多親屬，做後勤工作，空有中央委員和婦聯副主席的銜頭。鄧穎超生前曾多次向秘書自嘲她在西花廳只是一個家屬，要麼就說她就僅僅只是一個老共產黨員而已。

　　其實論才能和對共產黨的貢獻，在中共女幹部中，鄧穎超應該是名列第一，但在中共建政後，她一直被政績乏善可陳沒有多大建樹的蔡暢壓著。中共號稱目標是為實現人人平等、無階級，無剝削的共產主義社會奮鬥，但其革命隊伍卻等級森嚴，決定革命等級的其中一要素是革命資歷，特別是入黨年齡，比較像中國幫會社會的論資排輩。鄧穎超被蔡暢壓低一頭，首先就是她入黨被蔡暢遲了一年，所以論資歷，她永遠排在蔡的後面。

　　中共幹革命打天下，說是要解放天下的婦女，但這個革命隊伍卻有新的「三綱五常」，除了論資排輩，還往往以革命工作需要的名義，將革命女性貶低到附庸從屬的地位，讓她們只能做偉大革命丈夫的助手、秘書。而鄧穎超更慘，這位十五歲已走上街

頭的女政治家被丈夫周恩來有意貶低，在革命成功丈夫當了一國
總理之後，竟然做了變相的家庭婦女。

周恩來侄女周秉德在《我的伯父周恩來》一書中說周恩來為
了保護自己的仕途如何在政治上壓制妻子：

> 建國的時候他是政務院的總理，是吧。那麼很多人根
> 據我伯母的她的資歷才幹是吧，都說呢他應該做某一部的部
> 長，他說不行，伯伯說只要我在政務院機關，政府機關，她
> 不可以在政府機關，她在的話，她要說一句話，她每一句話
> 人家都以為是跟我有關係，是我的意思，但是我們不可能什
> 麼事情都溝通。

> 你不可以在政府機關裏，所以後來毛主席就把她安排到
> 了全國婦聯做副主席，蔡暢是主席，她是副主席，等到後來
> 1952 年，1953 年的時候不是改成工資制了嘛，改成工資
> 制的時候呢，我伯母就知道我伯父是對自己人很嚴格嘛，所
> 以蔡暢是主席是三級，定工資三級，伯母應該可以定四級，
> 但是她就跟管工資的人說，算了，就給我定五級吧，不要定
> 四級。可是到周總理那兒批的時候六級。[28]

周秉德的回憶錄還寫鄧穎超在周恩來去世後，向周恩來的親
戚抱怨受到丈夫在政治上的壓制，鄧穎超本人並非心甘情願接
受：

> 今天我倒要說說我的委屈。你們做了名伯父的侄兒、
> 侄女，名兄的弟弟、弟媳婦，沒有沾光，反而處處受限制，
> 是不是感到有點委屈？可你們知道嗎？我做了名夫之妻，你
> 們伯伯是一直壓我的。他死後我才知道，人家老早就要提我
> 做副委員長，他堅決反對。後來小平同志告訴我說，就是
> 你那位老兄反對。解放初期，政務委員會，人家要我上，
> 他不讓。我也君子協議，我不與他在同一個部門工作。我就

【28】　周秉德，《我的伯父周恩來》，遼寧人民出版社，2000 年 10 月。

向主席報告去婦聯工作。組織上安排我在婦聯做副主席，他和人家吵架，不同意我上。定工資時，蔡大姐（蔡暢當時是婦聯主席，鄧穎超是副主席）是三級，我知道他的作風，我按部長級待遇不定四級而定到五級，報到他那裏審批時，又給壓到六級。國慶十周年上主席臺，他看到名單有我，又劃掉了。因我是名人之妻，他一直在壓我。我的工作是黨分配的，不是因為他的關係，你們不要以為我現在又是副委員長，又是政治局委員、紀委書記，都是因為你伯伯的關係。這是黨員選的，是我自己的工作決定的。我們黨內開會，都是會上反映的意見，人家認為應提我選我，如果你伯伯在，他一定不會讓我擔任。【29】

鄧穎超秘書趙煒也提到鄧穎超後來回憶對周恩來劃掉她國慶十週年上天安門的名字一事耿耿於懷，說她當周恩來的夫人其實很難，一直被周恩來壓住。

在周恩來手下工作多年過的章文晉夫人張穎（原外交部新聞司副司長）在接受鳳凰衛視訪問說：

哪個國家總理出訪不帶夫人呢，但鄧穎超沒有一次跟周恩來出過國，外國的總理到中國來都帶夫人，鄧穎超也從來也不出席。

張穎也提到一九七四年第四屆人大，很多人提議鄧穎超出任人大副委員長，連毛澤東都親自提名，被周恩來擋了下來，鄧穎超對此毫不知情。「文革」過後的一九七七年鄧穎超當上人大副委員長時，鄧小平才告訴鄧穎超真相。【30】

曾經是叱吒風雲的婦女社會活動家的鄧穎超在丈夫生前政治生命完全被冷凍，只當了一個虛設的花瓶角色——全國婦聯副主

【29】同上。
【30】「周恩來臨終囑咐鄧穎超：一切拜託給你了」，《我的中國心》節目，鳳凰衛視，2014 年 02 月 02 日。

席，而且還是個副職，正職主席為蔡暢。當年中共許多領導人讓妻子當助理或秘書，如毛澤東和林彪，做妻子的總還有點事做。

由於周恩來禁止鄧穎超介入他的工作，連他的辦公室都不准鄧穎超踏足，鄧穎超空有本事，卻無事可做，在她長達二十多年的人生黃金歲月時段，是在周恩來官邸西花廳無所事事中虛度光陰，只徒有一個周恩來夫人鄧大姐的銜頭裝飾著周恩來的光輝形象。

對鄧穎超事業被冷凍，當時中共高層不少人都為鄧穎超抱不平。「文革」期間一度是「中央文革小組」要員的戚本禹在「回憶江青同志」的文章中說，他曾勸周恩來讓鄧穎超出來做點事，但周恩來的回答卻極之荒謬，竟然說鄧穎超認識能力有限，怕她犯錯誤：

> 有次我跟總理說，你那麼忙，應該讓鄧穎超同志也出來工作，向江青同志那樣的多好。總理很認真地對我說，本禹啊，這話我就跟你說，我和小超按理在政治上應該是一致的，但實際上有許多地方是不一致的。我們經常有討論（我記得很清楚，總理是說討論，而沒有說爭論），很多地方她的認識跟不上，所以我不能讓她出來工作，不然說錯話，影響黨的工作。【31】

在丈夫生前政治前途受到壓制的鄧穎超，其命運在丈夫去世後才改觀。周恩來去世不到一年，鄧穎超被增補為人大副委員長。其後還任中紀委第二書記、政治局委員、中央對台工作小組組長、全國政協主席等顯赫要職。

在她的秘書趙煒眼裏（二〇〇七年七月十日，趙煒做客人民網「先鋒論壇」），在周恩來死後，鄧穎超在政治上才開始出頭，「周總理去世以後，我覺得鄧大姐最後那十六年，真是輝煌的

【31】 戚本禹，「回憶江青同志」，共識網，2015 年 8 月 2 日。

十六年。比她解放後在婦聯那段工作作用要大，真是發揮了她特長。」

　　真正偉大的政治家舉賢薦能應該是任人唯賢，內舉不避親。周恩來被認為是當今賢相，高風亮節的政治家，其妻才能舉世公認，連周恩來的外交部親信下屬張穎也為鄧穎超打抱不平，在接受記者訪問時候，特別指出鄧穎超參加革命甚至比周恩來還早，說是鄧穎超將周恩來領進革命隊伍。如果周恩來真的是公正無私，於心無愧，就應該讓同為革命戰友的能幹妻子施展其才能，為他們所謂的共同革命事業貢獻出光和熱。

　　如果拿周恩來對陳毅的厚愛與他對妻子鄧穎超的政治壓制相比，更可見周恩來並非絕對的任人唯賢，而且有時還唯親不為賢。

　　陳毅號稱元帥加詩人。其實陳毅不是很會打仗。大陸著名戰爭作家溫靖邦在「不會打仗的元帥陳毅」一文中說，他在寫國共第二次內戰《大崩潰》一書時查到已解密的原華中軍區高級幹部張鼎丞、鄧子恢、曾山聯名發給中央和毛澤東的電報。他說：發電的時間是一九四六年十月四日酉時。電文長達千字，內容只有一個：陳毅不會打仗。溫文說：

　　　　電文裏歷數了陳毅多次指揮打仗失敗的事例，認為有一些是才能問題，有一些是隨心所欲的結果。電文說「完全是由於陳開玩笑所致」。

　　　　又批評陳毅在軍事方面志大才疏，固執地堅持自己的一套，有時還不聽中央的命令。電文說「兩淮（被陳毅）丟失後，中央決定山（東）野（戰軍）與華（東）野（戰軍）合併，陳（毅）、粟（裕）、譚（震林）統一指揮。命令已公佈，但陳始終保持兩個機關，拖不合併；陳亦自己行動，不在一起，採取接頭會商方式。我們屢次建議（貫徹中央命令），陳不採納。

　　　這封電報功不可沒。直接促成了中央任命粟裕擔任華野
司令員，間接導致 1948 年 5 月陳毅被調離華野，去與劉伯
承、鄧小平搭班子。中央的調整，意在讓軍事天才粟裕能獨
當一面不再有掣肘之慮，對其後華野的壯大與淮海戰役的大
勝具有決定意義。

　　不會打仗的陳毅竟然能當上元帥，原來是周恩來與毛澤東力
爭的結果。溫靖邦說，一九五五年中共頒授元帥將軍軍銜時候，
毛澤東建議中共軍隊中軍功最出色的優秀戰將粟裕入十帥之列，
而陳毅「下地方」，到國務院工作，不評軍銜。但「周恩來提出
了異議，從資歷到影響，說了一大堆理由。毛澤東很為難；但是
周恩來堅持，只好同意。於是陳毅被授予元帥榮銜。」比陳毅會
打仗的粟裕因為周恩來的干涉，就只得委屈下降為大將了。

　　大陸的軍事愛好者，包括撰寫中共軍事史的一些研究者，如
溫靖邦及湖南軍史作家張雄文等至今談起粟裕被擠出元帥位列，
無不憤憤不平。周恩來為了陳毅的利益，竟然和毛澤東力爭，迫
得相當頑固的毛澤東讓了步，則太令人出乎意外了。

　　陳毅雖然不會打仗，但卻有十足的武夫性格，豪爽不拘禮，
常發表出格言論。四川人說他是袍哥【32】脾氣（陳毅的祖父就是
一個袍哥大爺）。這種性格交朋結友很可愛，當外交官就不太適
合了。但周恩來竟然推薦了這位沒有外交履歷但有四川袍哥性情
的，不會打仗的元帥作他的繼任者當上了外交部長。在陳毅被任
命之前，周恩來就帶著他周遊列國，一心培養他當接班人。

　　曾當過外交部第一副部長的張聞天的秘書何方最近在回憶張
聞天的文章披露了周恩來這位愛將在外交部的種種荒唐事情。

【32】「袍哥會」是清代到民國時期四川的秘密幫會組織；其成員，人稱「袍
　　　哥」。

陳毅上任時，外交部為他安排了一個最大的辦公室，並因他喜歡附庸風雅，按他的個人愛好，在辦公室佈置了古色古香的書櫥和一批線裝書。但陳毅上任後除去頭幾天來外交部主持開了幾次會，從此消失蹤影，再不來外交部上班，外交部事務也不過問，唯一做的事就是以外交部長身份接見外賓，設宴赴宴，陪外賓四處參觀，然後就是周遊列國。外交部長這個職位充分滿足了陳毅大出風頭的虛榮心。

不懂外交，也不善外交辭令，陳毅在對外交往中常率性而為，放炮亂講話。何方文章舉了兩個例子：

> 一是 1965 年 9 月舉行中外記者招待會的談話，其中提到：讓美國帝國主義、蘇聯修正主義、日本軍國主義、印度擴張主義一齊都來吧，趁我們這些老傢伙還在，乾脆打完了再建設。當時可是嚇了外國記者一跳。
>
> 二是 1962 年關於老撾問題的日內瓦會議期間，一天印度代表團團長、國防部長梅農來訪。這位老兄有點瘸，拄了個拐棍。陳老總起身接待時開玩笑說，大家在討論解除武裝，你怎麼還帶著「武器」（指拐棍）。梅農聽了翻譯扭頭就走，怎麼解釋也消不了氣，弄得很尷尬。【33】

網上還有一個傳說，不知真假，說陳毅做外交部長的時候，一次宴請外賓，大概是餓得發慌，外賓還沒到，他就在宴席上偷吃了兩個肉丸子，腮幫子鼓得圓圓的，給人拍了照，而且流傳到國外，非常丟臉。

外交史上陳毅還闖下一次大禍。一九六五年六月，陳毅先於周恩來到達阿爾及利亞準備參加第二次亞非會議（第一次又稱「萬隆會議」），誰知阿國已發生政變，原來做東的本貝拉（Ahmed

---

【33】 何方，《何方談史憶人：紀念張聞天及其他師友》，世界知識出版社，2010 年 10 月。

Ben Bella）政權被推翻，各國代表一片混亂，會議前景不明。但陳毅一時熱血上腦，未向頂頭上司周恩來通氣，也沒有向國內的大老闆毛澤東匯報，就擅自向各國代表拍胸膛說，中國支持新政府，會議一定如期召開。在外交無小事的中共外交政策中，陳毅此舉可說是膽大包天。事後又證明他為會議打保票之說無法兌現。會議最後流產，以後也再未召開過。周恩來為此曾罕有地向陳毅大發脾氣。但脾氣發過，周恩來仍然支持他指定的這位外交部長。

　　周恩來心細如麻，對下屬工作要求以嚴著稱，但奇怪的是，對陳毅完全例外，明知陳毅的德性不適宜做外交卻偏要支持他，而且還要護短。原因其實很簡單：他非常喜歡陳毅這個人。權延赤《走下聖壇的周恩來》說：

　　　　周恩來喜歡陳毅的性格，說他剛烈而不失瀟灑，豪俠而不乏文雅。周思來推薦陳毅頂替自己擔任外交部長。陳毅講話常常熱血沸騰，任由激情自由奔放，有些話按照官方標準來衡量，難免講得有些出格。就有人向周恩來報告，說陳毅講話像放炮。

　　　　「不要怕放炮麼，放炮才能吸引人，震撼人。」周恩來很欣賞地說：「他比我講得好，大氣勢，很符合我們這樣一個大國的國威軍威。」

　　　　「可是有些話走嘴，講得不很恰當，不夠準確……」

　　　　「句句準確，句句恰當，就不會有這樣的大氣勢，也不會這麼吸引人，震撼人了。」

　　　　總理喜歡陳毅，陳毅也瞭解總理，並且知道總理喜歡自己。別人不敢跟總理講的話，不便提的要求，就來找陳毅，請陳毅出面幫忙。

　　　　……

　　我們也都喜歡陳老總，因為他常能幫助我們做工作。
比如陳毅愛看川戲，愛聽音樂，常來拉總理一道去看。友情
深，陳毅的嘴巴又會講，常搞得總理再忙也得跟他去看看，
這就達到了我們做多少工作也達不到的目的。
　　我們尤其喜歡陳毅的是，他來了常常不談工作，專挑
輕鬆愉快的話題聊，常聊得總理輕鬆愉快，甚至開心大笑。
所以，我們都支持總理和陳毅聚會聊天。總理常到陳毅家作
客，陳毅也常找總理來小酌閒聊。
　　每次這樣的聚會聊天之後，總理都像剛度假回來一樣顯
得精神煥發。

　　周恩來在「文革」中死保陳毅更是眾所周知的事。曾任周恩
來秘書，追隨其多年，為周恩來當年重慶才子團成員的外交部副
部長陳家康本來也是周恩來的親信近臣，但論親密度自然比不上
陳毅，因為在批鬥陳毅的大會上發言，揭發陳毅「乾綱獨斷」，
從而惹怒周恩來，被周恩來斥之為「跳樑小丑」，是「壞人」，後
來被下放到「五七」幹校接受隔離審查時心臟病發去世。【34】

　　情誼使人盲目，因為喜歡陳毅，所以厚愛他，缺點也變成優
點。這是人性，周恩來也是凡人，不必苛責。但問題是他為什麼
對待自己的愛將陳毅和對待妻子卻是兩重模式兩重標準？

　　陳毅不能勝任，他偏要把重中之重的外交工作交給他？據說
讓陳毅掌外交，是因為喜歡出風頭而又不屑於繁瑣事務的陳毅向
周恩來表示他熱愛外交事業，周恩來也就讓他得償所願。也可能
周恩來是想把陳毅放在自己身邊，因為他很享受與陳毅相處的時
光，能夠感到精神的愉悅。

　　但周恩來的妻子鄧穎超就沒有陳毅這樣幸運了。她有政治才
能，在論資排輩的中共上層，她交得出一份漂亮資歷，她有足夠

【34】　馬繼森，《外交部文革紀實》，中文大學出版社，2003 年，p109。

的威望和人脈。周恩來要在事業上助她一馬，在中共黨內絕對不會遭到非議。但周恩來非但不給予幫助，反而在事業上壓制他患難一生的妻子。如此寡情，唯一的解釋就是他缺乏對妻子的愛，或曰和妻子在一起他感受不到那種和陳毅在一起的精神放鬆和愉悅。

周恩來生前極力在事業上貶低妻子，這當然也有基於對中共高層權力鬥爭殘酷險惡形勢的考慮，尤其是在「文革」期間。但由於缺乏對妻子的熱情，在處理夫妻關係時有更多個人功利的計算，因此不惜犧牲妻子的政治事業來保護自己的權位和名聲。

《走下聖壇的周恩來》讚美鄧穎超對周恩來的犧牲，而且認為鄧穎超心甘情願：

> 鄧穎超是個樂於奉獻的人，她一切的奮鬥都是為了「給予」；給予黨。給予人民。所以，她耐得了「女人的寂寞和委屈」，理解丈夫，支持丈夫全身心地去為理想拼搏，為人民服務。

但實情並非如此。鄧穎超在周恩來當總理時的二十七年，夫婦兩一個忙碌，一個清閒，但「文革」之前忙碌的周恩來卻身體很健康，而清閒的鄧穎超卻常年多病，張佐良說鄧穎超「疾病纏身，長期休養在家」。一九六五年八月中旬，張佐良初見賦閒在西花廳的鄧穎超，鄧向他介紹自己身體狀況，說她「正患著膽道疾病，甲狀腺機能亢進、植物神經功能失調和過敏性結腸炎等多種疾病，睡眠差，食慾欠佳、消化不良、身體瘦弱。說話間，我見她不時用手帕擦汗，並有點氣急。」[35]

鄧穎超多病，很有可能是精神抑鬱的問題。她提到的植物神經功能失調是內臟功能失調綜合症，引發原因多種，其中包括精

【35】　張佐良，《周恩來保健醫生回憶錄》，上海人民出版社，2008年，p62。

神方面的因素，心理創傷、婚姻不幸、失戀、人際關係緊張、工作壓力大等都可能導致植物神經功能紊亂，而上述「睡眠差，食慾欠佳、消化不良、身體瘦弱」等即為症狀。

鄧穎超還明顯有情緒不穩的問題。這可能是因為鄧穎超政治上鬱鬱不得志，也是因為周恩來對夫婦肌膚之情的逃避，造成了鄧穎超對丈夫感情求之若渴而不得的情感壓抑。

對鄧穎超的情感要求，周恩來有時會做一些小小讓步為維持兩人的模範婚姻形象。比如上述鄧穎超要與周恩來一起吃午飯引起的冷戰，最後周恩來妥協，與鄧穎超吃了午飯。

據《走下聖壇的周恩來》，有段時間鄧穎超吃不下飯，情緒不穩，周恩來要常陪她散步。有時鄧穎超會情緒爆發。一九六二年「三八」婦女節，周恩來請了一批婦女代表來西花廳吃飯，這些女子見到革命大帥哥，興奮得不行，一直圍著周恩來不停合影，相機「咔嚓」聲沒完沒了。這時冷落在一邊的鄧穎超突然發飈：

> 在一旁的鄧穎超等待一會兒，終於皺眉頭了。忽然沖侯波（中南海御用攝影師）大聲說：「侯波，你怎麼老照不夠啊？」
> 侯波早就退一邊不照了。但在場的女同胞中，只有她與鄧穎超熟，是「自家人」。鄧穎超說只能說身邊人，自家人，當然不好說其他客人。但話顯然是說給大家聽的。
> 果然，女同胞們聽到這一聲，便陸續停止了拍攝。

周恩來見老婆發飈，很有急智地說，「好了，照了相就該入席了。今天是大姐請你們的客啊。」緩和了鄧穎超的情緒。

鄧穎超對夫妻感情生活的慾望未能得到滿足，有一種無法宣洩於口的痛苦和壓抑，才會不時藉機爆發出來。

鄧穎超雖然是老資格革命家，由於受困於共產黨的鐵血黨性和出於對丈夫無保留的愛，忍受了這種不公平的安排。鄧穎超對

周恩來可以說是委屈求全，但感情的付出和犧牲得不到回報，內心實際是不服氣的，尤其知道周恩來曾阻止她擔任人大副委員長，而事前不向她通氣，事後也不解釋，可說對她毫無尊重。儘管她一生服從丈夫，接受丈夫要求她扮演的賢妻甘草角色，甘心在丈夫的陰影下下生活。但在丈夫去世後，壓在她頭上的大山搬去，她才揚眉透氣，才可以當著後輩盡情傾述埋藏在她心中已久的一肚怨氣。

一九八二年鄧穎超對侄女周秉德和侄子周秉鈞談自己的遺囑，說起往事，發了一次「不但空前也是絕後」的牢騷，說周恩來心中沒有她。鄧穎超說，她把自己的工資全用來照顧周家家人，而「你伯伯在錢上更是不管，偶爾地在散步時問問何謙、成元功他們：『我現在有多少錢？』他連『我們』這句話都不說，只說『我』。他腦子裏沒有我，大男子主義！可見一個人的世界觀改造是一輩子的事！」[36]

一九八八年八月十九日，鄧穎超將侄女周秉德找到西花廳，向她和秘書趙煒等交代後事後，周秉德說，鄧穎超「又談了些對伯伯的『不但空前，也要絕後』的『牢騷』。」再次述說她在與周恩來婚姻中所受到的委屈。[37]內容如何，周秉德沒有披露，可能是太過辛辣或敏感。

在愛情的天平上，兩人彼此付出的感情完全不對等。鄧穎超熱愛丈夫，但周恩來對一生追隨和忠實於他的髮妻就薄情得多。剝開兩人模範夫妻的華麗外衣，兩人的婚姻只是一個空殼。鄧穎超將之歸咎於周恩來的「大男子主義」，實際真正原因是他從來就沒有愛過鄧穎超，婚前沒有愛過，婚後也缺乏對妻子的肌膚之愛，兩人的婚姻對他來說只是一個有利可圖的工具。

【36】　周秉德，《我的伯父周恩來》，遼寧人民出版社 2000 年 10 月。
【37】　同上。

　　他與鄧穎超的婚姻功利性很強，從歐洲回國之前將他與鄧穎超的婚事敲定，一定有深思熟慮的功利打算。因此周恩來對這個婚姻也可以說是用了一些心來維持，他需要這個婚姻，但他沒有付出自己的真實情感，是辜負了鄧穎超。

　　周恩來不愛鄧穎超，那麼他一生愛戀過其他女子嗎？他不愛鄧穎超，是否因為他的心早有所屬？

第二章　周恩來各色緋聞考

1　傳說中的初戀情人張若名

一九五六年，周恩來曾和侄女周秉德解釋他為何要選擇鄧穎超為妻子，提到了另一位女子。他說：

> 當我獻身革命時，我就覺得作為革命的終身伴侶，她不合適。她不可能一輩子從事革命，她經受不了革命的艱難險阻和驚濤駭浪，這樣，我就選擇了你們的七媽，接著和她通起信來，我們是在通信中確立關係的。

這位周恩來認為不適宜作為他終身伴侶的女子，就是傳聞中說是周恩來初戀情人的張若名。

張若名是鄧穎超直隸第一女子師範的同學，也同鄧穎超一樣是「五四」運動活躍的激進學生，但比鄧穎超長兩歲。「五四」運動期間，和鄧穎超一起發起天津「女界愛國同志會」，後又一起參加「覺悟社」。鄧穎超在天津學運期間與周恩來只有淡淡的交往，但張若名與周恩來的關係就遠比鄧穎超密切多了。

一九一九年八月二十三日，天津「學聯」和「女界愛國同志會」派出劉清揚、郭隆真、張若名等十名代表赴京到總統府遞交請願書，反對北洋政府在山東省戒嚴，郭隆真、劉清揚遭軍警拘捕。張若名返回天津報信，二十七日再與周恩來等帶領五六百天津學生趕到北京，在總統府外露宿請願，要求放人。成功爭取到放人後，九月二日周恩來與張若名、郭隆真、劉清揚等女子活動家同車返回天津。在火車上，一同商量天津學運大計，決定打破

男女界限，男子學校的聯合組織天津「學聯」和「女界愛國同志會」聯合成立一個不分男女界限的學生組織「覺悟社」。

「覺悟社」一九一九年九月十六日成立，初十男十女，各有數字代號和與數字諧音的化名。周恩來五號，化名「伍豪」。鄧穎超一號，化名「逸豪」。張若名三十六號，化名「衫陸」。

這個激進學生組織人數不多，而且也很短命，一年後周恩來、劉清揚、郭隆真、張若名等紛紛赴英赴法留學，人去樓空，「覺悟社」就無疾而終。但由於「覺悟社」是周恩來、鄧穎超政治事業的起點，這個曇花一現的學生團體後來也就被擺上中共黨史的神壇了。

周恩來還有與張若名一起坐牢的經歷。一九二〇年一月二十五日，天津各界聯合會與學生聯合會被查封，二十九日張若名和周恩來帶領數千學生到省署請願，她和周恩來等四位學生領袖被捕，關押了半年（據周恩來日記《警廳拘留記》，張若名和郭隆真被捕後，因為兩人是女學生，押入一空室，當局還派了兩個女僕侍候她倆），七月十七日獲釋。後來她又與周恩來同乘法輪波爾多號赴歐洲勤工儉學。

在大陸有關張若名與周恩來緋聞的文章中，都說張若名容貌漂亮。但從照片上看其實長相一般，僅一張她一九三〇年身穿婚紗與留法博士楊堃的結婚照，看得出來她外貌比鄧穎超多了一些女人味。

雖然周恩來在此之前，一直說他抱「獨身主義」，但周恩來的同學，包括鄧穎超都認為，他和張若名是一對理想的金童玉女。鄧穎超後來對侄女周秉德說：

　　那時「覺悟社」的人都說，如果周恩來放棄「獨身主義」，和張若名就真是天造地設的一對。

　　周恩來與張若名兩人到底有否談過戀愛，似有若無，霧裏看花，相當撲朔迷離。從鄧穎超對侄女上述話來看，至少在國內時期，兩人並無戀愛關係，因為周恩來宣稱他抱「獨身主義」，自然不會有談婚論嫁的女朋友。所謂金童玉女也只是同學之間的一廂情願。同學為兩人配對，並非張若名特別漂亮，應該是兩人來往較多較密切的原因。

　　另一位同樣與周恩來來往密切的「覺悟社」女友郭隆真，之所以沒有人把她與著名英俊的周恩來加以配對議論，可能是因為年齡比周恩來大了四歲，是老大姐，而張若名則小周恩來四歲。其次，郭性格相當剛烈豪放，為了顯示對社會的反抗，在民國初年那個相當保守的時代敢於剃光頭，在法國時曾有砍指頭寫血書的事，可說是一個「假小子」（Tomboy）。【38】另外據曾與郭隆真同在莫斯科東方大學同學的陳碧蘭回憶，郭隆真因患天花毀了容，到莫斯科後仍然是小姑獨處，沒有男朋友。

　　在國內時候周恩來與張若名沒有戀愛關係，但到了歐洲，是否有了愛情？

　　張若名和郭隆真抵達法國後，由已經先來的中國留學生盛成安排到南部地中海岸的城市蒙彼利埃（Montpellier）學法文。【39】約半年後，一九二一年夏，張郭兩人遷往法國中部城市布盧瓦（Blois）。周恩來這段時間也在布盧瓦待過一些時日，在巴黎時也前去探訪過兩人，來往是密切的。不久張郭兩人又遷居巴黎，在一家雲母片工廠打工，並在一九二二年上半年一起參加周恩來、

【38】　沈沛霖、沈建中，《沈沛霖回憶錄》，台灣獨立作家出版社，2015年4月。
【39】　一九二八年，盛成以法文出版自傳小說《我的母親》而享譽法國文壇；中共建政後長居海外，文革後回國任北京語言學院法文教授；一九九六年故世，生前接受張若名之子楊在道訪問，談及他和張若名在法國的交往。

趙世炎發起的旅歐少年共產黨。張若名當選為中央執行委員,與周恩來成為同志。[40]

在赴法勤工儉學的中國學生中,張若名因為下了苦工學法文,法文成績比較出色,可以閱讀法文版的馬列主義書籍,便經常擔任旅歐「少共」的「共產主義研究會」的主講人,曾以「一峰」的化名撰寫了介紹馬克思主義的三篇文章「剩餘價值」、「階級鬥爭」和「帝國主義淺說」,被視為最早宣傳馬克思主義的中國女性。周恩來將三篇文章帶回國,分別編入了兩本介紹馬列主義的通俗讀本《帝國主義與中國》和《馬克思主義淺說》。這兩本讀本被視為馬克思主義傳播中國的早期重要文獻。

張若名法語口語比較流暢,又是女子,身份隱蔽,在組織內還擔負和法共保持秘密聯絡的特別任務。

中國有關周恩來在歐洲的記述中,說兩人在一九二二年走得很近,兩人「可能」在戀愛中。但就在次年春天周恩來卻寫信給相交很淺的鄧穎超求婚。因為周恩來多番衡量,認為張若名革命意志不堅定,不是一個革命的終身伴侶。一九五五年在後輩的追問下,周恩來是這樣解釋的:

> 張若名因為出身問題,在黨內受到審查。又因參加政治活動,遭到法國警察幾次跟蹤盤問。她感到委屈和不滿,決定退出黨組織,留在法國專心讀書。「我是認定馬克思主義不變的,我的終生伴侶,必須是志同道合,經得起艱難險阻的戰友。於是我主動與張若名說清楚,開始與鄧穎超通信,還向她求婚。」[41]

【40】 本章以下張若名在法國的情況,資料均來源於香港黃嬙梨編《張若名研究資料彙編》,該書為香港大學亞洲研究中心 1997 年出版。

【41】 周秉德,《我的伯父周恩來》,遼寧人民出版社,2000 年 10 月。

二十五年後周恩來向侄女周秉德的解釋還說，對於與張若名斷絕戀情：

> 初戀總是特別美好的，要斷，這個決心並不好下。起先，我也努力過，多次勸她，希望她正確對待，能更堅強一些，不要因為受點委屈就退黨，可她聽不進去，她說自己累了，想從事文學研究工作，再不過問政治了。她宣佈退黨後，也就幫我下了決心，我開誠佈公地對她講明瞭自己的愛情觀，宣佈中斷了我們的交往。

周恩來還說：

> 你知道世上男人與女人的關係，除了戀人，還有友情，不能當妻子，卻能繼續成為朋友嘛！？就說張若名，我們在天津是一塊坐過半年牢的，我瞭解她的人品。她自己放棄對革命的追求，但不等於她就一定站在敵人一邊，出賣我們。我們還可以是朋友嘛。【42】

周恩來說張若名因為宣佈退黨，才促使他下定決心與張脫離關係，決定選擇鄧穎超做一生伴侶，這顯然不符合事實。

首先兩人在歐洲是否真的戀愛過，這是要存疑的。

周恩來作為「華法教育會」組織的第十五批赴法勤工儉學學生，於一九二〇年十一月七日與張若名、郭隆真、李福景、乘法國郵船波爾多斯號前往法國，在十二月十三號抵達法國馬賽（Marseille）港。但周恩來與張若名只是同船，並不同道，他完全無意與張若名和郭隆真等在法國求學，而是一心一意要與南開同學李福景在英國讀書。他只是借用了一個赴法勤工儉學的名額以便前往歐洲而已。因此抵達法國後，周恩來即和張若名等同船赴歐的朋友分道揚鑣，在巴黎短暫停留後立刻坐船到倫敦，與提前

一個星期到倫敦的李福景會合，而張若名則和郭隆真前往法國南部學習法文。周恩來原計劃在英國愛丁堡大學讀書三四年，然後再往美讀書一年。但因他英文不好，而且英國費用高，無法留在英國遂在五個星期後被迫回到法國。（有關他與李福景英國求學的經過和挫折，後面將作詳細討論。）

關於周恩來與張若名戀愛，除了周恩來一個人如此說，沒有任何其他資料可以證實。

首先，張若名兒子楊在道晚年發表很多文章談自己母親在法國的經歷，但沒有一篇文章稍加暗示兩人有過愛情。張若名兒子楊在道從上世紀八十年代開始尋找收集母親的材料。其中包括父親楊堃和盛成教授等親歷者的回憶，以及張若名五十年代初申請重新加入共產黨向組織寫的個人履歷等，這些都是第一手資料。

其次，周恩來一九二三年春與鄧穎超通信確定與鄧穎超的戀人關係時，並非如周恩來說張若名對革命運動已沒有熱情及已經退黨。就在周恩來給鄧穎超求婚時，張若名不但仍然是「少共」成員，而且也未表現出對共產主義事業熱情的消退。張若名退黨其實是周恩來一九二四年回國後才發生的事。

楊在道說，一九二三年這一年，張若名和郭隆真搬到里昂（Lyon），發展組建「少共」里昂支部，支部所在地設於兩人租住的里昂中法大學外一家華人開的旅店「協和飯館」樓上。兩人在里昂期間常到有不少華工的工廠做宣傳工作。被周恩來帶回國發表的張若名三篇宣傳馬克思主義的文章也是張若名這一年在「少共」學習會上的講稿，整理後油印裝訂成小冊子，在「少共」中散發，然後被周恩來帶回國。

該年十一月張若名還以共產黨員名義參加了旅歐中國國民黨支部第一次大會，張若名任評議部評議員。周恩來和郭隆真也參加了這個會議，郭隆真當選婦女委員會會長。如果十一月張若名

以中共黨員的身份參加這個會議，就不可能如周恩來所說在這之前已經退黨。

而且在周恩來所謂張若名已退出革命不過問政治的一年後，張若名還兩度寫文章談婦女解放和婦女參政問題，這兩篇文章發表在一九二四年初的天津《婦女日報》上，第一篇題目是「現代的女子以怎樣的解放為滿意」。第二篇為「兩個（旅居）法國朋友的信」，原是郭隆真和張若名在一九二四年一月三號寫給國內三位「覺悟社」女友劉清揚（已隨丈夫張申府經蘇聯回國）、鄧穎超和李峙山的一封信，信中對中國中產階級婦女「沉溺於安逸生活，不問政治及社會問題」表示關注，建議《婦女日報》開專欄做宣傳以啟蒙這類婦女。鄧穎超閱後交《婦女日報》於三月二十三日發表。

而更能說明問題是，張若名還在次年（一九二四年）一月底作為中共代表，參加了法國共產黨里昂支部召開的列寧追悼大會，因為在會上代表中共發言暴露了身份，受到法國秘密警察的關注，面臨被驅除出境的危險。

如果按周恩來之說，張若名應該在一九二三年春他向鄧穎超寄出求婚的信之前已退出了共產黨，但實際那時張若名還是一個熱情的共產黨人，不但在里昂開展「少共」里昂支部的工作，還在十一月以共黨身份參加國民黨歐洲支部大會，並在次年寫文章鼓吹婦女參政，反對婦女不問政治及社會問題，一月還代表中共參加法共悼念列寧大會，作了公開演講。難以理解一個已退出「少共」的人又如何可能為這個組織開展里昂支部的工作？難道張若名是在盜用「少共」的名義？另外，張若名既已退出中共，如何可能在近一年後竟然又代表中共在悼念列寧的大會上發言？而且還是這個黨的當時領導人任卓宣要求她去代表？

因此，周恩來稱因為政治理念不合與張若名分手而改為追求鄧穎超的說法有很大的時空漏洞。

張若名退出共產黨的時間絕對不是周恩來所說，在他一九二三年春與鄧穎超訂婚之前，實際應該是在周恩來回國之後。北京大學新聞系教授徐泓訪問張若名丈夫楊堃和兒子楊在道的報導說：

> 一九二四年，張若名的人生之旅出現了重大轉折。這年的七月，周恩來奉調離法回國，冬天郭隆真去蘇聯學習，張若名為他們送行以後，才退出了「少共」，並從此脫離一切政治活動，留在法國閉門讀書。

張若名退黨最早也只可能是一九二四年冬，即郭隆真離開法國去蘇聯之後，這時周恩來已早在萬里之外的中國廣州，就任黃埔軍校政治部主任。

而且周恩來說張若名因出身不好受到黨內調查，可能也不符當時的歷史背景。著名歷史學者高華在他研究中共出身論的專文「身份和差異」中指出，中共以階級出身論作為一項重要的思想和組織原則始於一九二七年秋中共蘇維埃運動興起之後，之前中共與國民黨合作反帝反軍閥，尚是資產階級革命，「故而中共對其它階級的態度還比較溫和，更說不上對本黨黨員採取『階級出身論』的立場。」

實際上張若名也非出身在一個什麼萬惡不赦的家庭。她家族僅是河北清苑縣溫任村這個小地方的首富，父親當過最大的官無非是廣西軍隊的一名測繪科長。更加眾所周知的是，她本人反對家庭包辦婚姻，違背家人意願逃離家庭出國留學，並發表過聲明與家人斷絕關係。難道還需要對她的家世加以審查嗎？

看來周恩來拿此說事，是把中共後來的階級出身論拿來超前解釋，顛倒了時空。

　　張若名的退黨另一個原因，周恩來說，「因參加社會政治活動，遭到法國警察幾次跟蹤和盤問。她感到委屈和不滿。」據張若名丈夫楊堃和楊在道的說法，張若名是因為與當時「少共」在法國的主要領導人任卓宣意見不合，說任唯我獨左，作風粗暴，因他領導作風激進，指示張若名在悼念列寧大會上發言而使得張暴露了身份，張由此不滿任卓宣而退黨。但張若名暴露身份被法國警察跟蹤盤問是在一九二四年一月底發生的事，而周恩來在此之近一年前已與鄧穎超確定了未婚夫婦關係。

　　張若名因為與任卓宣意見不合退黨，張若名的「覺悟社」朋友劉清揚也說過，「旅法支部由任卓宣擔任支部書記，任的作風很專制，動輒罵人，張若名因此退出了黨，郭隆真曾被罵得痛哭流涕。」

　　但我懷疑這只是張若名後來解釋退黨的一個理由。因為在國共分裂後的一九二八年任卓宣倒向國民黨，後來成為著名反共學者葉青。張若名在在中共上臺後將退黨原因栽在這個黨的叛徒頭上，以求得黨的原諒，動機是有點可疑的。而且引起她與任卓宣衝突的悼念列寧大會是在一九二四年一月，而她要過了近一年，直到她在「覺悟社」最親密的兩位朋友周恩來和郭隆真相繼離開法國後她才正式退出共黨，給人感覺真實原因好像與任卓宣鬧意見分歧無關，倒像與這兩位親密友人的相繼離去有很大關係。

　　張若名與郭隆真自一九一九年參加「五四」運動以來，兩人關係親密如親姐妹，一起坐牢，一起赴法，從來沒有分開過。楊在道說，在法國四年多時間，兩人同居一室，患難與共，經濟上不分彼此。比張若名大八歲的郭隆真更在生活上處處照顧她，兩人在雲母片廠打工，郭隆真體格健壯有力，主動在工廠加班加點多掙錢，讓張若名多些時間閱讀馬列著作。一九二四年冬天，郭隆真前往蘇聯，兩人就此分開再未能見面，這對身在異鄉倍感孤

獨的張若名是很大的衝擊。郭隆真走時，將她一個手提包和同住監獄用的毛毯留給張若名做紀念，張若名珍藏三十多年後捐贈給天津歷史博物館。

一九三一年一月，張若名與夫婿楊堃回國，見到郭隆真妹妹郭蔚庭，立刻急切打聽郭隆真下落，郭蔚庭回答「已經在濟南犧牲了。」楊在道說「一句話像晴天霹靂，使張若名半晌沒說出話來。」「這一幕給楊堃留下了終生不忘的印象。」

張若名在周恩來和郭隆真離開法國後退出共黨，從此不涉獵政治，專心治學。一九三〇年五月三十一日她與同是留法博士的楊堃結婚時相約不參與政治。張若名如此決絕，似乎心靈受到很大創傷。這個創傷因何而起？畢竟面對周恩來這樣溫文英俊的帥哥，很少女性不會動心。是否與周恩來有關？已不可考。因為至今無法確實斷定她和周恩來有過愛情，或周恩來最後有負於她。或許兩人只是普通好朋友，或她對周恩來的感情只能算是單相思而已，所謂落花有意，流水無情？

若說張若名感情上曾受到傷害，則她依賴最深的大姐郭隆真的離去可能對孤身一人在異鄉的張若名的打擊最大。楊在道說，後來郭隆真在獄中幾次給張若名寫信，有次是一封匿名的長信，批評張不過問政治不革命。可想而知，若郭隆真一直在她身邊，張若名可能不會脫離中共。

《周恩來傳》作者迪克‧威爾遜曾多次訪問周恩來，據他在《周恩來傳》說，周恩來承認他在歐洲沒有交過女朋友，一些朋友也對周恩來沒有緋聞感到詫異，因此有位同學開玩笑說「周恩來是個厭惡女人的人。」

另外許芥昱的《周恩來傳》也提到一九二二年，一位南開的同學到柏林看他，首先注意到周恩來豪華的衣櫥和室內的陳設。

他以為周恩來建立了家庭有了妻子，好奇追問，但周恩來說他喜歡獨身生活。

韓素音的周恩來傳記也說周恩來在歐洲時不近女色。既然周恩來沒有女朋友，張若名也肯定不是他的女朋友了。因此有關周恩來和張若名的所謂初戀，除了周恩來本人多年後在鄧穎超在場時對侄女周秉德說過，尚無其他人和其他資料可以證實。

如果說周恩來要選擇革命意志堅定的伴侶，其實不一定要選擇遠在國內以前只有淡淡之交的鄧穎超。與周恩來一道赴法的「覺悟社」的女戰友，除了張若名，還有這位郭隆真，她與周恩來來往密切，而且革命意志之堅定可說是出類拔萃。

郭隆真投身社會運動遠早於周恩來。「五四」運動頭一年爆發的愛國拒約運動，由留日學生發起，但周恩來並不熱烈，幾乎是置身事外，據張國燾回憶錄，郭隆真已作為天津代表到北京情願，而且表現非常突出，為請願活動唯一亮色。

一九一八年五月七日，留日學生因抗議中日東京會議所簽訂的《中日兩國防敵協約》，被日本員警逮捕多人，激起一千多個留日學生罷讀歸國的事件。其中一部分人回到北京，痛陳在東京受辱的情形，引起北京學生的廣大同情。少數熱心同學發起，在北大第三院舉行學生大會，聽取歸國留日學生代表報告，並商討回應辦法。五月廿一日，北京各大學一千多學生和少數天津學生代表結隊向總統府請願，反對這一協約的簽訂。同時以反對向日借款、取消二十一條、收回山東權益等為請願的更廣泛目標。這次請願是十分溫和的，類似康有為的公車上書，由四個代表捧著請願書，恭而且敬的求見總統。我們大隊學生則在新華門外肅靜等候；既沒有人演說，也沒有標語口號，市民也不知道學生們在做甚麼。這次請願毫無結果，四個代表並未見著徐世昌總統，僅由其秘書代見，答應將請願書轉陳。四個代表步出總統府向

大隊約略報告數語，大夥兒也就跟著朝回走。當時我身歷其
境、真是覺得太不夠味。幸好有一位天津學生代表郭隆貞
（真）女士在總統府門前大哭大鬧一頓，表示抗議，才顯示
了一點熱烈的情緒。

　　　因為受了那次請願的刺激，我和少數熱心分子常向同學
大聲疾呼的指出：北京的學生死氣沉沉，有類於冷血動物，
愛國熱情固比不上留日學生，甚至比之天津一個中學女生郭
隆貞（真）也大有遜色。這種說法普遍引起大批同學的共鳴。

　　郭隆真與周恩來一道在天津入獄，已是這位女革命家第三次
坐牢。周恩來「文革」期間接見美國一個激進左翼反越戰組織「關
心亞洲問題學者委員會」訪問時，回憶他參加「五四」運動的經
歷，特別提到郭隆真剃光頭一事。[43]

　　一九二四年冬郭隆真與蔡暢一道赴莫斯科東方大學受訓，
一九二五年回國，在李大釗手下工作，一九二七年四月在北京隨
李大釗被捕，李大釗被絞死次日，郭隆真判刑十二年，次年六月
北伐軍佔領北京後獲釋。郭隆真後在一九三〇年於青島從事地下
黨活動被捕，一九三一年四月五日被山東軍閥韓復榘槍殺，成為
中共革命烈士。她真的是一位可以同周恩來一起上斷頭台的革命
終身伴侶。

　　周恩來身邊有兩位同生死共患難相處很久的革命女友，為何
最後選擇了遠在國內關係極為疏淺的鄧穎超？

　　最奇怪的是，如果說張若名革命意志不夠堅定，郭隆真比他
年齡大而且因患天花破相，對周恩來沒有吸引力，周恩來當時與
在法國的這兩位革命女友都擦不出愛情的火花，一時沒有意中
人，他為何刻意要急著馬上選擇一位女子訂立婚約？而且是遠在

【43】　1971 年 7 月 19 日，周恩來見美國「關心亞洲問題學者委員會友好訪
　　　　華代表團」講話，見《周恩來自述 - 與外國人士談話錄》，人民出版社，
　　　　2006 年 7 月。

天邊「相交淡淡」的女子？難道他不可以順其自然嗎？不可以等待在今後的革命生活中出現一位讓他傾倒的革命女子嗎？

如果周恩來和張若名不是戀人，或只是張若名的一廂情願，為何周恩來三十年後故意提到這段是有若無的感情？為何要撒謊說雙方都有意？而且為何還要編造因張若名革命意志不堅強而放棄兩人愛情的理由？

周恩來撒這個謊，是為了說服侄女周秉德放棄她的初戀而現身說法。周秉德戀愛男方父親是「一貫道」壇主，是中共當局打擊的「反動分子」，出身有問題，周恩來夫婦反對兩人來往。當時鄧穎超也在場，一起勸說周秉德。周恩來如此說可能也是說給鄧穎超聽，以解開鄧穎超多年的疑惑：「覺悟社」的朋友認為周恩來與來往密切的張若名是天生一對，但周恩來為何放棄了近在咫尺的佳偶，而選擇了遠在天邊且相交淡淡的她？

周秉德說，鄧穎超聽了周恩來這番解釋，面露釋然的表情，「笑容中浮現出少女般的興奮和羞澀」，說「怪不得剛到法國一段時間並沒有什麼信給我，怎麼突然又那麼主動熱情，又是寄明信片，又托人帶信，弄得我好奇怪，也好緊張。」[44]

可能更重要的是，周恩來希望他這番解釋最後能傳達出去，給人造成他曾經也有過初戀女友的假像。

迪克·威爾遜《周恩來傳》說，在周恩來與鄧穎超通信後，每遇到朋友詢問其男女感情方面的問題，他就以故國遠方的鄧穎超做擋箭牌，把鄧穎超的來信給朋友看，說他在國內已有女朋友。選擇鄧穎超好像是周恩來為掩飾自己真實感情的一個煙幕。

但周恩來突然向與其沒有感情的鄧穎超求婚，也不排除是組織安排的一場婚姻。

【44】　周秉德，《我的伯父周恩來》，遼寧人民出版社，2000 年 10 月。

　　從以後的人生路來看，旅歐的一干共產黨人的去向似乎有組織安排的痕跡。在周恩來奉命回國投身國共合作工作之際，郭隆真被安排到蘇聯學習受訓，張若名因為法語很優秀，需留在法國擔任與法共的聯絡工作。而鄧穎超此時為天津活躍的青年社會活動家，婦女界聞人。其知名度和她的活動公關能力受到賞識，可能被認為更適合擔任將來在國內開展國共合作工作的周恩來夫人的角色。張若名退黨，會否與此有關？會否是覺得黨組織冷酷無情，而且限制了她個人的自由？當最好的朋友郭隆真和周恩來相繼被組織安排離去後，她是否有被拋棄的孤立無助感，因而對她從事的政治意興闌珊？

　　當然這只是猜測而已。但無論如何，周恩來最後回到中國，和與他並無浪漫蒂克感情但黨性極強的革命女子鄧穎超結成了終身連理。但可以斷定，張若名不是周恩來的初戀戀人。

　　周恩來侄女周秉德說：

　　　　三十多年後，我從張若名以及鄧中夏的兒子口裏知道了這樣一段故事。
　　　　一九二八年伯伯去蘇聯開會，回國時為安全從歐洲繞行。那次鄧中夏托伯伯給他新婚的妻子小妹帶一件禮物。鄧中夏說，這是他坐牢三個月才省下的一點點津貼費，要伯伯無論如何一定要買個最好最合適的禮品。到法國後，伯伯就去找了張若名。他相信她雖然脫離了革命，但絕不會出賣朋友。果然，她不僅在里昂掩護了伯伯，還幫伯伯選定了一塊銀質的瑞士坤錶。後來鄧中夏說過，小妹特別喜歡這塊表。鄧中夏在南京雨花臺犧牲二十多年後，伯伯又見到小妹，她告訴伯伯，那塊銀表是中夏留給她的珍貴紀念，至今還珍藏著。【45】

【45】　同上。

　　大陸近年很多文章渲染周恩來與張若名的初戀，也引用此說法，指周恩來一九二八年六月到莫斯科參加中共六大後，繞道歐洲返國時，特地到法國見過張若名，告訴張若名他已與鄧穎超結婚，張無比傷感，但向周恩來保證她會嚴守黨的秘密，絕不出賣同志和朋友。當年的戀人因為信念變異最後各分東西，這一故事給周恩來早年的浪漫經歷塗上一層淒美的色彩，但可惜經考證兩人一九二八年不可能見過面。

　　因為周恩來不是從歐洲回國，而且他還是和鄧穎超同行，不可能一個人去見張。據中共官方出版的《周恩來年譜》，周恩來與鄧穎超五月中旬經蘇聯遠東抵達莫斯科，出席六月的中共六大。六大六月十八日開幕，七月十一日閉幕。然後周恩來又出席七月十七日開幕的共產國際第六次大會。這個會議一直開到九月一日才結束。而在此期間，周恩來還出席中共六大一中全會和政治局會議。《年譜》還說，周恩來從七月下旬到十月初留在莫斯科，受中共中央政治局委託，辦理六大各項未了事宜，並向正在蘇聯院校學習的中共黨員傳達六大精神。周恩來十月初回國，「途經瀋陽時，向中共滿洲省委傳達六大精神，並看望伯父。」顯然周恩來是經西伯利亞回國，而他在蘇聯期間也無可能臨時跑一趟法國去見張若名。

　　如果說周恩來後來在歐洲再見張若名，有可能是他一九三〇年三月初奉命前往莫斯科，向共產國際匯報中共六大以來工作，然後再於八月上旬返國這一次行程。因為這一次周恩來是從上海啟航，取道歐洲，《周恩來年譜》說周恩來四月二十七日途徑德國曾在德共《紅旗報》發表文章。因此周恩來再會張若名只可能在周恩來這次來回法國途中。

　　既然張若名不是周恩來戀人，兩人相會無非是老友、或過去的戰友相聚敘舊而已。但強調這次會見，用意何在？難道是為了

強化周恩來初戀這一編造的故事，以掩飾周恩來的真實感情傾向？

若周恩來果真在一九三〇年與張若明見過面，再見張若名應該已是二十五年後的事了。周恩來一九五五年四月率團領出席「萬隆會議」，八日經過昆明時候，與陳毅到雲南大學見了在雲大教書的張若名夫婦，一起吃午飯，談了五個小時，而周恩来大部分时间是与楊堃談民族学，因為楊堃是民族學專家，周恩来對民族學一直很有興趣。【46】這次會晤完全是老朋友敘舊，談不上任何私情。

而且相比較周恩來的其他青年時代的好友，周恩來對於張若名這位曾經歷患難，一道參加學潮，一道坐牢，還一道赴法的老朋友是疏於往來和照顧的。張若名一九五七年被打成「右派」，次年跳盤龍江自殺。周恩來將她說成是自己的初戀情人，已死無對證。

2　陳波兒、德國私生子、艾蓓和王一知

周恩來風流倜儻，被無數女性仰慕，是他們心目中的白馬王子。因此生前有關周恩來的緋聞很多，但至今沒有一宗可以說是證據確鑿。

周恩來最早的緋聞是在抗戰時駐紮重慶時候。一九五八年香港一家雜誌報導說，周恩來在重慶結識明艷照人的左翼女明星，因主演《桃李劫》而紅極一時，有「延安麗人」之稱的陳波兒，相互吸引，生出一段戀情，鄧穎超獲知後，直搗香巢興師問罪。

有人懷疑這是國民黨的造謠。據中共中央電視台二〇〇九年播放的紀錄片《延安麗人陳波兒》，可能因為一九四〇年陳波兒被

【46】 黃嫣梨編著，《張若名研究及資料輯集》，香港大學亞洲研究中心，p99、100。

延安派到重慶演出時，曾發生一件事，國民黨特工在陳波兒住處發現一面日本國旗和一些日本宣傳品，因而指控她是漢奸，要把她帶走，而陳波兒辯解說是演出時的道具。這一事件明顯是國共之間互相找碴的衝突。周恩來和鄧穎超聞訊後，趕來英雄救美，但也因此留下話柄。

　　周恩來和陳波兒應該沒有任何私情。一九五一年陳波兒去世，十二月一日，鄧穎超寫文章紀念陳【47】，稱之「親愛的波兒同志」，「直搗香巢興師問罪」云云則不攻自破。【48】

　　另一宗緋聞牽涉到一位外國女子。

　　中共建國後，周恩來成為國家總理兼外交部長，開始在國際聞名。這時德國（包括東西德）都傳說周恩來二十年代初停留歐洲期間在德國哥廷根（Göttingen）停留過一段時間，有個一位德國女子情婦，還生了個私生子。當時東德一個代表團訪問中國，曾當面詢問過周恩來，但周恩來說他沒去過哥廷根。

　　一九五四年周恩來參加日內瓦會議後七月二十三日啟程回國，途中順道訪問了東德、蘇聯、波蘭、蒙古等社會主義友好國家。據當時西方的報導說，周恩來訪問東德，將在東柏林接受胡包特大學頒發的榮譽學位，周恩來抵達東柏林時，有位東德男童自稱是他的孫子要與他見面相認，但被周恩來拒絕。這位男子是位混血兒，外貌有明顯的東亞人特徵，甚至輪廓也接近周恩來。

【47】　鄧穎超，「悼念陳波兒同志」，《鄧穎超文集》，人民出版社，1994 年 1月。

【48】　臧杰，《民國影壇的激進陣營：電通影片公司明星群像》，中央編譯局，2015 年 9 月 20 日。該書說，一九五八年別有用心的香港明報發文章指抗戰期間周恩來在重慶與陳波兒有婚外情，鄧穎超獲悉大怒，上門興師問罪，此流言始作用始作俑者是四十年代一位到中國採訪的外國記者，其報導談及陳波兒和周恩來的一些流言，但並無證據。該書說陳波兒確實崇拜周恩來，但崇拜和戀愛是兩回事。

當時的報導說這個十一歲的男孩即是周恩來與德國情婦同居所誕下的私生子的兒子，其德國情婦可能是德國共產黨員。

德國《明星》週刊記者海德曼對這則新聞很感興趣，冒著危險，從西德前往東德深挖這一秘聞，在東德漢德海根見到了周恩來這位德國情人、他的私生子的遺孀和遺孤（即周恩來在東柏林拒絕見面的那位歐亞混血男童）。據海德曼的查訪，周恩來一九二三年在德國哥廷根寓居在奧本曼旅店一樓一個小房間，與他生下私生子的德國女子果尼昆蒂·史道芬即是這家旅館的女僕，當年十九歲。這位女子頭髮是深棕色，體態略胖，人不美，但當時青春年少，也性感撩人。周恩來呢稱她格德爾，常和她在附近森林漫步。不久史道芬懷孕，為周恩來誕下兒子庫諾，即廣傳的周恩來私生子。生下兒子十二天後，她被旅館老闆解僱，回到鄉下父母家，而周恩來也返回中國，兩人從此音訊斷絕。

海德曼說，周恩來私生子庫諾一九四四年結婚，第二次世界大戰在東普魯士與蘇軍作戰陣亡，但留下一遺孤，即周恩來的孫子威佛利。海德曼見到他時，他十來歲。周恩來到訪東柏林，就是這位男孩想與周恩來相認。

「文化大革命」前夕，《明星》週刊記者再訪東德。這時威佛利已經成年，在一家國營工廠當工人，已結婚，有兩個女兒。威佛利堅持稱他是周恩來的孫子，並以祖父為榮，說「我的祖父舉世聞名」，說工廠同事都知道他有這樣一個東方偉人祖父。

對私生子傳聞，當事人周恩來竟然「沒有明確的表態」。一九七三年十月加拿大總理特魯多訪華，也向周恩來問及他在德國有個兒子的傳說。周恩來說：「如果這是真的話，我本人對此一無所知。」[49]

【49】 迪克·威爾遜，《周恩來傳》，國際文化出版公司，2011 年 7 月，p88.

　　一九八六年，《人民日報》記者江建國、孫奎貞到哥廷根調查，哥廷根市檔案館館長屈恩博士明確告訴兩位記者，他們仔細研究過檔案，認為周恩來沒有在哥廷根讀書，在此讀書的是另一位中共要人朱德。

　　周恩來以勤工儉學名義到歐洲，實際並沒有去讀書，而是成為職業革命家。他在一九二二年和二三年，常常往返於的柏林和巴黎之間，迪克‧威爾遜所著的《周恩來傳》說這段時間，周恩來曾在柏林住過一年。據中共中央文獻研究室編的《周恩來年譜》，周恩來一九二二年初從巴黎遷到柏林，住柏林郊區瓦爾姆村皇家林蔭路五十四號。旅德期間，和張申府、劉清揚以及原在柏林的共產黨員張伯簡組成旅德中共黨組織。周恩來是在一九二三年夏才返回法國，住在巴黎戈德弗魯瓦街十七號，專門從事黨、團工作。

　　周恩來定居柏林除了德國生活水準較低的原因外，可能也是因為共產國際的西歐局設在柏林，周恩來在此可就近直接接受共產國際的指揮。在這段時間周恩來頻繁來往於柏林和巴黎之間。

　　由周恩來介紹入黨的朱德一九二三年到一九二四年曾在哥廷根大學修讀過社會學，並擔任中國學生會主席。介紹周恩來入黨的張申府也常往哥廷根大學去聽課。張申府在接受美國女歷史學者舒衡哲訪問時說，周恩來也去過哥廷根。因此屈恩博士證實周恩來沒有在哥廷根求學，並不能以此來推論他沒有在哥廷根住過。【50】

　　據迪克‧威爾遜所著的《周恩來》，這件事可能是一單烏龍事件，是庫諾和他的母親史道芬張冠李戴搞錯了。該書說，哥廷根一位認真的檔案保管員從上世紀二十年代初期的歷史檔案中終於

【50】　Vera Schwarcz, *Time for Telling Truth Is Running Out*, Yale University Press, 1992, p.111.

發現，原來庫諾登記的父親不是周恩來，而是一位叫朱林金的中國留學生，而且他的生日同周恩來的生日並不一致。

為什麼會擺這個烏龍？很可能是因為朱和周這兩個字的拉丁字母拼音太接近。在中國漢語拼音推出來之前，西方人普遍用英國十九世紀漢學家 Thomas Francis Wade 創建的中文拼音系統，即韋氏拼音來拼寫中文名字。周恩來的姓名按韋氏拼音是 Chou En-lai, 朱的韋氏拼音是 Chu。按照現在的漢語拼音，Zhou（周）和 Zhu（朱）也同樣接近，姓朱的被誤會為是姓周的了，何況姓周的這一位如此有名。而且東方人的樣子在當時很少接觸東方人的西方人看來恐怕都是一個樣，因此不免張冠李戴。在這位檔案員查出真相前，也有人認為庫諾的生父可能是在哥廷根大學讀過書的朱德。

不過最奇怪的是周恩來的回應。既然德國情婦和私生子的傳聞對他來說，完全是無風起浪，而且有私生子對一個共產黨政治家來說還是一宗天大醜聞，不利他與鄧穎超「革命愛情」的神話，那他為何不直接否認，說他從來沒有和一位德國女子有任何私情，不可能有一個私生子？相反他對加拿大總理特魯多的詢問，含糊其辭，作了一個給人無限猜想空間的回答：「如果這是真的話，我本人對此一無所知。」？這不免使人理解，他是與某位德國女士有過露水情緣，但只是不知這段情緣為他帶來一個私生子而已。

一九九四年一位旅居美國的安微女子張愛培以艾蓓為筆名，發表了一本自傳體小說《叫父親太沉重》，暗示她是周恩來私生女，她的母親「安然」，一位女志願軍戰士為周恩來秘密情婦。當時頗為轟動。但現在已很清楚，張愛培出身安徽農家，母親是

農家女，其一生經歷全部記錄在案，與書中所描寫的情節完全對不起來。

同年八月新華社發長篇調查報告【51】闢謠，但對中共來說，可悲的是其隨意編造歷史信譽太壞，儘管艾蓓書中破綻甚多，異議人士曹長青也寫了一篇長文一一駁斥，但很長一段時間，海外讀者大多寧願相信這位女作家，而不是中共官方的澄清。【52】

張國燾妻子楊子烈一九七○年在香港自聯出版社出版的《張國燾夫人回憶錄》也講過周恩來的一段緋聞，說他追求黨內同志張太雷美貌的未亡人王一知，被吃醋的鄧穎超抓破了臉，這事是她從瞿秋白妻子楊之華聽來的。

這段記載是這樣寫的：

> 住在莫斯科，楊之華（瞿秋白妻子）和我經常結伴上學。兩人有時乘坐馬車，有時也坐電車。有一天閒談間，她問我知不知道鄧穎超和周恩來在上海鬧的笑話。
>
> 「不知道，什麼事呀？」
>
> 「張太雷同志不是在東江陣亡了嗎？（張太雷在廣州暴動中陣亡，楊之華搞錯了）王一知自然非常傷心，我們都去安慰她，周恩來夫婦也是常去的。過了些時，王一知請吃晚飯，秋白、我、恩來和穎超都去了，那時你恐怕還未到上海！」之華含笑看我一下。
>
> 「怎麼樣？快點講呀！」
>
> 那時天氣很冷，大概周恩來買條漂亮圍巾送給穎超。鄧穎超有點驚喜，心想自結婚以來，周恩來從未買過東西給她，現在忽然買條圍巾，當然高高興興圍在項頸。他們同赴

【51】「揭開艾蓓身世的真相」，新華社，1994年8月9日。
【52】曹長青，「艾蓓冒充『周恩來的私生女』始末」，美國《世界日報》周刊，1994年5月22日。

王一知家，進門看見王一知也有一條同自己一樣的新圍巾，而顏色比自己的更嬌豔美觀。

「好漂亮的圍巾呀！在什麼地方買的？」鄧穎超好奇地問一知。

「咳！你知道嗎？是周恩來送給我的嘛！同你這一條不是一樣嗎？」王一知坦白無心地講。

「噢，比我這一條好得多啊！」穎超瞪恩來一眼。恩來笑笑未敢出聲。

吃飯的時候，大家都喜笑談天，鄧穎超悶聲不講話，我們也沒注意。飯後，不知為什麼，她就同恩來吵嘴了，吵著吵著，穎超就去抓恩來的臉，恩來的臉被抓破一塊皮，出了點血，恩來哭了，穎超也哭。急得大家極力勸解。之後，大家靜下來，都不說什麼。快一點鐘，我看看手錶，對秋白說，「我們該走了，夜已深了！」

「小超，我們也走好不好？」恩來站起來整整衣服。

「我不走，你走！」穎超氣呼呼地說。

「你不走，我一回家，你媽又罵我！」恩來哀聲說。
……

以後還是恩來先走下樓，偷偷地站在街邊，看見我們同著穎超下來，他就慢慢跟在後面一同回家去了。[53]

這段敘述，講得活靈活現，很有現場感，但經不起推敲。

楊之烈敘述的這一故事如果是真的，應該發生在什麼時間？

一九二七年十二月十二日張太雷發動廣州暴動被廣州市民武裝擊斃。據張太雷女兒張西蕾（張太雷前妻陸靜華之女）在《燭光在前——張西蕾自述》一書中說，廣州起義失敗後，王一知一九二八年初帶著她為張太雷生的兒子回到上海，把兒子送到湖南老家後又回到上海生活，但在上海幾個月後就與一位共產黨幹部同居。此共產黨幹部即曾任中共中央統戰部副部長的龔飲冰，

【53】《開放》雜誌 1994 年 4 月號。

前中央黨校副校長龔育之的父親。張國燾回憶錄指，王一知到上海後，周恩來、瞿秋白和劉少奇（劉是王一知的入黨介紹人）等常去看望安慰她。王一知是當時中共黨內著名美女，據說不但鄧穎超吃過醋，劉少奇的太太何葆貞還為此服毒自殺未遂。

按張西蕾之說，王一知一九二八年初回到上海，幾個月後就與龔飲冰同居。而楊之烈說事發生時候天氣很冷，因此若是周恩來追求王一知只可能在王於一九二八初到上海那個短短的冬天日子。隨後王一知名花有主，因此其後兩個冬天周恩來雖然還在上海，都不可能對已和龔飲冰同居的美女王一知獻殷勤了。

自蔣介石發動「四一二」清共政變後，中共當時在上海是處於地下狀態，形勢非常險惡。周恩來被國民黨懸賞二萬五千元通緝。周在發動「八一南昌起義」失敗後，於一九二七年十一月上旬從香港秘密返回上海主持中央工作，為應付嚴重的白色恐怖，保護中央機關，周恩來領導建立起嚴密的情報機關和秘密工作制度。紀錄片《鄧穎超》說，為了躲避國民黨的追捕，匿藏在上海的周恩來、鄧穎超，姓名地址每兩三個月就會更改一次。在這樣一個險惡的時刻，上述的場景似乎有點不可想像。

楊之烈因丈夫張國燾被毛澤東排擠整肅離開延安，投奔國民黨，與當年戰友成為死敵，有可能加油添醋，誇大事實，以中傷周恩來。

但最不能令人相信地是這個故事中的周恩來與鄧穎超關係。根據周恩來的後人、鄧穎超秘書趙煒等回憶，以及權延赤《走下聖壇的周恩來》所引述周恩來和鄧穎超的多位近身工作人員的觀察，周恩來並不懼內，對鄧穎超表面尊重，但實際對鄧穎超約束相當嚴。比如兩人結婚時有約法三章，鄧穎超不能隨意進周恩來辦公室，不能干預周恩來的公事。因此對於周恩來沒日沒夜的工

作，妻子雖然擔心他的身體，但只能「悄悄地在門外轉圈」，向室內伏案勞作的丈夫「投去一瞥又一瞥」，但就是不敢進去干涉。

可能像周恩來這樣風流倜儻的美男子，老婆其貌不揚，但感情生活卻少緋聞，而這位其貌不揚的老婆又是位幹練非凡的女社會活動家，一般人很容易誤會周恩來很少緋聞是因為懼內怕老婆。如關於陳波兒的緋聞，國民黨的報紙就說潑辣的鄧穎超「直搗香巢」。但實際上這根本不合鄧穎超性格。

3　養女孫維世

周恩來和他的養女孫維世也傳過關係曖昧。一九二二年九月，孫維世父親孫炳文與四川同鄉朱德一道赴德國留學，該年十一月在柏林經周恩來介紹加入中共；一九二七年四月，在蔣介石上海清共時被殺害於上海龍華，是中共烈士。孫炳文留下二子二女遺孤。排行第三的長女孫維世為周恩來領養。

孫維世是烈士遺孤、周恩來義女，有高貴的紅色身世，而且容貌出眾、活潑大方，還有戲劇演出才華，並在蘇聯留學鍍過金，是中共建政之初紅色朝廷的天之驕女，人稱「紅色公主」，追求她赫赫有名的權貴有林彪、蕭華，甚至傳毛澤東也曾染指，並因此觸怒第一夫人江青和林彪老婆葉群，「文革」中慘死於獄中。最不堪的是周恩來，竟然在孫維世的逮捕證上簽字認可，把自己的養女親自送進了虎口。【54】

坊間多有傳聞，孫維世這位紅色大美人兼才女與周恩來有超越養父母層次的關係，而最權威的是來自孫維世自己的親侄女孫冰之說。孫冰是孫維世的長兄孫寧世的女兒【55】。孫冰一九九三年隨丈夫移居巴西聖保羅市後，在巴西《美洲華報》上寫了一篇文

【54】　張郎郎，「孫維世的故事」，《張郎郎文集》，博訊網。
【55】　孫寧世又名孫泱。朱德養子，曾作過朱德秘書，「文革」前任中國人民大學副校長，在「文革」中慘遭批鬥迫害而死。

章「我的姑媽孫維世」，披露孫維世與周恩來關係曖昧，並說孫維世曾被毛澤東姦污。這篇文章後來被台灣劉紹唐的《傳記文學》轉載，筆者是在《傳記文學》上讀到這篇文章。

孫冰說，她姑母孫維世和她父親孫寧世在抗戰爆發後從上海到武漢的八路軍辦事處，找到了祖父孫炳文的入黨介紹人和好友周恩來。周恩來見到這位至交美貌可人的女兒竟然生出了特殊的感情，是鄧穎超果斷地認孫維世為乾女兒，斬斷了這一不倫之戀。孫冰文章還說，一九四九年十二月毛率中共代表團訪蘇，孫維世作為俄語翻譯同行，在前往莫斯科的火車上被毛糟蹋。當孫維世向同行的周恩來哭訴，周的反應是「摟抱著她，不停地說：我們要顧全大局，我們要顧全大局……」

但孫維世另一位親人，她的六姨媽（母親任銳的妹妹任均）則有另一種說法。任均與孫維世年齡相近，形同姊妹，兩人三十年代在中共地下黨人介紹下，曾化名李露（任均）和李琳（孫維世）進上海「天一影片公司」的東方劇社學習戲劇表演，後來兩人都到了延安。

任均在二○一○年出版的自傳《我這九十年》堅決否認孫維世與毛周之間有曖昧關係：

> 社會上後來有多種無聊傳說，說維世這個那個的，甚至還有憑謠傳寫書掙錢的。那就都是假的了。最典型的一個傳說，就是說維世跟毛澤東同乘火車去蘇聯如何如何。想像力強的，寫得繪聲繪色的。其實，我們都清楚得很，維世根本就沒跟毛澤東一起坐火車。那之前，維世先去了布達佩斯，參加世界青年代表大會，然後到莫斯科，奉命在中國駐蘇大使館裏住了很長時間，等著毛訪蘇時做翻譯工作。毛上火車時，維世早已經在蘇聯了。據我知道，毛澤東根本不喜歡維世。「文革」前，一位聽過毛談維世的朋友跟我說過，毛主席不喜歡孫維世，太開朗活潑了。可是，人死了，想怎麼編

就怎麼編。維世只是因為漂亮，死後就被人編出些不三不四的故事。甚至，竟有為了嘩眾取寵，往長輩周總理那兒編的。

從鄧穎超與孫維世的關係看，周恩來應該與孫維世沒有超越養父女的特殊感情。傳周恩來生前收養的中共烈士子女甚多，他們稱「周爸爸」、「鄧媽媽」，但只有孫維世一人直接叫周恩來夫婦「爸爸」、「媽媽」。在孫維世與金山結婚之前，也一直與養父母生活在一起，鄧穎超對她非常疼愛。

任均的回憶錄說，一九四九年孫維世生母任銳去世，周恩來夫婦趕來安慰她，「一見維世，鄧穎超就把她抱住，哭了。」二〇〇六年春節前夕，孫維世妹妹孫新世（一九二六年出生，次年父親被殺害，由父親同學黃志煊養大成人）在鳳凰衛視《魯豫有約》節目中說，一九四九年，她見到分別二十三年的姐姐孫維世。孫維世把她收藏多年的與鄧穎超往來信件一封一封給她看。孫新世說，「我從信中得知，她們之間母疼女愛，確實有著親密無間的母女深情。」

這裏有一封鄧穎超給孫維世的信。寫於一九五八年四月二十四日。當時孫維世生病住院治療，鄧穎超到醫院探病後寫給她的。

親愛的閨女——維世：

匆促地看了你，未能盡所欲言。回來後總覺不能釋懷！說真的，在你的病未痊癒以前，我是不能放心的！親愛的維世，你必須認識你所害的病的性質——慢性消耗病，還可能引起並發症。目前醫藥的治療，固然是必須的，但不可缺少而又帶決定性的關鍵，則在於你既要認識病的性質，更要能掌握它，善於和它作鬥爭，這就需要你能充分的休息，排除一切人為的消耗，並預防感冒和其他可能的並發症！！

　　一個共產黨員要經得起任何的風險、艱難、困苦的考驗。遭受著病的折磨和病中的寂寞，並且要戰勝它，這也是一個考驗。我熱望你在這方面取得勝利！在不久的時間，就能痊癒出院！看書是最能使你受到消耗而削弱你對病作鬥爭的力量。千萬要少看書，最好不看，善於自己消遣，積蓄力量，以便對疾病作勝利的鬥爭！金山亦應這樣幫助你，不能一味的順著你的要求。

　　衷心的望你能重視我的話，祝福你早日痊癒健康！

　　此信望你給金山一閱。

你愛的、愛你的媽媽　手書
1958.4.24

　　在這封信中，從乏味的革命套話亦可感受到鄧穎超確實對孫維世有很深的母愛。鄧穎超因為沒有生育子女，美麗可愛的少女孫維世的到來彌補了她的母性感情上的空缺。周恩來侄女周秉德的《我的伯父周恩來》一書回憶鄧穎超「文革」期間得悉孫維世被迫害致死時非常傷感：

　　秉德呀，你知道嗎？凡是做了我們乾女兒的人，都是苦命的呀！人家有人說我和伯伯有多少多少乾兒子、乾女兒。哪有那麼回事？其實我們真正認了的，就只有三個乾女兒，一個是葉挺將軍的大女兒葉揚眉，小小年紀就與他父親乘飛機時遇難了；一個是在延安時，下大雨，窯洞塌垮，被砸死在裏面了；只有維世跟我們時間長、感情深，現在又死得這樣慘！

　　鄧穎超這段話說明，她和周恩來只認了三個乾女兒，但只有孫維世與她夫婦相處長，感情深。以她這樣一位見慣生死和殘酷場面的中共老革命來說，對孫維世之慘死，發這樣痛苦的感慨，顯見孫維世在她心中情感的地位。

　　《周恩來鄧穎超通信選集》中，兩人多次提到孫維世，稱她「維世」、「維世女兒」，或乾脆稱「女兒」，鄧穎超還稱之為「閨女」。鄧穎超信中對這位女兒流露出很深的母愛，也顯示這對夫婦與義女孫維世關係相當親密。

　　一九四九年七月，鄧穎超代表中共中央到上海邀請宋慶齡到北京參加人民政治協商會議，七月十四日，她在上海寫給周恩來的信詢問「女兒你常見嗎？我很惦記閨女，常想著她！她何日出國？我不能踐在北平車站送她之約，希望能待她回來時，我一定能在站旁歡迎她。」

　　一九五〇年一月二十一日，鄧穎超寫信給在莫斯科的周恩來，特地寄了三枝原重慶紅岩村房東劉太太贈送的水仙花，當時孫維世也在莫斯科，鄧穎超信中吩咐「望分一枝給女兒，把我的想念和祝福托花兒帶給她！」

　　鄧穎超是個相當強悍的女性，她只是因為對周恩來的一往深情而願意生活在他的陰影下，犧牲自己的事業，但她絕對不會容忍任何女子來與她分享丈夫。周恩來只要對女性有溫柔的表露，她立刻就會向丈夫發出不快的訊號。如果周恩來與孫維世真有不倫之戀，鄧穎超不可能與她維持如此深厚的母女之情。

　　縱觀周恩來一生，雖然緋聞傳得不少，但一一探究，沒有一宗能夠落實。可能性最大的張若名也是似有若無。

　　周恩來一生對異性溫柔有禮，令無數女子迷戀不已，但他生命中卻從來沒有出現過一位讓他動心的女子，沒有與任何一個女子產生過情愫。他與鄧穎超的婚姻沒有愛情，是政治婚姻，甚至可能是煙幕婚姻。兩人攜手走過半個多世紀的歲月，相敬如賓，相濡以沫，是革命戰友和生活伴侶，但絕對不是靈肉結合的愛人。

那麼，周恩來自己一生內心的深處的感情追求坐落在何處？他內心是否真的水波不興，情感硬如鐵石，是一位貨真價實的革命禁慾主義者？他秘密的情感傾向是走向何方？或者有一個天大的秘密，使他不能將感情託付給任何異性？那麼，這是否就是一直埋藏在他心底深處，在他彌留之際想向結髮五十載的妻子吐露，但最終至死卻嚥了回去的秘密？

第三章　告白

1　日記中的「不婚主義」

要揭開周恩來情感深處的秘密，解答讓他妻子困擾一生而始終無法釋懷的謎團，看來幾乎是不可能的。但是周恩來留下了一部青年時代的日記。這本寫於九十六年前，近幾年才公開的周恩來日記雖然只記述了他短短一年的生活，但忠實的記載和真情的流露對解開他內心情感世界的秘密留下了重要和關鍵的線索，以此解碼，周恩來婚姻和愛情中許許多多令人困惑的問題就比較容易迎刃而解了。

一九九八年，周恩來誕辰一百週年，由中共中央文獻研究室、中央文獻出版社、南開大學出版社聯合出版了分上下卷共九十七萬字的《周恩來早期文集》，收錄了周恩來一九一二年十月到一九二四年六月的所有已收集到的手稿，包括周恩來的作文、論文、日記、通訊、書信、詩詞、紀事、小說、演說、宣言、通告、啟事等共三百〇三篇。其中最珍貴的是周恩來赴日求學的一年日記全文（在這之前只是摘要刊登）。

這本日記能夠留存下來，是比較偶然的。據大陸媒體報導，周恩來日記和其中一些手稿在周恩來一九二〇年十一月赴歐之前，裝在一個木箱中存放在同學家裏，後來又轉放在一位姓柴的南開中學同學家。姓柴的有個兒子叫柴平，在南方生活。

一九五二年八月，柴平北上回老家陝西，特別繞道天津，找到任天津「學聯」主席的中學同學張濟，告訴他柴家親戚處存放有一個周恩來的箱子，柴平說應該想法交還給周恩來。張濟第二

日立刻到這家人取得這個木箱。天津青委（中共青年工作委員會）開箱檢查發現是周恩來的手稿和一些照片和日記。其中的《旅日日記》，題為《民國七年學校日記》，扉頁原署名「周恩來」三字，保存者為了防備國府當局搜查而暴露，只保留「周」字，「恩來」二字及紅色印章均塗抹不清，但《學校日記》頁下面有「翔宇」二字的用印。證明日記作者為周恩來。

　　天津市委於是將手稿寄給中央辦公廳，再轉給周恩來。周恩來故世後，鄧穎超捐給了中共革命博物館。參加編纂《周恩來早期文集》的劉焱則說保存於中央檔案館。【56】

　　一九一七年六月，周恩來南開中學畢業，九月從天津出發坐船到日本留學。行前寫了那首有名的「大江歌罷掉頭東」的七言詩：

　　　　　大江歌罷掉頭東，
　　　　　邃密群科濟世窮。
　　　　　面壁十年圖破壁，
　　　　　難酬蹈海亦英雄。

　　一九二〇年三月，周恩來在日本留學不成，決定歸國「圖他興」時，又將此詩抄錄贈送給在日本的南開同學張鴻誥，然後四月中旬在神戶啟程回國。他在日本一共生活了約一年零十個月的時間。

　　現在中國當局公佈的周恩來日記，是周恩來一九一八年在日本這一年的日記。日記是從該年元旦開始。周恩來在元旦這一天日記說：

　　　　　今日是陽曆的一月一日，中華民國七年也，我的日記就
　　　　從今日記起。但願自今日往後，一天不缺，留個紀念。等著

【56】　張雯婧，《邃密群科濟世窮—〈周恩來南開中學作文箋評〉背後的故事》，2013年3月1日《中國共產黨新聞網》轉自天津日報。

老年的時候想起幼時的光景，翻一翻這本日記，想著或者有
點兒趣味。若是說留著事蹟給人家看，這個我是萬萬的不敢
想，亦不願真夠兒有這個事。

我今年已經十九歲了，想起從小兒到今，真是一無所
成，光陰白過。既無臉見死去的父母於地下，又對不起現
在愛我、教我、照顧我的幾位伯父、師長、朋友。若大著
說，什麼國家、社會，更是沒有盡一點力了。佛說報恩為無
上，我連恩還未報，又怎麼能夠成佛呢？俗語說得好：「人
要有志氣。」我如今按著這句話，立個報恩的志氣，做一番
事業，以安他們的心，也不枉人生一世。有生以來沾著這個
「情」字，至於赤子之心⋯⋯【57】

從這段話看，周恩來可能之前沒有記日記習慣，這可能是他
第一本日記，甚至有可能是他一生中僅有的日記，是研究周恩來
最珍貴的資料之一。

日記和一個人公開發表的作文和文章不一樣，是一個人的私
下獨白，自己與自己對話，原是不打算讓他人閱讀的，因此不會
顧慮他人閱讀的感受和看法，是直抒胸臆，不加掩飾，因此往往
很私密，也很真實。就個人內心的思想和情感表達來說，比私人
之間的通信可能還更私密和真實。

周恩來日記的開篇即表明，他的日記是為了做個只給自己看
的記錄，以便他老年後回味自己的青春少年時代，萬萬不敢拿出
來示人。在周恩來這本充滿私密的日記中有他十九歲青春年華時
對婚姻愛情的思考，以及他極為私密的一些情感波瀾的記述。

【57】《周恩來早期文集》（1912-1924）之《旅日日記》，中共中央文獻研究
室、南開大學出版社，中央文獻出版社、南開大學出版社，1998年2
月，p307。本書第以下幾章所涉及的周恩來旅日日記內容，正文不再
加註。

　　這第一天的日記說了三項事，一是他寫日記的初衷，二是立下報恩立業的志向，期待讀書有成後能夠報答幾位伯父和親友同學的恩情。但第三件事只有一句不完整的話：

　　　　有生以來沾著這個「情」字，至於赤子之心⋯⋯

　　出版日記的編者指出，「赤子之心」後面的文句已用墨筆塗抹無法辨認。很顯然，被抹掉的是周恩來談他如何沾上「情」這回事，即他可能是愛上了某人，為情所困，這一感情困惑的細節顯然後面是有所記述的，但被他自己後來基於某種原因塗抹掉了。

　　有關周恩來這個很神秘的「情」的內容，雖然細節被他塗抹掉了，似乎已無法追尋，但據後來的日記記述中的線索，還是能夠發現一些端倪，還原周恩來為情所困的來龍去脈。

　　周恩來在日記開篇之前還為日記定下體例：

文取白話體
【修學】欄錄格言及詩句（自舊曆元旦起改作自書所感）
【治事】欄記一日作事之綱
溫度，準華氏表（正午）
本日篇幅不足時，擴充於次日幅上

　　第一日的【修學】是：悟則為佛，迷則眾生。不知周恩來此處所謂「悟」是指什麼，是悟出了什麼人生道理。

　　元月三日的日記一開始即在【修學】欄引用一句話「三十不婚，可以不婚；四十不宦，可以不宦。」即是說，一個人到了三十歲還沒有結婚就可以不結婚了，擺出了他的「不婚主義」立場。

　　次日（元月四日）日記【修學】是「不婚不宦，情慾失半」。

　　這句話來自中國古代典籍《列子·楊朱篇》，原話是：人不婚宦，情慾失半。人不衣食，君臣道息。意思是說，一個人不結婚不做官，會喪失一半情慾；如果人不穿衣吃飯，就會沒有君臣之道。崇尚個人主義的楊朱此說，是鼓勵人享受人生，及時行樂。

但根據周恩來此時正信奉「不婚主義」，這裏應該是反其意而用之。

　　周恩來在這本日記中多處談到他奉行「獨身主義」，不願意與女子結成夫妻關係。理由是因為愛情不一定在男女性之間發生。

　　二月九日的【修學】格言是「**自由戀愛無男女，人生何必有妻孥**」。這是周恩來在他的手稿中首次表明，他不認為自由戀愛只是男女之間的事，有支持同性戀的含義。

　　二月十五日說他讀《新青年》雜誌，對「其中所持排孔、獨身、文學革命諸主義極端的贊成。」在這天的日記中，周恩來提到他思想狀態的一些變化，說在國內的時候，他忙的是研究「漢學」和「模仿古文」，《新青年》雜誌對他沒有影響，直到從天津動身到日本才認真閱讀這本激進主義的雜誌。

　　　　從前我在國內的時候，因為學校裏的事情忙，對於前年出版的《新青年》雜誌，沒有什麼特別的去注意，有時候從書鋪裏買來看時，亦不過過眼雲煙，隨看隨忘的。加著我那時候正犯著研究「漢學」兼「模仿古文」的二個大毛病，那有心腸去用在這些改革的想頭上呢。等到我從天津臨動身的時候，雲弟給我一本《[新]青年》三卷四號，我在路上看得很得意。及至到了東京，又從季沖處看見《新青年》的三卷全份，心裏頭越發高興。頓時拿著去看，看了幾卷，於是把我那從前的一切謬見打退了好多。

　　　　以後我搬到神田住，忽然又為孤單獨處的緣故，看著世上一切的事情，都是走繞道。「苦海無邊，回頭是岸」。不如排棄萬有，走那「無生」的道兒，較著像省事的，鬧了多少日子，總破不開情關，與人類總斷不絕關係。雖不能像釋迦所說「世界上有一人不成佛，我即不成佛」那麼大。然而叫我將與我有緣的一一斷絕，我就不能，那能夠再學達摩面壁呢？既不能去做，又不能不去想。這個苦處擾，我到今年一

月裏才漸漸地打消了。後來我就將我的心，仍然要用在「自然」的上，隨著進化的軌道，去做那最新最近於大同理想的事情。收練了幾天。這個月開月以來，覺得心裏頭安靜了許多。

在上述這段話可以看出，周恩來精神曾經很苦惱，產生佛教的「無生」的道理，但也總是破不了情關，即是說他一直為情所困，走不出來，現在他悟出了，要採取《新青年》中提倡的「獨生主義」，因為這個主意解決了他以前的苦惱。因此在此前的二月九日這天日記，他還寫信給鼎兄，建議他讀《新青年》。

二月十六日周恩來日記又引用了「不婚主義」為格言。三月十一日的日記說，他在守素食和不婚兩大主義。五月三十一日的日記說，「**夫婦除生育外無功能**」，直接否認男女之間有愛情存在。

此後在一個多星期，周恩來密集而又強烈地表達他的「**自由戀愛無男女，人生何必有妻孥**」的周式「不婚主義」觀，並不乏狂熱地向同學朋友推銷。

六月一日說，「**戀愛自由，無男女界，無肉體慾**」。

六月二日說，「**夫婦間非情字結合**」。

六月三日說，「**情字絕非發生於夫婦**」。

六月四日是「情為一至潔至白之物」。六月六日記載說，「午飯後往訪伯安，談「情」字久之，伯安之解「情」字頗與吾昔日主張相同，惟吾近日所悟頗與相左。」六月八日記，「晚間與隔室廣西黃君談『情』字真理，甚久。」六月九日則記他在新中國學會（旅日中國留學生團體，周恩來為會員，曾與會員在「新中學會」的宿舍集體住宿。）發表「婚姻問題與獨身主義」的講演，講得很長，有一個半小時。這可能是周恩來首次公開講演談他的「獨身主義」主張，但所談內容不詳。八月二十六的日記記載他在

回國後在北京至天津的火車上與他南開中學同班同學趙松年（字柏榮）大談他的「獨身主義」主張。

從這些記述中，感到周恩來正處於一種令他相當困惑矛盾的情感中。一方面他在為情所困，人在戀愛中，但另一方面，他又堅持「不婚主義」，說「自由戀愛無男女」「情字絕非發生於夫婦」。

2　為何主張「不婚主義」？

周恩來為何要持不婚「獨身主義」的觀點？他對愛情婚姻到底看法如何？

清末民初，以愛情為基礎的西方自由主義愛情婚姻觀逐漸傳入中國，這種異於中國傳統父母之命媒妁之言的舊式婚姻的新式婚姻，被當時的新派人物稱之謂「文明婚姻」。到民國初年的「新文化」運動和「五四」運動期間，中國新潮知識青年追求個性解放和自由人格，更是強烈反抗傳統包辦婚姻，提出了戀愛自由，甚至「獨身主義」的口號。

周恩來是通過在「新文化」運動中影響很大的思想啟蒙雜誌《新青年》接觸到「不婚主義」思潮而受到啟發。他在二月十五日日記中說，從季沖處借來《新青年》三卷的全部，看了幾卷，有所開悟，原本苦惱的心也有了平靜，說對《新青年》的「所持排孔、獨身、文學革命諸主義極端的贊成。」

在這之前，周恩來日記不斷地說他不想結婚，並反感婚姻，但這只是他個人的選擇，不為人所理解，因此很苦惱。現在竟然發現新時代還有支持他這種選擇的「不婚主義」思潮，精神不禁為之一震，該日修言「風雪殘留猶未盡，一輪紅日已東升。」已道盡了他此時心身解放的愉悅之感。次日的日記修言立刻採用了「不婚主義」這句口號。

　　這個「不婚主義」的口號是當時在中國很有影響的最新思潮「無政府主義」者提出來的。「無政府主義」者崇尚個人自由，反對婚姻制度，認為家庭婚姻是對個人自由的奴役，男女之間的結合應該是在愛的基礎上的自由結合。當時尚為「無政府主義」者的陳獨秀也是主張戀愛自由的「不婚主義」，在《新青年》上說愛情是一回事，婚姻又是一回事，兩者不能等同。[58]周恩來閱讀的《新青年》三卷的五月號即有一篇美國著名的女性「無政府主義」者高德曼（Emma Goldman）主張自由戀愛，反對婚姻制度的文章「結婚與戀愛」。文章譯者為北京大學學生袁震英，當時也是一位「無政府主義」者，公開宣布他主張「不婚主義」、「獨身主義」。[59]

　　當時中國的「無政府主義」主要是強調男女之間戀愛至上，婚姻有無不重要，但婚姻必須有愛情，愛情不一定要以婚姻的形式存在，可以是一種非婚的愛情（同居），甚至可以是婚外的愛情。「無政府主義」的「獨身主義」者反對法律婚姻制度，但不反對男女性愛，甚至主張性愛自由。袁震英說他「反對無戀愛的婚姻，贊成無婚姻的戀愛。」由於信奉愛情至上，陳獨秀拋棄了有婚姻之約的妻子，與情人小姨妹私奔，而毫無內疚。

　　對婚姻制度的批判高德曼比較極端，她強調婚姻和愛情完全是兩回事，甚至互相衝突，說雖然也有婚姻是基於愛情，及有的愛情婚姻可以維繫終身，但婚姻本質是一種經濟協定和保險合同，而且對女性回報率不高。高德曼是位女性主義者，主張女性獨立、自由戀愛和性自由，認為女性要走出婚姻家庭的束縛，才能爭取到自由和獨立的人格。她對婚姻的極端否定更多是出於女

[58]　張春田，《思想史視野中的〈娜拉〉，五四前後的女性解放話語》，新銳文創出版社，2013 年 4 月，p71。
[59]　孫秀芳、曹玉技，「自由的追求——無政府主義者袁振英的政治信仰歷程」，南京林業大學學報(人文社會科學版)，第 12 卷第 2 期（2012年 6 月）；李繼鋒、郭彬，「袁振英：中學男女同校的先行者」，《民國春秋》網。

性的立場，因為在人類婚姻制度中女性是最大受害者，她說男子受婚姻之限則沒有女性那樣大。在《新青年》這篇文章，高德曼說：

> 女子以其夫婿為保險費，其名譽、生命、幸福、自尊之種種觀念，一概委於其夫之手，誠有之死靡他之概。不惟此也，以若婚姻之保險合同，且判定其一生之依賴，為寄生蟲，為一完全廢物，不惟無益於個人，且貽禍於社會。【60】

高德曼所說的被婚姻家庭束縛而喪失獨立人格和自由的女性，指的是西方女性。中國女性長期受制於「三綱五常」的封建禮教，為父權和夫權所壓迫，命運比起同時代的西方女性悲慘很多。因此當時的中國「無政府主義」者，反對婚姻制度既是為了追求戀愛自由，也是為了提倡婦女解放，鼓勵婦女走出家庭。

這種獨身「不婚主義」在當時一些出身於中上層社會受過良好教育的新女性中引起很大迴響。不少新女性以挪威戲劇家易卜生《玩偶之家》中告別婚姻的娜拉為榜樣，決心在社會自食其力，採取不結婚的「獨身主義」。中國上世紀出了許多傑出的獨身女性，如著名女詩人呂碧成、金陵女子大學校長吳貽芳、著名教育家楊蔭榆、婦產科醫生林巧稚等。

鄧穎超青少年時代也因為看了不少女性婚姻的悲慘命運，也是抱持「獨身主義」，認為女子嫁人一生就完結了。周恩來所謂的初戀情人張若名也因為追求婦女解放也曾抱持「獨身主義」的人生立場。她一九二〇年一篇發表在「覺悟社」出版刊物《覺悟》的文章鼓吹婦女解放，說「按現在的中國情形說，要打算做『婦女解放』急先鋒的人，最合適的還是抱獨身主義的。」【61】

【60】　張春田，《思想史視野中的〈娜拉〉，五四前後的女性解放話語》，新銳文創出版社，2013 年 4 月，p70。
【61】　黃嫣梨，《張若名研究及資料輯集》，香港大學亞洲研究中心，p296。

　　可以說在民國初年，主張「不婚主義」主要是兩類人，一類是「無政府主義」者，一類是女權主義者。但持「不婚主義」的周恩來兩類都不是。

　　雖然周恩來在一九四六年在重慶說他曾受到「無政府主義」影響，但那是在初到法國的時候，一九一八年的周恩來還不是「無政府主義」者。他在七月三日《旅日日記》對自己投考東京第一高等學校失敗寫了一段勉勵自己的話，「那些擁有最好的家庭、社會、法律、政府，最先進的科學和藝術，最純潔的信仰，最美好的道德和最優秀的智慧的民族，才是有份量的民族。」周恩來在這段話中表達的社會政治觀念恰恰與反社會建制的「無政府主義」思想相反。

　　周恩來後來在法國時期廣泛閱讀，讀了《克魯泡德金自傳》（Pyotr Kropotkin），受到影響，並崇拜因為參與暗殺沙皇亞歷山大二世被處死的女民粹黨人蘇菲亞，但那也只是涉及「無政府主義」的政治層面，未及家庭婚姻制度，並且只是一個短暫時期。他對記者曾敏之說，「待他研鑽一番之後，又漸漸覺得無政府主義走不通，講暗殺，殺不完，不能解決問題。」隨後轉向共產主義。【62】

　　周恩來在日本留學期間的「不婚主義」，缺乏上述兩類「不婚主義」者對婚姻制度的批判意義，也沒有要為女性出頭，作婦女解放急先鋒的意思，無一詞說他是為反對封建家庭禮教和專制婚姻，或為了追求個性解放而主張「獨身主義」，只是說他反感婚姻，為一種情緒上的抵觸。而且當時的周恩來雖然也接觸許多新思想，但至少在日記中並沒有任何反對舊時家庭禮教的言論，相反還一再提到他作為周氏子孫的家族責任，為自己無能為力而自咎，譴責自己「真是不孝極了！」

【62】《周恩來年譜》中央文獻出版社，1946 年 5 月 2 日周恩來與記者曾敏之談話。

　　周恩來當時對新舊過度時期傳統婚姻制度的態度，相對來說還是較為溫和的，他一月二十七日一段記述可資證明。日記說，他的同學「醒兒」，即他的同窗好友常策歐被家裏催著完婚，而這段婚事也是家裏包辦的，周恩來對此表示諒解：

　　　　我聽著這話，想著醒兄本來是不願意早早結婚的。親是早定下了，這個主張一定是堂上的主意。醒兄上有重堂，祖父母年已六十余，自然是急欲見孫子媳婦了。醒兄是很孝行的，當然是不能違背。好在醒兄還說，結婚後醒兄夫人還能接著念書。這是件很好的事情了。

　　周恩來的「獨身主義」既不是反對傳統專制婚姻，也不是為了追求個人自由。只因為「獨身主義」或「不婚主義」把婚姻和愛情切割，甚至否定人類的婚姻制度，正好被周恩來用來作為他拒絕婚姻，不與異性相愛的一個藉口。

3　明白無誤的告白

　　周恩來在他的日記中開宗明義說他正在為情所苦，而且很長一段時間破不了情關。這時的周恩來正在戀愛中，只是還不清楚他愛的是誰，以及他為何為這種感情苦惱不已。

　　周恩來肯定愛情，只是他的「情」觀念與其他人不一樣。他看待愛情非常神聖，是「至潔至白之物」的，但又一再地強調，愛情則是超越男女性之間的感情的，異性相結合的婚姻沒有愛情，只是為了傳宗接代，給人帶來的只有痛苦，「情字絕非發生於夫婦」，「夫婦除生育外無功能」。即是說，他對異性沒有任何情感上的憧憬。

　　有關他對婚姻愛情的這一獨特的看法，在二月九日在這天的日記中，解釋得最清楚。信中說：

　　我今天給霈兄的信，談到人生婚姻的事，我說是人生最苦惱的事，這個滋味霈兄已經嘗夠了，所以我說這話，他一定是贊成。我想人生在世，戀愛是一種事，夫妻又是一種事。**戀愛是由情生出來的。不分男女，不分萬物，凡一方面發出情來，那一方能感應的，這就可以算作戀愛。所以馬狗都可以有報恩的事體。**

　　至於夫妻，那純粹為組織家庭，傳流人種的關係，才有這個結合。不過夫妻由戀愛中生出來，是真夫妻；若隨旁人的撮弄，或是動於一時感情的，這個夫妻實在是沒有什麼大價值。按著這個理推，是戀愛的範圍廣，夫妻的範圍窄。戀愛裏可以有夫妻這一義，夫妻絕不可以包括戀愛的。

　　最可笑現今的人，不懂戀愛的義理，聽見這兩個字，以為是夫妻中的神聖條件，其實已經是大差了。

　　周恩來上述這段話表達得很清楚，異性男女結成婚姻是「人生最苦惱的事」，但周恩來沒有否認戀愛，而是說戀愛由情而生，這個情是不分男女，不分萬物，而夫妻只是為了傳宗接代，「純粹為組織家庭，傳播人種」，與戀愛無關。

　　周恩來強烈反對婚姻。雖然他說，夫妻由戀愛而生是真夫妻，戀愛裏可以有夫妻一義，但隨即說「夫妻絕不可以包括戀愛的」，最後連有愛情的婚姻也反對，因為他不認為愛情是婚姻的神聖條件。如此極端已超過了當時最極端的「不婚主義」者袁震英，因為袁反對的只是「無愛情的婚姻。」

　　周恩來二月九日的日記這段話應該是周恩來關於自己的婚姻戀愛觀最坦白的陳述，也是瞭解周恩來秘密情感世界最權威的文字記錄。他當年寫在私人日記裏，沒有想到有一天會公開於眾。當然他也想不到，因為那時他只是新舊中國過渡期的一個還在考慮生計和人生前途的普通的知識青年，沒有預見到他以後會成為世界著名的革命家和一個大國的總理。

　　如果周恩來有穿越時空的神仙眼，能夠預知未來，說不定會寫成等著讓世人閱讀的「雷鋒日記」，將他的「獨身主義」解釋成是為了國家民族的大義，因此決定犧牲小我家庭婚姻的偉大動機，就像他後來對侄女周秉德解釋他選擇鄧穎超為妻是為了革命一樣。

　　中國學者研究早期周恩來喜歡引用周恩來寫的作文和在報刊上發表的文章，大講周恩來從少年時代就如何心懷天下，憂國憂民。其實這些文章最多只能反映周恩來對時事和社會現狀的看法，未必能從中洞悉周恩來當時真實的人生態度和現實處境。

　　中國傳統「文以載道」，寫文章要講大道理。少年周恩來寫作文及在校刊上發表文章，也不免和傳統國人一樣愛用豪言壯語虛空大詞來填滿白紙，內容多缺乏真情實感。如果拿他當時的作文與他一九一八年的《旅日日記》相對照，看到的就是兩個周恩來。日記中的周恩來應該才是真實的周恩來。可惜能反映真實的周恩來的文獻資料太少，僅止這本日記和少數幾封信件而已。

　　當年周恩來二十歲，這個年齡的男性已過青春期，性生理已成熟，雄性荷爾蒙蓬勃，是對異性情慾高漲之時，但這位從未與女性戀愛過的成熟男子，雖然高唱愛情美麗神聖之歌，但竟然怕與異性相處結成夫婦，害了婚姻恐懼症，在這篇日記中說婚姻是人生最苦惱的事，夫妻之間除了生育沒有愛情，對異性可以說在生理上達到了極度厭惡的程度。

　　這種恐懼可以解釋為何他從未與任何一個女子發生過熱烈的愛情，以及多次拒絕有名望家族的提婚，在與鄧穎超新婚之夜，他賴死不入洞房，強拉著一位不相關的女子蔡暢陪他談天說地。

　　最重要的是周恩來這篇日記中坦承他認為夫妻與愛情可以是兩回事，愛情比一般所謂的男女之情更要廣闊，只要愛的雙方（不分男女，不分萬物）能相互感應就是愛，由此推理，男性與

男性之間也可以由情生戀。可以說，這幾乎就是赤裸裸地宣揚同性戀。

　　前面提到周恩來向鄧穎超求婚後，浸淫在愛河中的鄧穎超無法抑制內心的喜悅，隨即在《女星》雜誌上發表文章大談愛情，但她說的愛情是「兩性間的戀愛」，而此處周恩來卻說戀愛雙方是不分男女和不分萬物。

　　我把周恩來日記其中這段話「**戀愛是由情生出來的。不分男女，不分萬物，凡一方面發出情來，那一方能感應的，這就可以算作戀愛。**」讀給一位朋友聽，沒有告訴她這段話是誰說的，她竟然以為這是「大愛同盟」的宣言[63]。

　　對於周恩來的這段赤裸裸的同性戀獨白，中國官方採取了迴避的態度，多數避而不談。比如，中央文獻研究室副主任金沖及編的《周恩來傳》對此無一字提到。有的則做迂迴曲折的辯解，為周恩來的同性戀傾向開脫。有位官方學者（中共中央文獻研究室的費虹寰）在「周恩來的婚戀觀探析」這樣說，周恩來的「獨身主義」，主要是由於他的思想受到了「柏拉圖式」愛情觀的極大影響，反對肉慾，只主張精神戀愛。此人說：

　　　　「柏拉圖式」的愛情觀是一種以禁欲主義為基本特徵的愛情觀點。它拒絕承認夫婦之間有愛情存在。它的目的是沒有肉體接觸的靈魂的融合，並以此作為獲得永恆幸福的唯一途徑。在周恩來的《旅日日記》中，周恩來將愛情與「夫婦」即婚姻之間的關係截然斬斷，大力歌頌愛情本身的純潔美好，這其中的確體現著「柏拉圖式」愛情觀的精義。

　　但周恩來歌頌愛情之時，卻強調「自由戀愛無男女」，這句話對這位學者就很麻煩了，無法繞開同性戀之嫌疑，於是此人竟然

【63】「大愛同盟」是已出櫃的香港同性戀歌手何韻詩、黃耀明在二〇一三年成立的一個非政府組織，這個組織的宗旨是為同性戀者爭取權益。

硬著頭皮曲解為，「是指男女都有自由戀愛的權利，自由戀愛並不是男人的專利。」

但該學者又說：

> 這一思想是與經典意義上的「柏拉圖式」愛情觀相抵牾的，一定程度地反映了周恩來強烈的反封建和反傳統精神，「柏拉圖式」愛情觀根本否定男女平等，它「不僅詛咒兩性關係，而且詛咒婦女」。【64】

僅從字面上來看，這樣的解釋明顯是不能與周恩來的主張相吻合的。周恩來在該日的日記中已說的很清楚，他所謂的戀愛不是講男女平等都可以談戀愛，而是說戀愛的兩方不必是一男一女，是「不分男女，不分萬物，凡一方面發出情來，那一方能感應的，這就可以算作戀愛。」這一方和另一方可以不是異性，甚至可以不是同一個人類物種。周恩來「不分萬物」後一說法是為了加強其論說──愛情是超越男女──的一種誇張修辭手法，不能解釋為周恩來是在提倡超越物種的人獸戀。

這位官方學者以「柏拉圖式」愛情觀來解釋周恩來的「獨身主義」，不知他是否清楚所謂「柏拉圖式」愛情實際就是男人與男人之間的愛情，而非男人與女人之間的愛情。

古希臘人認為女子對於男人只是傳宗接代的生育工具，不值得為之付出愛情，柏拉圖即認為男子與男子之間的愛才是最高貴的愛情。這和周恩來日記中的表述倒是相符合。

這位學者對此應該是清楚的，所以此人先說周恩來受柏拉圖愛情觀影響，然後又說周恩來愛情主張是與柏拉圖愛情相抵觸的，自相矛盾。如果他要用同一邏輯推理下去，即周恩來是受柏

【64】　費虹寰，「周恩來的婚戀觀探析」，《人民網》領袖人物資料庫。

拉圖愛情觀影響，並嚴格按照周恩來日記的原意解釋，最後只能得出周恩來的愛情觀是主張同性戀愛。

另一位學者，中央黨校黨建專業博士生導師，甄小英在她《周恩來精神風範》一書中也說，周恩來早期的「不婚主義」是受柏拉圖愛情觀影響，把愛情和婚姻割裂開來，認為愛情是高尚的，家庭是個人自由的羈絆，但也不是根本否定婚姻，而是主張男女自由戀愛。但她忘記了，周恩來從來沒有說過「家庭是個人自由的羈絆」或類似的話，這只是學者自己的武斷。她在推論中引用了周恩來二月九日給鯨兄信那段話，但卻有意漏掉其中的關鍵句子。她引用的話如下：

> 我想人生在世，戀愛是一種事，夫妻又是一種事。戀愛是由情生出來的……。至於夫妻，那純粹為組織家庭，傳流人種的關係，才有這個結合。不過夫妻由戀愛中生出來，是真夫妻；若隨旁人的撮弄，或是動於一時感情的，這個夫妻實在是沒有什麼大價值。[65]

這位中共學者省略號中有意省略的剛好是周恩來強調愛情可以是超越男女的這最關鍵的一句「不分男女，不分萬物，凡一方面發出情來，那一方能感應的，這就可以算作戀愛。所以馬狗都可以有報恩的事體。」

這不是欲蓋彌彰，此地無銀三百兩嗎？

對這篇周恩來的同性戀愛情觀的表白，中共官方自然是非常迴避，在金沖及等中國學者寫的周恩來傳記中，對二月九日這篇日記的內容都是盡可能不提或輕描淡寫。

【65】　甄小英，《周恩來精神風範》，中央黨校出版社，2008 年 1 月。

4　自主自由婚姻一併否定

　　周恩來在日本時，開始接觸新思潮，並開始閱讀《新青年》，接受了當時新潮青年開始倡言的「獨身主義」，以掩飾他的同性戀傾向。從日本回到天津後，他進入新辦的南開大學，並投身到這年的「五四」學生運動中。

　　雖然「五四」時代，新青年中出現獨身「不婚主義」潮流，尤以「無政府主義」者倡言最力，但在中國的語境中，主要還是針對封建包辦的不自由婚姻，尤以女性為甚。如「五四」運動的學生領袖傅斯年，由於不滿自己的包辦婚姻，曾說過「獨身主義是最高尚，最自由的生活。」【66】但他一旦與沒有愛情的原配妻子離婚，即不再唱此調子，並立刻和名門才女俞大綵結婚。而對於男性來說，真正守「獨身主義」的可說少之又少。

　　對於周恩來的「獨身主義」，除了本人也為婚姻苦惱的摯友伉鼐如（但其婚姻不幸原因不明）應該是知音和理解者外，他的朋友同學多不理解或支持。尤其是他否定婚姻家庭，主張戀愛可以超越男女之情的前衛思想。在周恩來的早期文稿中，就有他和親友探討，對方不能接受的記錄。有的可能還一直力勸他盡快男大當婚，給了他很大壓力。

　　周恩來在六月六日這天日記，寫他去探看原南開中學同學楊伯安，談到他對「情」之理解，談了很久，兩人意見原來相同，現在不一致了，「午飯後往訪伯安，談「情」字久之，伯安之解「情」字頗與吾昔日主張相同，惟吾近日所悟頗與相左。八月二十六日日記記錄他與南開中學同班同學柏榮（趙松年）從北京坐火車回天津，談到他的「獨身主義」，柏榮不贊成，於是發感慨謂缺少知音：

【66】　歐陽哲生，《傅斯年一生志業研究》，秀威出版，2014 年 6 月，p21、
　　　　p22。

　　與柏榮談我「獨身主義」，伊意在反我所主，而急切間竟不能非我所論。誠哉！真理所在，有令人不能默許者。嗚呼！青春已逝，家世難言，人事滄桑，知心何處！矧吾雙親已沒，娛樂之何求？過渡時期，滔滔者天下皆是耶！

周恩來赴歐後於一九二一年一月三十日在倫敦給表哥陳式周寫了封信，表達他對家庭和愛情的看法：

　　家庭一事，在今日最資學者討論，意見百出，終無能執一說以繩天下者。誠以此種問題，非僅關係各個民族之倫理觀念，**人類愛情作用，屬於神秘者多，其以科學方法據為討論工具者，卒無以探情之本源也**。惟分而論之，則愛情為一事，家庭又為一事。

　　中國舊式家庭之不合時宜，不待論矣；即過渡時代暨理想中之歐美現今家庭，又何嘗有甚堅固之理論與現象資為模仿邪？在國內時，或猶以為歐美家庭究較吾人高出多多，即今日與接觸，方知昔日居常深思之恐懼，至今日固皆一一實現矣。盛倡家庭單一說者，其謂之何？惟哥幸勿誤會，吾雖主無家庭之說，但非薄愛情者，愛情與家庭不能並論之見，吾持之甚堅。

　　憶去歲被拘時，曾在獄中草一文，惜其稿為警廳人員所沒收，不得資之以為討論耳！即兄所謂「等量並進，輔翼同功，精神健越」，亦不外示愛情之可貴，固無以堅家庭之壘也。弟於此道常深思，有暇甚願與兄有所深論，茲特其發端耳。過來人亦願為之證其曲直是非邪？特嫌勾兄心事殊甚，是為過矣。[67]

信中提到他關押在天津警廳時，寫了一篇「獨身主義」的文章，擬往外發表，但被警廳扣住。

【67】《周恩來早期文集》下卷，一九二一年一月三十日致表兄陳式周信，p8。

　　「五四」時代，宣揚獨身「不婚主義」除了個別反對人類婚姻制度的極端「無政府主義」者，多是以西方社會男女戀愛自由婚姻自主為理想，而反抗中國舊時父母包辦婚姻，但就是較為激進的袁震英也只是反對無愛情的婚姻，並未說他連有愛情的婚姻也一併反對。

　　但在周恩來這封信中，周恩來否定的不單是中國的舊時婚姻家庭，而且連歐美國家以愛情為基礎自主結合的婚姻家庭也認為不理想而全部否定了：

> 　　中國舊式家庭之不合時宜，不待論矣；即過渡時代暨理想中之歐美現今家庭，又何嘗有甚堅固之理論與現象資為模仿邪？在國內時，或猶以為歐美家庭究較吾人高出多多，即今日與接觸，方知昔日居常深思之恐懼，至今日固皆一一實現矣。

　　周恩來在信中引陳式周的話「等量並進，輔翼同功，精神健越」，這很可能是陳式周在來信中勸他結婚，因此講了上述男女相攜連理，結為夫妻的益處。而周恩來在回信認為這只是愛情的可貴之處，但非家庭的堅石，還說「愛情與家庭不能並論之見，吾持之甚堅。」表示他這一立場來到歐洲後是更加堅定。硬是要將愛情與男女婚姻完全切割，對婚姻作絕對否定的態度。

　　但歐美家庭為何不理想？以及他昔日對家庭「深思之恐懼」又是什麼？周恩來均沒有解釋。就像他之前在日記中也未對他厭惡婚姻，稱婚姻為「人生最苦惱的事」一樣，沒有說出理由。

　　袁震英主張「不婚主義」，是因為他要戀愛自由，因而贊成沒有婚姻的愛情。陳獨秀說婚姻是婚姻，愛情是愛情，是因為他與小姨妹有了婚外情。傅斯年說「獨身主義」是崇高的生活方式，是因為他與包辦結婚的妻子沒有愛情，渴望結束這段婚姻。鄧穎超等新女性是因為害怕舊時的傳統婚姻葬送了她們的個人自由。

　　周恩來是為了什麼？

　　反對東方的婚姻，因為是出自於父母之命媒妁之言，與愛情無關，這還說得過去。但因愛情而結合的西方自主婚姻也不可取，令他失望，那在日記中自稱破不了情關，為感情十分苦惱的周恩來，他的愛情又落腳何處？

　　這只有兩種可能。一是如袁震英所稱的「無婚姻的愛情」，即非婚的愛情（非婚同居）或婚外的愛情（如陳獨秀的私奔），但周恩來終身從來沒有和任何一個女子真正戀愛過，也沒有資料透露任何一個女子曾讓他動心過，至少直到一九二三年春他向鄧穎超求婚之前，他沒有任何曾經談過情說過愛的女性友人。因此追求無婚姻的異性愛情，這一個可能性對周恩來是沒有的。

　　第二就是同性戀。因為直到近幾年同性戀權益受到尊重，同性婚姻成為可能之前，人類傳統的婚姻家庭只能是男女異性之間的結合。在周恩來所處時代甚至連討論同性之間結婚和組織家庭都完全沒有可能。因此同性戀者之間的愛情不在婚姻家庭的範疇中。周恩來有愛情，破不了情關，如果情人不是女性，那只能就是男性友人了。周恩來就是同性戀者。

　　因為是同性戀者，對異性擦不出愛情的火花，所以他要反對婚姻，無論中國舊時婚姻，還是建立在愛情上的西方婚姻或中國的新式文明婚姻，他都一概不能接受。

　　周恩來在這封信中的這句話可圈可點：「人類愛情作用，屬於神秘者多，其以科學方法據為討論工具者，卒無以探情之本源也。」周恩來強調愛情的神秘，言外之意是指愛情並非一般理解的異性戀那樣平常，有的愛情（如周恩來的同性戀）異於尋常，是特殊的，但為何如此，是理性無法解釋的，因而也是很神秘的。這大概是周恩來對自己為何有同性戀這樣的性傾向的一種自我解釋。

　　周恩來為情所困，內心有愛的激情，但他的激情只是為同性的友人，無法燃起對異性的愛火，因此不想與女子結婚，所以堅持「不婚主義」。

　　周恩來的「不婚主義」的主張是把自己基於個人的性傾向對異性婚姻的否定加以普世化，說成是普天之下通行的道理。這只是一種應付外界壓力的策略，對於無法公開自己的性傾向，又要面對社會的婚姻壓力，就只能用當時新潮的「不婚主義」的愛情與家庭（或婚姻）不能並論來搪塞親朋好友的說親及勸婚。因為他無法直言：我不喜歡女子，我不想和女子結婚。

　　從周恩來《旅日日記》和他給表哥陳式周的信來看，很顯然周恩來這個一生的最大秘密是：他是個不會將愛情交給女人的同性戀者。

　　韓素音的《周恩來和他的世紀》在討論周恩來在法國的生活時，也注意到周恩來「不近女色」，覺得他與鄧穎超的紙上愛情令人感到很荒誕，但她將此解釋為周恩來個人的克制力，她說：

> 　　周恩來看上去不是一個性慾旺盛的男子。他富有男性魅力，相貌英俊，無任何同性戀的傾向。但是就像許多理智支配情感的男子，或者像許多胸懷巨大抱負的男男女女那樣，他毋需通過風流韻事來表明自己是個男子漢大丈夫。【68】

　　或許韓素音已感到周恩來有同性戀的傾向，但作為周恩來的崇拜者，而她個人可能也懷有對同性戀的偏見，偏見使她認為同性戀不道德，因此要主動出來維護偶像。但她的辯護更像是此地無銀三百兩。

【68】　韓素音著，王弄笙等譯，《周恩來和他的世紀》(*Eldest Son: Zhou Enlai and the Making of Modern China, 1898-1976*)，第三章：在法國學習革命，中央文獻出版社，1992 年 11 月。但 1994 年出版的英文版沒有這句話。中文版是根據韓素音的英文手稿翻譯先於英文版問世。這段話可能是韓素音在英文版最後定稿時刪除了。兩個版本差異甚大。

筆者在讀迪克‧威爾遜的《周恩來傳》時，覺得迪克似乎已察覺到周恩來是同性戀者，他只是沒有將懷疑宣之於口，可能是因為沒有證據。

江澤民接受美國六十分鐘談話節目資深記者華萊士訪問時，華萊士說他是獨裁者，江澤民否認。華萊士說，美國有句老話，「走起來像鴨子，叫起來像鴨子，它就是一隻鴨子」。

對迪克來說，周恩來「走起來」（即有行為）就像同性戀者，但是沒有「叫起來」（即有言論）的證據。周恩來《旅日日記》公佈在一九九八年，他的《周恩來傳》成書於之前，因此寫書之時沒有可能讀到周恩來這本日記。要是他看到周恩來這份日記中關於周恩來「不婚主義」的自白，周恩來「叫起來」也像同性戀者，以及日記中記述他與南開同學李福景感情的糾葛，有可能會提出一些大膽的結論。不過，作者與中共當局關係友好，也可能知道真相卻言論自我設限，不去碰觸會得罪中共的敏感禁區。

中國社會因為近幾十年同性戀成為禁忌話題，一般人缺乏同性戀的知識，對同性戀者的感受比較遲鈍，但一直開放的西方社會則不同，他們這方面的觀察相當敏銳。在一個專門討論名人八卦的英文網站 vipfag 上周恩來一欄，有人做了個問題調查「周恩來是同性戀還是異性戀？」提問說：雖然沒有事實說明周恩來是同性戀者，雙性戀，還是異性戀，但大家可以根據自己的直覺感受，在三者中選擇一項作答。令人意想不到的是，截至今年十月十三日的調查結果，認為周恩來是同性戀的高達71%，只有29%認為他不是。在這個網站上知道周恩來這位名人的網友，憑直觀已能感覺他是同性戀者。【69】

【69】 "Was Zhou Enlai Gay or Straight?", http://www.vipfaq.com/Zhou Enlai.html

5 革命同志崇尚性自由周恩來例外

有人為周恩來「獨身主義」辯護，說周恩來是為了國家民族及革命事業，為了將自己一生奉獻給社會而埋葬了自己的情感慾望，決定不結婚不戀愛，過一種禁慾的生活。韓素音即是這種說法。

但迄今所能見到的周恩來文獻無從得出這樣的結論。況且在日本時的周恩來尚不是革命青年，僅是接受了一些新思想的世家子弟，在他日記中提到的人生抱負首先是個人的前途和家族的振興，國家社會次之，因而不可能有為革命或國家等遠大抱負而放棄婚姻家庭這樣的念頭。

「五四」時代主張「不婚主義」的男子，不是主張不近女色的禁慾生活，而相反是主張戀愛自由和性自由。

為革命理想而獨身這種解釋也與中共早期革命者處理婚姻感情及男女關係的真實狀態不相符合。中共早期革命階段，不但沒有清教禁慾的傾向，反而有倡導男女關係一杯水主義的縱慾現象。

由於「新文化」運動和「五四」運動對個人自由的推崇，中共早期領導人輕視家庭責任（因為馬克思說家庭是私有制的產物），對子女感情很淡漠，但對男歡女愛卻從來不失熱情。即或其中最激進的革命清教徒，他們對革命的追求並沒使他們變成禁慾主義者，他們在從事革命時也激情地追求女同志，盡情享受性愛的愉悅，也為失戀而痛苦。

相反革命還解除了舊時代道德倫理對他們家庭責任的束縛，讓他們肆無忌憚行使自己的性自由，流行一杯水主義，將性愛當作喝一杯水那樣隨便，男女戀愛相當自由，無道德結束，締結婚姻也很任意隨性。古話說，朋友妻不可欺，他們連此社會通行的準則都打破。

　　滯歐期間，周恩來最欣賞並最受其影響的男性革命友人是蔡和森。蔡和森是個性格粗曠充滿革命激情的青年革命家，比周恩來年長三歲，為人不修邊幅，不重視生活的小節，說話直率。此人為革命的清教徒，反對享受人生，常批評周恩來的布爾喬亞情調。

　　迪克·威爾遜的《周恩來傳》有這樣一段描述：

　　　　周還和在法國的一些湖南籍學生一起生活過一段時間。他們中許多人都是由毛澤東組織來法的，特別是由蔡和森和蔡暢兄妹倆負責經辦的。不久，他們便一同出外觀光，如攀登聖母島頂峰等。周還把這次郊遊寫信告訴了鄧穎超。攀登了數百個石頭臺階後，他們終於氣喘吁吁地來到了頂峰。

　　　　「我們一幫人就象中國神話故事中的精靈似的蹲在那兒，凝視著在霧靄之中漸漸沉睡的巴黎。風景太迷人了！塞納河水碧波蕩漾，緩緩而流。晚霞輝映著遠處的楓丹白露大森林，光彩奪目。我們都情不自禁地用法語高喊著『太好了，太美了』。」

　　　　然而，蔡嚴肅地提醒說：「恩來，景色固然很美。」意思是他們不應該陶醉於此。一個革命者的目光應該看到生活在社會底層的人民的痛苦。「看，即使法國也充滿了殘酷的壓迫，資產階級的剝削，以及人民反抗剝削與壓迫的正義鬥爭。儘管這兒的一切並不象中國的狀況那麼可怕，（這是中國人公開對法國的進步所進行的罕見的承認），但階級矛盾和階級剝削也相當普遍。如果我們想在祖國發動一場革命，我認為首先應在法國建立一個革命組織，並和法國工人階級聯合起來，共同戰鬥。」【70】

　　這番話給周恩來留下了深刻的印象。周補充說：「為了鄧（穎超），我到法國後，從沒有交過異性朋友。而且，今後我也不打

<hr/>

【70】　迪克·威爾遜，《周恩來傳》，國際文化出版公司，2011年7月，p75。

算那樣做。相反，我認為對我來說收穫最大的是同蔡和森的友誼。」

但就是這位反對革命者陶醉於美景的革命清教徒蔡和森，卻並不因為看到底層社會人民的痛苦，而去壓抑自己雄性的衝動；他在革命的同時也忙於陶醉在異性情感和肉體的享受中，一旦失去戀人，也會情緒波動得要生要死，甚至公私不分，將個人情感上的恩怨參雜在革命同志的內鬥中。

蔡和森一九一九年與母親葛健豪、妹妹蔡暢赴法勤工儉學，在船上和一道赴法的蔡暢的同學、革命女性向警予有了戀情，兩人原來都是「不婚主義」者，但最終無法抗拒人類男歡女愛的天性，次年六月在法國結婚。兩人的結合成為革命同志圈內的佳話，稱之謂「模範夫妻」。但六年後，蔡和森那位也以清教形象著稱，被瞿秋白戲稱為「馬克思主義的宋學家」（此處宋學是指宋代主張存天理滅人慾的朱程理學）的妻子向警予卻移情別戀，愛上了當時的黨內同志後來成為著名托派人物的彭述之。蔡和森大受打擊，竟然在中共領導人會議上將這段三角戀公之於眾，要黨組織為他出頭。

《鄭超麟回憶錄》其中一章「戀愛與政治」對失戀後的蔡和森是這樣寫的：

散會後，向警予斥責和森「自私自利，分明曉得中央會站在你方面，你才提出問題來討論。」和森無法自辯。晚飯後，他不上三樓去，在客堂間踱方步。我也在客堂間。他說：「超麟，我的心同刀割了一般。」我提議同他看電影去，他答應了。這是新奇的事情，因為他是從來不看電影或京戲的。我們到新開張不久的奧迪安電影院去，那天放映的是一部歷史片，場面很華麗而熱鬧，但他視而不見。幕間休息時，我請他在酒吧間喝咖啡。電影再映，他不想去看了，我只好犧牲這部片子，陪他回家去。

　　以後幾天，三樓床上躺著一個人（蔡和森），長吁短嘆；二樓床上也躺著一個人（彭述之），長吁短嘆。向警予在兩樓中間奔走不停。我看見這個生活過不下去了，於是去找陳獨秀，請他設法解決。他想了一下，提起筆來寫了一個字條，要和森和向警予立即搬到旅館去，等待去海參崴的輪船。這字條，我帶回來，和森接受了，警予和述之則恨我入骨。彭述之還同我鬧了一場。

　　我說這個戀愛事件有重大後果，是指它牽連得多，而又影響於後來的黨內鬥爭，和森和述之從此結下了冤仇。在第五次大會上，和森拼命打擊述之。一九二七年秋天，和森主持北方局，位居順直省委書記述之之上，報告中央，說王荷波一案是彭述之告密的，或述之指使他的小同鄉段海去告密的，這話連當時主持中央而在政治上反對彭述之的瞿秋白也不相信。

　　因為蔡和森將他和彭述之爭奪向警予的三角戀交黨組織處理，中央的三領導人陳獨秀、瞿秋白和張國燾於是決定讓向警予隨派往莫斯科當中共特派員的蔡和森一道前往蘇聯，以拆散向彭的愛情，挽救蔡和森與向警予的婚姻。與這對模範夫妻一道去莫斯科的還有李立三和他的妻子李一純這一對夫婦。

　　從上海到莫斯科的漫長旅途中，正在為失戀之苦的蔡和森竟然和有夫之婦的李一純談情說愛起來。結果到莫斯科後蔡和森與向警予分手，再與李一純結婚，而向警予則與一個蒙古人談戀愛。

　　向警予走後，彭述之非常抑鬱，但很快有位女同志陳碧蘭填補了向警予離去後的心靈空虛。陳碧蘭前一個革命情人羅亦農不以為意，後來和另一位同志賀昌的妻子諸有倫同居。諸有倫赴莫斯科後，也移情別戀，愛上了邵力子的兒子邵至剛。羅亦農於是開始追求一位原來抱「獨身主義」的女革命同志李哲時。

這種夫婦情侶關係，今天甲和乙，明天乙和丙，後天又是丙和丁，換來換去，走馬燈式的，令人眼花繚亂。其實還不止於此。

蔡和森橫刀奪愛，和李一純結合為夫妻，李立三好像是受害人，但其實他的前妻也是從他一位革命戰友那裏撬過來的。李一純本是湖南同志楊開智（毛澤東妻子楊開慧的兄長）的妻子，兩人在北京幹革命，因為李一純要回湖南，楊開智托南下發動安源煤礦工人罷工的李立三陪妻子回湖南，結果兩人路上生情，李一純不回湖南了，跟隨李立三私奔到江西安源。李立三失去李一純後，回國又和李一純的妹妹李崇善結婚，兩人生有三個女兒。一九三○年李立三再度赴蘇聯，又另娶新歡，一位丈夫已派遣回國的中國女同志李漢輔。李崇善則再嫁別人。李漢輔回國後，李立三則和俄羅斯姑娘李莎結婚。加上李一純之前的包辦婚姻的妻子林杏仙，李立三一共有五位妻子。

倘若蔡和森與向警予不是英年死去，不得而知的是兩人的婚姻和愛情名單是否還會增加更多的情人。

在中共革命年代，革命者不會因革命熱情高漲而消磨掉男女情慾，相反因為革命時代生命的朝不保夕加強了男女結合的隨意和任性，他們追求即時的愛情，快速的愛情。只要現在擁有，今朝有愛今朝愛，哪管天長地久。

陳獨秀的次子陳喬年在蘇聯的中共旅莫支部會議上的言論更是驚世駭俗，說革命者的男女關係就是性交，性交和喝一杯水那樣平易：

> 革命家沒有結婚，也沒有戀愛，只有性交。因為革命家的生活是流動性的，因而不能結婚；同時革命家沒有時間和精力去搞那種小布爾喬亞戀愛的玩意，所以沒有戀愛。走到

那裏，工作在那裏，有性的需要時，就在那裏解決，同喝一杯水和抽一枝香煙一樣。[71]

事實證明，即使對革命者來說，人本性的情慾也是無法抗拒的。《鄭超麟回憶錄》說，在蘇聯留學的中國同志因為男同志多，女的寥寥可數，男的長期性飢渴，回國後紛紛娶老婆結婚，沒有自由戀愛的情人，有的甚至連家庭包辦的婚姻也接受了。

像英俊倜儻的周恩來那樣，正當男性壯年不碰女色的，沒有慾望和激情的，在當時的激進青年中可以說是絕無僅有的異數。但周恩來並非禁慾主義者，他的精神世界中不是沒有羅曼蒂克的感情，他在日記和書信中，論及婚姻和家庭時，不斷大談愛情之美，給人頗為嚮往的感覺，但結果是他的愛情都成了紙上談兵，從來沒有見他付諸過實踐，從來沒有見過他和任何女性（包括鄧穎超）有過熱烈的戀愛。

在中共早期革命家中，類似周恩來對女性不感興趣的好像有一位陳延年（陳獨秀長子）。陳延年幼年時，父親陳獨秀拋棄他母親，和他姨媽私奔，給他母親很大傷害，而且他從小未感受過父愛，與陳獨秀的關係猶如外人，因此使他對婚姻家庭有很強烈的抗拒。是否因為家庭悲劇使他厭惡婚姻？抑或他也是同性戀者？因為他被國民黨殺害時僅二十九歲，人生才剛開始，真實原因已不可考。不過他二十六歲犧牲的弟弟陳喬年則是性慾至上者，他曾和後來成為托派的黨內同志劉仁靜的妻子史靜儀戀愛同居，生下一個孩子。他和史靜儀之戀還在黨內引起一場風波，其清教徒的哥哥也口出微言。

【71】 陳碧蘭，《早期中共與托派——我的革命生涯回憶》，香港天地圖書，2010 年 2 月初版，p161。

　　說周恩來為了革命而不婚不戀，不符合上世紀三十年代革命者的現實。這個說法看來更多是來源於後來毛澤東所謂禁慾主義時代對前期革命生活的誤讀。

第四章　從童年到南開

1　在女子世界裏度過童年

　　周恩來在他的日記中宣揚他的「不婚主義」，認為愛情可以超越男女，但對男女之間的婚姻卻深惡痛絕，視為人生最痛苦之事。而同時，就在這本日記中，周恩來卻對一位同性男子表達出異乎尋常的纏綿情感。這個男子是他一生最好的親密友人，甚至可以說是改變了他一生命運的關鍵人物──日記中稱為「慧弟」和「愛友」。此人即是他在南開中學的同學李福景。

　　周恩來日記開篇所說的「情」字，就是他對李福景之深情。

　　周恩來與李福景的友誼要從周恩來的童年講起。

　　周恩來一八九八年三月五日出生在江蘇淮安一個已開始沒落的世家。出生後半歲即過繼給無子嗣的叔父周貽淦，但周貽淦在他一歲時就過世，他由周貽淦守寡的妻子陳氏（即他的叔母兼嗣母）撫養。到他十歲時陳氏逝世。陳氏很疼愛她，在這十年時間，養母子之間未曾一天分開過。陳氏出身書香世家，會書畫詩文，足不出戶。《周恩來年譜》說她「對周恩來的撫育傾注了全部心血」。常聽養母講歷史和神話故事，「輒繞膝不去，終日聽之不倦。」

　　大陸許多關於周恩來身世的著作還提到周恩來有位對他有影響的乳母──蔣江氏，三人一同生活。而陳氏和周恩來的親身母親萬氏也生活在一起。他親生父親周貽能不理家不養家，常年漂泊在外，未能盡到做丈夫做父親的責任。生父如此，嗣父也在他一歲即離世，在周恩來的童年世界，沒有父親這個角色，但他有

三個母親，生活在純然的女人世界中。他長得清秀，個性安靜，很像女孩，知書識禮，很受長輩喜歡。

美國伊利諾大學心理學教授貝爾曼（Louis A. Berman）在他的《探索男同性戀進化之謎》（The Puzzle — Exploring The Evolutionary Puzzle of Male Homosexuality）一書中說，同性戀傾向既來自天性，也與襁褓和幼年時代的環境有關，性心理學家佛洛伊德（Sigmund Freud）經多年的研究得出一個結論，如果母親強勢或過度控制子女，而父親對子女疏離，軟弱，或完全未盡到做父親的責任，或孩子成長期父親角色缺失，男孩成為同性戀者的可能性就比較大。[72]周恩來童年時代頗符合這個模式。但當代也有不少學者對此理論提出質疑。

同時這本書也指出，不少西方學者認為少年時代女性特徵強的男孩成為同性戀的可能性較高。貝爾曼教授的著作引兩位學者一九七三年對九十位男同性戀者的調查問卷，指他們中三分之二童年時候像女孩，但在同樣九十位異性戀者的調查中，只有 3% 曾有過類似的童年。亞利桑那州立大學社會學教授懷特曼（Frederick L. Whiteman）在一九七四年也做過類似調查，得出的結論是女孩子氣的男孩最有可能成年後有同性戀者傾向。[73]

各方面的資料都顯示，周恩來青少年時代，無論外表和氣質都像女子，而且終其一生都有女性細膩、愛美和重視儀容的特性。

周恩來的南開同學好友吳國楨在口述回憶中提到周恩來在南開喜愛新劇，專門飾演女角。

【72】　Louis A. Berman, *The Puzzle Exploring The Evolutionary Puzzle of Male Homosexuality*, The Godot Press, 2003, p 342.

【73】　同上，p126。

周恩來是個卓越的學生，他的中文在校中名列前茅。他還參加過演講比賽，但那時他並不像個好的演說家，由於聲音太尖，所以只取得了第五名。他還是個很好的演員，參加了學校的話劇社。他長得很清秀，聲音又尖，如果我們演戲，他總是扮演女主角。他要我也參加劇社，但我是個笨演員，沒有適合我演的角色，但他設法讓我當一個夫人的差童，這角色完全不用表演。他是個非常好的女角扮演者，每年南開都要上演一齣戲，而且是面向公眾的。他演戲如此出色，以致經常收到向他表示崇拜的大量信件。【74】

很多關於周恩來南開中學的文章都提到，周恩來演女角阿娜多姿，非常迷人。周恩來在南開中學四年共參加八部新劇演出，其中六部擔任女子的角色。南開中學成立十一週年，周恩來參演新劇《一圓錢》，飾演劇中的女主角孫慧娟。因為演出成功，後來還應邀到在北京米市大街的北京青年會演出，獲得了極大的成功。南開話劇運動史料記載，北京青年會贈送了「譽滿京師」賀匾。當時天津的《大公報》、《益世報》等十多種大小報紙在報導評論中都特別提到周恩來扮演的孫慧娟，有報紙標題是《周恩來扮演孫慧娟傾倒全座》、《美哉，周恩來反串妙齡女郎》。

一篇報導描述周恩來在劇中：

> 頭戴珠翠，高領掩衿，身穿粉紅暗花緞小襖，右手系一方帕，下穿一色的綢棉褲；身姿窈窕，莊重矜持，身材纖長勻稱，面容清秀文靜，有一種誘人的個性魅力；演出的分寸感恰到好處，吐詞輕言細語，節奏分明，優美動聽，羞澀中含有真誠純樸，傷心落淚時肩頭微顫，精神畢肖，把一個愛情純潔忠貞的少女，刻畫得入木三分。【75】

【74】　馬軍，「吳國楨視野裏的周恩來」，《二十一世紀》，二〇〇八年二月號‧第一〇五期。
【75】　李永軍，「反串」，《團結網》，2015 年 3 月 9 日。

《南開學校第十次第二班畢業同學錄》、《周恩來》名錄中記載:

> 君於新劇尤具特長, 犧牲色相, 粉墨登場, 傾倒全座,
> 原是凡津人士之曾觀南開新劇者, 無不耳君之名, 而其於新
> 劇團編作飾景尤極贊助之功。

周恩來在北京這次演出非常成功, 演出後還與中國戲劇第一
反串名角梅蘭芳開了個座談會。一九四九年七月周恩來首次以國
家領導人身份接見梅蘭芳, 兩人回憶了這件往事。

順便提一下, 因周恩來終身對戲劇的愛好, 加以自己曾經反
串女角, 他對梅蘭芳這位中國京劇第一男旦特別青眼有加, 甚至
親自當梅蘭芳和另外一位著名京劇乾旦程硯秋的入黨介紹人。
梅蘭芳逝世後, 周恩來稱他是完人, 並安排為梅蘭芳舉行了國
葬。【76】

周恩來擔任女角, 因為他長得俊秀, 聲音尖細, 比較像女
聲, 其外表和個性有很強的女性特徵, 竟因此受到有偏見的同學
的歧視。據周恩來同學回憶, 在南開學校時:

> 有一個高年級的跑百碼的叫王文達的同學, 平時愛逗
> 樂, 把手絹掛在右邊腋下學著女人走路的樣子, 從門外扭搭
> 扭搭地進來, 取笑周恩來。

迪克・威爾遜所著的《周恩來傳》還說周恩來剛入南開中學
時, 因為長得秀美, 穿花襪子, 服飾整潔, 被視為娘娘腔, 受到
一些個性豪放的東北同學的戲弄。有同學還叫他「林妹妹」。其
英文版更進一步提到周恩來一位同學嫌他太溫柔, 甚至變態,

【76】 屠珍, 「周恩來與梅蘭芳二三事」, 《紀念周恩來誕辰 110 周年專題》,
　　　新浪 2008 年 3 月 19 日。

說「他太多女人味道，喜歡打扮上台演戲，這樣的人使我感到噁心。」迪克・威爾遜說，一個美國學者推測周恩來在舞台上反串女角隱含的同性戀味道可能來自其童年時代未能解開的戀母情結，不過迪克・威爾遜認為周恩來只是熱愛戲劇而已。【77】

愛德加・斯諾的《西行漫記》提到他在延安訪問初見周恩來時，儘管當時周恩來一身戎裝，留著大鬍子，但也不時流露出女性的神態。當時周恩來陪斯諾穿過田野，斯諾形容他「輕鬆愉快，充滿了對生命的熱愛，」「他的胳膊愛護地搭在那個紅小鬼的肩上。他似乎很像在南開大學時期演戲時飾演女角的那個青年──因為在那個時候，周恩來面目英俊，身材苗條，像個姑娘。」斯諾當然沒見過少年時代的周恩來，但他這樣說，顯然是聽人說過。

周恩來的南開同學甯恩承在鳳凰電視《大視野》節目於二〇〇五年十二月播出的《世紀張學良》中說周恩來年輕時候非常漂亮，因為反串青年女子孫慧娟出色，還被同學戲稱為「孫小姐」。

此外周恩來也有一些其他的女性特質，當年有身份男子絕不染指的女性家務事，比如喜歡烹調煮食之類。同學聚會常由他下廚。他在日記中也有煮飯燒菜的記錄。迪克・威爾遜《周恩來傳》說，周恩來在日本時，不介意他的朋友把他煮飯稱為「女人的事」。該書還說，周恩來在滯歐期間「他有時也脫掉工作服，炫耀般地穿上漂亮上衣，和一些富裕的同學在巴黎郊外的索斯玩一晚上。如果他去得早的話，他還要下廚房，做幾個他十分拿手的中國北方的美味佳餚。」周恩來的侄女也回憶周恩來在家族聚會時，常穿上圍裙，親自下廚做菜。而他的妻子鄧穎超反而不善於

【77】　Dick Wilson, *Chou: The Story of Zhou Enlai*, 1898-1976, Hutchinson, 1984, p 31. 但在中文版《周恩來傳》，這段記敘被刪除。

烹調。老舍妻子胡絜青回憶有次周恩來到他家與老舍談話，一直談到吃晚飯時候，胡絜青只好勉強做了兩道菜款待周恩來，周恩來看了笑她和鄧穎超一樣不會做飯。【78】

周恩來也像很多愛美的女孩子一樣自戀，韓素音《周恩來和他的世紀》中說，周恩來在歐洲時候，將他一張照得很英俊的照片印成彩色明信片，共印製了三打，寄給了他在中國的每一個朋友。他以前留日時的好友吳瀚濤也收到了一張，周恩來在明信片上寫道：「巴黎是美麗的，巴黎的婦女也是美麗的！」在背面還寫道：「這兒有如此眾多的朋友，有如此怡人的風景，難道你不嚮往嗎？」周恩來當時已是共產革命家，但這封明信片卻是小資情調十足。【79】

周恩來終其一生都愛整潔，重視儀容。權延赤在《走下聖壇的周恩來》說，周恩來穿衣一絲不苟，衣服一上身就要繫好每一個扣子，抻展每個衣角袖口領口，即便在家裏，沒有外人，也總是衣著整潔，甚至大熱天連領扣也不放鬆，並且很愛清潔，衣服不能有一點點污漬，一旦發現，哪怕只是米粒大的污漬，也會馬上用濕毛巾仔細地擦去。

周恩來保健醫生張佐良說，「周恩來很注意自身的修飾和儀表。他穿的中山裝及襯衫都熨燙得平平整整線條筆挺；皮鞋擦得鋥亮鋥亮的。他花白的頭髮向來梳理得很整齊，隔一天刮一次鬍子，若有外事活動則每天刮一次。」

《吳法憲回憶錄》講，吳法憲曾上過周恩來的專列火車，車廂寬敞，非常漂亮。他晚上去找周恩來，看到一個女服務員正在為周恩來剪指甲。周恩來的漂亮指甲，曾經給尼克森很深的印象。迪克·威爾遜所著的《周恩來傳》引述印度駐中國大使潘尼迦回

【78】　李琦，「實話實說西花廳」，《胡絜青說》，中國青年出版社，2000 年。

【79】　Han Suyin, *Eldest Son: Zhou Enlai and the Making of Modern China, 1898-1976*, Hill and Wang, 1994, p59.

憶周恩來的一段話：「我首先注意到是他那雙手。它們不僅得到精心保養，而且就像中國人描繪的那樣，每個手指如同細嫩的蔥芽。」西方人對周恩來的印象是「過分地愛整潔、節儉、敏感、令人難以置信地熱愛工作⋯」[80]

周恩來中學時代不但因為自己的女性特質被同學稱為「林妹妹」，而周恩來內心也本能地視自己為《紅樓夢》中那位秀外慧中的美少女林黛玉，曾與同學合影自居為「林妹妹」，甚至在他經歷了五十五年的無產階級革命後，在他臨死一刻，天然細膩善感的人性復甦，觸動他心靈的仍然是《紅樓夢》那位美少女。高文謙的《晚年周恩來》披露：

> 　　據身邊的醫護人員說，周在生命最後的一段日子裏，一直讓播放越劇《紅樓夢》中「黛玉葬花」和「寶玉哭靈」這兩支曲子。工作人員覺得曲調太悲傷壓抑，不肯給他放，想換支輕鬆點的曲子給他聽，但一換不同的曲子，臥床不起的周就覺察出來，用微弱的聲音問為什麼不放？堅持一定要放下去。[81]

臨終時的周恩來因毛澤東的打壓心境無限悲涼，他是在癡情女子林黛玉的紅顏薄命中體味著自己最後的悲劇命運。

2　政治啟蒙老師高亦吾

周恩來九歲生母病故，次年嗣母亦過世，周恩來才開始從女人世界走進了男人世界，開始享受男性友誼的快樂。他十二歲北上奉天府投靠兩位伯父。先就讀奉天東關模範小學。一九一三

【80】　迪克・威爾遜，《周恩來傳》，國際文化出版公司，2011 年 7 月，p238。

【81】　高文謙，《晚年周恩來》，明鏡出版社，2003 年，p597。

年，十五歲的周恩來隨四伯父周貽賡移居天津，再進入了仿照歐美近代教育制度的南開中學，

　　雖然周恩來後來投身政治，處於中國近代最複雜最多變的政治鬥爭的漩渦，而周恩來本人在殘酷的政治中也心腸逐漸變得冷硬，但他與在東關模範小學和南開中學結交的許多青年教師和同學仍然維持了終身的友誼（僅最後成為國民黨要人的同學比較例外，但也沒有完全翻臉的記錄），對這些友人顯示了一個冷酷共產黨領袖的少見溫情。周恩來與這些男性之間的友誼和情愫，交心剖腹親密無間，在他一生中沒有他與任何異性的友誼可以比擬，甚至包括相伴五十年的髮妻鄧穎超在內。

　　周恩來一生人中建立的第一個男性友誼，是他一位政治啟蒙老師。

　　在東關模範學校，十二歲的周恩來結交了二十九歲的青年歷史教員高亦吾。延安時期，周恩來回答外國記者問他出身清朝官僚家庭為何能夠「走向無產階級革命道路的」時，曾說：「少年時代在瀋陽讀書時，得山東高盤之先生的栽培，可以說，沒有高先生就沒有我的今天。」這位高盤之就是他十二歲在東關模範小學讀書時對他照顧備至的恩師高亦吾。【82】

　　這個回答有點牛頭不對馬嘴，偷換概念。因為他在東關模範學校讀書，正是辛亥革命爆發時期，高是位支持辛亥革命的青年，對他灌輸的都是反滿共和之類共產黨所謂的「資產階級革命觀」。高亦吾對他的政治啟蒙並非最後一定會引領他投向共產黨的「無產階級革命」，兩者之間無邏輯因果關係。

　　高亦吾在辛亥革命前為革命黨人，在東關小學任教時已剪掉辮子，西裝革履，言談慷慨激昂，被人視為怪人，但對周恩來卻

【82】　王樹人，「老一輩革命家尊師軼聞」，《党史博采·纪实版》，2010 年第　　　　09 期。

很有吸引力，而高也很喜歡這位相貌清秀的少年，兩人關係非常親密，常做徹夜知心交談，並且抵足而眠。周恩來字「翔宇」，就是他赴天津讀書前，高亦吾為他命名的。兩人後來仍有來往。在周恩來《旅日日記》中即有他與高亦吾的通信記錄，其中還提到高亦吾聽說他在日本經濟困難，曾表示想多兼職一份工作多掙點錢，以資助周恩來。

周恩來在赴歐洲投身中共革命後，從此兩人再沒有見過面。高一生只是一位普通教書先生，抗戰爆發後高亦吾回到家鄉山東教書為業，一九四一年在山東章丘病逝。

一九三六年西安事件爆發，周恩來乘機抵達西安，見到東關模範學校的同學、時任張學良機要秘書的陸廣勃，立即詢問高亦吾的下落，並說，「我對高老師印象最深，受其影響最大，至今思念尤甚。」後來在延安再對外國記者述說高亦吾對他的師恩。高亦吾從新聞知道昔日小友周恩來已是全國皆知的共黨要人後，想法聯絡上他，兩人曾有過短期通信。[83]

據《瀋陽日報》近年訪問其後人的報導說，高在彌留之際，將全家召喚到身邊，再三叮囑兒子高肇甫可去找周恩來，很有信心地保證「什麼時候去他都會很好待你。」

後來發生的事也果然如此。一九四九年七月，高肇甫遵父遺囑給在已進北京中南海，成為中國國家領導人的周恩來寫信，「歷數其間的境況和懷思之情」。不久，即接到周恩來回信，要他進京，兩人在中南海長談三小時之久。講到高亦吾之死，周恩來「不禁悲慟萬分，數次淚流滿面。」周恩來善於演戲，但這次哭，應該是他的真情流露。[84]

【83】 李宗元、孫明波、鄧偉建，「周恩來、鄧穎超與老師高亦吾一家的情緣」，中國共產黨新聞網，2008 年 3 月 5 日。
【84】 「周恩來總理與他的恩師高亦吾」，寧陽縣檔案信息網
http://daj.ny.gov.cn/index.php/cms/item-view-id-8263.html

　　周恩來以拒絕動用他的權力為家人安排生活工作不徇私情著名。這篇報導說周恩來「一生高風亮節，身在高位從未照顧任何一位親屬，」（這個說法是不符合事實的，周恩來曾利用其職權為他的六伯父做過高規格的安排）但卻破例將高肇甫安排於政務院檔案科工作，周對高肇甫的安排可謂「僅此一人」，由此可見對恩師的感恩。

　　後來高肇甫下放淄博礦務局（可能為高肇甫的家庭出身等問題，雖然由周恩來安排，但最終過不了政治審查這一關）。一九六一年，正值中國因毛澤東「大躍進」失敗引發大飢荒之時，還被周恩來邀請全家到北京作客。臨別時，讓高肇甫給他母親（高亦吾之妻）帶去燕窩，還給了他們咖啡和白糖等珍貴食品。

　　周恩來離開東關模範小學時，高亦吾送他一張自己的照片，這時他把珍藏在身邊幾十年的這張照片再送給了高亦吾的兒子。最後周恩來和高肇甫一家五口拍了張合照。

3　南開中學的「三劍客」

　　南開中學四年（1913 年 -1917 年）是周恩來一生人最愉快的歲月。

　　南開中學是一所私立男校，為當時中國非常有名的仿效歐美現代教育的私立新式學堂，辦學質量很高，相當於英國貴族子弟學校伊頓公學。學校課程仿效當時歐美，除中國文史課程，有數學、物理、化學、生物、西洋史地。重科學，設有物理和化學實驗室。此外特別重視英文教學，每週十小時，除國文和中國史地外，其餘課程全部採用英文教材，還聘請美籍教師，以加強學生的英語口語能力，三年級學生要求能閱讀英文原著。重視體育，舉辦各類體育活動和競賽，學生要經過跑百碼、跳遠等體育考核

才能畢業。學校課外生活豐富多彩，學生自由組織社團和各類活動、辦刊物、創新劇團演新劇等。

這個優秀的貴族學校學費昂貴，學生都是當時上層階級的優秀子弟。正進入男性青春期的周恩來在這所當時上流社會精英子弟的男子中學，交朋結友，組織學生社團（敬業樂群會），演出舞臺劇，編輯敬業樂群會刊物《敬業》和南開校刊《校風》，非常活躍，如魚得水。

金沖及的《周恩來傳》稱，由於聰明才幹和熱心為大家辦事，周恩來博得了同學們的信任，在學校先後擔任過學生刊物《校風》的總經理、演說會的副會長、國文學會幹事、江浙同學會會長、新劇團佈景部副部長、暑假樂群會總幹事和班中幹事。

喜歡友誼也善於社交的周恩來在這所學校結交了許多知心朋友，情感生活非常豐富。他在自述中說，「余性惡靜，好交遊，每得一友，輒寤寐不忘。」畢業評語說他：「君性溫和誠實，最富於感情，誠摯於友誼，凡朋友及公益事，無不盡力。」顯然他很享受這樣的生活。

這所中國的伊頓公學對周恩來一生及其事業影響很大，周恩來能養成儒雅文明的形象和高超的外交手腕，慣於與中外上層社會人士打交道，成為「土八路」中共集團中唯一的外交和統戰高手，實在是得益於在他南開求學的經歷。在此，他結交中國上層精英子弟，熟悉他們的生活方式，並在中國精英階層中發展了豐厚的人脈，以此積累了他後來事業中的政治資本。

試想，若周恩來不進南開，就沒有他後來的「覺悟社」，就沒有可能認識劉清揚、張申府夫婦，也就沒有可能最後當上黃埔軍校政治部主任。而南開的歷練也使得周恩來潛在的組織外交能力得到充分的發掘和發展。

　　而更重要的是，在此他認識了一生情誼最深的朋友，為此改變了他人生的軌跡。

　　在南開中學，周恩來交友範圍廣闊。他家世清貧，後來生活、留日、留歐，都受到他的師友經濟接濟。親密無間的好友更多，但與其中一位世家子弟李福景的關係最特別。對於周恩來，與李福景的情誼可以刻骨銘心來形容。

　　在周恩來的青少年時代，李福景是他生命中最重要的朋友，他在日記中描述他對李福景情誼的纏綿和細膩，是他與自己革命伴侶鄧穎超的情感無論如何都無法比擬的。兩人交往中發生的一些波折甚至可以說是影響了周恩來一生命運，對他青少年時代一些關鍵時刻何去何從的選擇有很大作用。

　　上海社會科學院歷史研究所研究員馬軍發表在《二十一世紀》（二〇〇八年二月號‧第一〇五期）「吳國楨視角下的周恩來」文章中，引用一九六〇年十一月吳國楨在哥倫比亞大學接受口述採訪的回憶說，當年在南開中學周恩來和比他小五歲的吳國楨，以及一位叫李福景的同學鑄就了至密的友誼，被稱為「三劍客」。

　　吳國楨回憶道：

　　　　周恩來在課外活動中十分積極，他是一個學生會的會長、一個雜誌的主編，還是一個劇社的主要演員。在上述活動中，他都會不遺餘力地拉我參加。由於他是那個學生會的宣導者，所以特別設立了一個童子部，以便選我當部長。在編輯雜誌時，他又用很大一部分篇幅刊登我的日記，並寫編者按預言我—他這位知心朋友的遠大前程。

　　　　至少大約在兩年中，我們三人不僅共度了大部分的業餘時光，還彼此交流內心深處的思想和青春抱負。
　　　　…
　　　　他是個了不起的組織者，在南開組織了一個社團，名稱很有趣，叫敬業樂群會。他很喜歡我，我那時是全校歲數最

小的，所以他特地在該社團內建立一個童子部，並選我為部長。那時我養成了寫日記的習慣，他經常閱讀我的日記，也很重視我的日記，並在社團月刊中予以刊出。

周恩來在一九一六年十月第五期《敬業》月刊上為吳國楨日記所加的按語《峙之日記節錄志》，對他在內的「三劍客」之間的友誼是這樣描述的：

> 余性惡靜，好交遊，每得識一友，輒寤寐不忘。既入南開，處稠人廣眾中，所交益多，惟人品不齊，何敢等視。以故識者雖眾，而處以深交，期以久遠者，實不多覯。且余年非長，天真未變，素結交小友，樂我性靈。因是識者孔多。然欲相勉以道德，相交以天真，相待如兄弟者，僅得二人焉。一曰李新慧（福景），一曰吳峙之（國楨）。

> 新慧年長峙之三齡，聰敏異人，非同凡俗。峙之年十有三，入南開方十一齡耳。彼時吾一見即許為異才。逮相識既久，始知峙之之才，純由功夫中得來。蓋幼秉異資，複得家庭教育，鍛煉琢磨，方成良玉。讀峙之家訓，閱峙之日記，知峙之修養之純，將來之成就不可限量，益歎世之子弟不可不有良好家庭教育作基礎於先也。

> 不僅此也，吾之處新慧、峙之，既一秉誠心矣。而吾每睹新慧，輒令余化愁作喜，推心置腹，有願作竟日談，何可一日無此君之概。及晤峙之，則促膝論道，抵掌論文，歡愉快樂中寓莊嚴之氣象，心神為之清朗。故二君雖幼於余，而實余之益友、諍友。清夜自思，每自慚形穢，何德何才，足以友冰雪聰明之新慧，少年老成之峙之哉！[85]

周恩來這個按語指出，他喜歡結交比他年幼的朋友「小友」，而在南開學校，吳國楨和李福景是他最好的朋友，兩人都比他年

【85】《周恩來早期文集》（1912.10-1924.6）下卷，中共中央文獻研究室、南開大學，中央文獻出版社、南開大學出版社，1998，p240。

幼。談到吳國楨，他說與吳討論問題令人很愉快：「及晤崎之（吳國楨，字崎之），則促膝論道，抵掌論文，歡愉快樂中寓莊嚴之氣象，心神為之清朗。」

他對年幼的吳國楨的聰慧讚不絕口，說他前途不可限量。

馬軍的文章附載了一張周恩來與吳國楨兩人在南開中學的合照。這張照片是一九一七年南開中學放春假時候兩人攝於北京某照相館。當時周恩來十九歲，吳國楨十四歲。周恩來穿白色長衫，吳著童子軍服。周恩來坐長椅上，吳國楨站在身後，兩人牽著手。

南開中學春假期間不上課。因吳國楨父親當時在北京任陸軍部軍訓處長，家居北京，周恩來可能是在春假時候到訪或寓居吳國楨家，期間兩人到照相館拍下這張照片。這張照片顯示了兩人青年時代的深厚情誼。周恩來《旅日日記》記載他一九一八年暑假回國探親期間到北京探親友，兩人重逢，周恩來還到吳國楨家吃過午飯。

但這兩位青少年時代的好友後來走上不同的人生道路。吳國楨南開中學畢業後，順利考上留美預備學校清華學校，再赴美獲得普林斯頓大學政治學博士，回國後投身政界，成為民國要人，一九四九年赴台，曾任台灣省主席。吳國楨是位民主先生，因治台理念與蔣介石不合在一九五三年移居美國。據馬軍說，周恩來和吳國楨兩人在晚年，中美兩地分隔，仍然相互懷念。一九七二年中美關係解凍，一個華裔科學家代表團訪華，周恩來接見時，因為團員中許多人認識吳國楨女婿著名華裔物理學家厲鼎毅博士，周突然發問「哪位知道吳國楨的近況？」。問了一兩次，但沒有一個肯貿然講話。

4　告白的對象伉乃如

吳國楨與周恩來、李福景號稱「三劍客」，但三人親密的友誼實際未能維持多久。吳國楨一九二一年清華畢業後赴美深造，而周恩來則與李福景前往歐洲，至此周吳兩人失去聯繫，再見已是抗戰爆發後的漢口。此時兩人站在對立一方，各為其主，周恩來是中共八路軍駐武漢的代表，而吳國楨為國府漢口市長，已不復過去的友誼。「三劍客」早已成歷史。

但真正與周恩來、李福景形成友誼鐵三角的不是吳國楨，而是周恩來在日記同性戀獨白中提到的乃兄，即周恩來在南開中學時的青年化學教員伉乃如。

伉乃如長周恩來八歲，一九一三年周恩來進南開中學，二十三歲的伉乃如已是有婦之夫，該年誕下長子伉鐵儁。但伉乃如與周恩來關係密切，沒有師生代溝，是周恩來發起的「敬業樂群會」的成員，並一起在南開新劇團同台演出，彼此稱兄道弟，情同手足。周恩來稱他為乃兄，他則稱周恩來為「翔弟」，因為周恩來字「翔宇」。周恩來在日本期間與他有一百多封信的來往。

伉乃如與周恩來有深厚的情誼則是不容置疑的。因為，如果兩人關係不鐵，周恩來不會把自己最隱秘的私事向他傾訴。而周恩來會向他傾述，另一個原因是兩人同病相憐。周恩來在信中告訴伉乃如，說自己厭惡異性婚姻，因為「乃兄」本人也為婚姻而苦，所以必定支持他的看法，「我今天給乃兄的信，談到人生婚姻的事，我說是人生最苦惱的事，這個滋味乃兄已經嘗夠了，所以我說這話，他一定是贊成。」兩人分享著彼此的隱私，而且都不滿家庭婚姻，雖然伉乃如已結婚，在周恩來留學日本時，他已有三個孩子。

這位「乃兄」為婚姻所苦，原因何在？可能因為是包辦婚姻，他的家庭生活不幸福，也可能與此無關，就像周恩來一樣，

他也有不同於社會主流的愛情婚姻觀。他是否也有厭惡男女結合為夫妻的傾向？

　　周恩來、李福景和伉鐵如三人的友誼，其中一個細節頗耐人尋味。

　　二〇一四年七月十六日，《南開大學報》第1240期刊登「周恩來和伉鐵如的情誼」一文說，據南開校長張伯苓之孫張元龍在紀念冊的回憶文章中寫道，他的大伯張希陸曾親口向他講過，伉先生與學生周恩來、李福景關係最深，而且三個人生日恰恰都是農曆二月十三日。

　　這篇文章說，伉鐵如曾拿出一張三人合影給張希陸看，照片背面的題詞是：「林妹妹何不早生一日？」——曹雪芹筆下的林黛玉生於農曆二月十四日，比這個友誼鐵三角的三位男士遲了一天。當時伉先生特別得意地對張希陸說：「看看那時候我們是怎麼玩的！」文章說，伉鐵如意思是「只有林妹妹早生一日才能配得上這幾位帥哥、才子！」

　　說林妹妹早生一日可配得上這三位帥哥才子，不知這裏配是什麼意思？如果是男女之間的匹配，配入三位男士的友誼鐵三角實在讓人匪夷所思，未必是伉先生的真意。

　　周恩來反對異性婚姻，不會有要與某位佳人相匹配的念頭，伉鐵如為婚姻所苦，很可能也與周恩來有同感。因此對「林妹妹何不早生一日」的正確理解應該是：三位氣質相同的年輕好友是自比為冰雪聰明的林妹妹，三人不是帥哥才子，是林黛玉式的清秀佳人。而周恩來這種林妹妹情結直到他臨終時刻仍不能忘懷。

　　張希陸這個回憶一些細節有誤，周恩來確實生於農曆二月十三日，但李福景的生日則是西曆九月二十五日（周恩來旅日日記中有提到），有可能僅伉鐵如的生日與周恩來為同一天，因為這則逸聞伉鐵如孫子伉大器為父親編輯的《伉鐵儔誕辰一百周年

纪念冊》也提到過，作為伉鼐如孫子的伉大器應該不會搞錯祖父的生日。此外《紅樓夢》中所說林黛玉的生日為農曆二月十二，也不是十四日，是早了周恩來一天。當年伉鼐如拿出三人的照片，說了一番與林妹妹相提並論的話，張希陸印象很深，多年後回憶，細節上不免有出入。

據伉鼐如長孫伉大器敘述，周恩來與伉鼐如兩人開始交往是在一九一四年，周恩來和他所屬丁二班的同學張瑞峰、常策歐發起一個學生社團「敬業樂群會」，最初會員有二十多人，後來也有教員參加。當時年僅二十四歲的教師伉鼐如也成了會員，伉性格活潑，在這個社團定期舉行的茶話會表演相聲，「常常逗得大家捧腹大笑」。次年，伉鼐如為周恩來的丁二班講授化學課，給周恩來印象很深，五十多年後周還能模仿伉鼐如帶有天津口音的英語。伉大器說，足見周對伉的授課「懷念之情，印象之深。」【86】

而且伉鼐如和周恩來、李福景一樣，也是新劇的狂熱發燒友，常與周恩來同台演出新劇。

一九一五年五月，南開新劇團開排二十三幕的大型話劇《仇大娘》，周恩來演其中一女角「慧娘」，伉鼐如則扮演慧娘之夫「大仇福」。同年十月上演《一元錢》，伉鼐如飾「胡柱」，周恩來飾女主角「孫慧娟」。十一月十八日新劇團召開大會複選，伉鼐如為演作部長，周恩來為佈景部副部長。一九一六年排劇《老千金全德》，其中周恩來扮童男，伉鼐如扮童女，同時伉還扮僕人。

伉大器說，周恩來和伉鼐如兩人互相仰慕欣賞，待畢業時已「情同手足，互相稱兄道弟」。周恩來常到伉鼐如在南開慶餘里的家拜訪，伉鼐如也在經濟上給周恩來幫助和方便。周恩來赴日

【86】　伉大器，「伉鼐如家事鉤沉 ——先祖父伉鼐如與周恩來、鄧穎超」。

後，雖然伉鼐如工資微薄，得每月三十元大洋，上有老母，下有三個幼子，仍前後寄了幾十元資助周恩來。[87]

周恩來在日期間，與伉鼐如通信一百餘封，無話不談，包括周恩來一九一八年二月九日的日記中所說有關感情方面的隱私。周恩來在讀了《新青年》關於「獨身主義」的文章後，即向伉鼐如推薦這本雜誌。

一九一八年夏，學校放暑假，周恩來從日本回國後，兩人交往不斷。周恩來八月二十四日的日記記載，在假期結束前的八月二十三日周恩來專程到伉鼐如家與伉長談，然後一起到當年天津的一個遊樂場大羅天，語談一夜至天亮五點方止。周恩來然後在當日下午即離開天津去北京參加同學滌非的婚禮，充當男儐相。兩人可能談的是非常私密之事。因為他是吃了晚飯後到伉鼐如家，而伉鼐如已等候他多時，兩人遂往大羅天作徹夜長談。

八月二十六日周恩來從北京回來後，獲得一個對他說猶如晴天霹靂的消息，這個消息與李福景有關，而帶來消息者又是伉鼐如。足見三人關係之密切，非同一般。三人之間有屬於他們的專門秘密。

一九一九年周恩來從日本回國後，伉鼐如幫他說情，謀得南開學校校長辦公室秘書的職務，然後在校長張伯苓關照下，進入九月開學的大學部就讀。曾是東北少帥張學良手下第一財經專家的南開大學校友寧恩承在他的回憶錄《百年回首》中談周恩來任校長秘書時，「隸屬伉先生之下，聽從伉先生指揮，跑腿學舌，均由伉先生發號施令。周恩來對伉先生極為尊敬。一九一九年秋周恩來被天津警察廳逮捕，伉先生來往警察廳營救…」[88]寧恩承一九八一年一篇紀念南開校長張伯苓的文章提到伉鼐如，也指

【87】　同上。
【88】　寧恩承，《百年回首》，東北大學出版社，1999 年。

他和周恩來關係很特殊，甚至敢冒殺頭危險庇護周恩來，「周匪恩來因爲和伉先生一起演新劇，又一度作過校長的助理秘書，因此周、伉二人極爲友善。在共黨秘密工作時期，周匪恩來潛來天津，伉先生曾掩護過他。那時國民黨時代掩護共產黨人乃是殺頭之罪，你能說伉先生爲人謀而不忠嗎？」【89】

因為兩人關係親密到可以相互交換隱私，周恩來赴法時將他的一部分私人物品存放在伉鼐如處。在歐洲期間與伉鼐如仍然有書信來往。伉大器說：

> 一九二四年夏天周恩來回國後與祖父伉鼐如少有聯繫。一九二八年底周恩來回到久別的天津。因當時形勢緊張，共產黨處於地下活動，為了保密，周恩來到伉家常是化裝，留著大鬍子，敲門都有約定，來後就和祖父在室內相談。此時祖父家已搬到南開同仁里三號。這是張伯苓校長為學校骨幹居住而建的房子。條件比慶餘里好多了。那時我父親已十五歲。父親伉鐵雋對我回憶說：「每次周恩來來後，你奶奶（邢鐘秀）都囑咐我們幾個孩子不要打擾，不許去爺爺屋，並說周叔叔瘦了、老了，還得給他準備點錢。不許對外人講他來了。」
>
> 寧恩承回憶道：「三十年代周恩來主持共產黨革命工作，秘密來天津，常由伉先生掩護隱藏，周恩來免於被捕，得以生存。當時國民政府時代窩藏掩護共產黨是要殺頭的。伉先生不是共產黨員，冒著生命危險掩護朋友，古道高誼，不能不說伉先生忠義可欽」。
>
> 隨後幾年他們聯繫很少。同時遵周囑，祖父也極仔細處理一些信件、文書、照片。直到 1937 年「西安事變」後不久，祖父接周恩來信，並通過當時為共產黨駐北平的工作人

【89】　寗恩承，《中國現代偉大的教育家張伯苓先生》，國立南開大學，1981年。

員張曉梅、徐冰聯繫，多次帶著營養品去看望因肺病在北京郊區療養的鄧穎超。【90】

抗戰爆發後，南開大學南遷，一九三八年，校長張伯苓在重慶沙坪壩另建南開中學。一九四〇年伉鼐如奉校長張伯苓之命來到重慶，住進重慶南開中學的津南村七號。與在重慶主持八路軍辦事處和中共南方局的周恩來重逢。伉鼐如日記中寫到：「在余到渝未久，得遇相別念餘年之好友周翔宇、鄧穎超」。

當時南開中學是重慶文化重鎮，張伯苓是文化名人，中共重點統戰對象，而伉鼐如因為是南開學校（包括南開大學）的元老及張伯苓二十年的秘書，成了文化名流，伉鼐如所居的天津南村即成了周恩來常往之處。

伉鼐如家人朋友說，在重慶，周恩來幾乎每個星期都要去拜訪伉鼐如，有時和鄧穎超一起去伉家吃便飯。周恩來喜歡看戲，可謂逢戲必看。伉鼐如不止一次陪周恩來一起去看戲曲、話劇，每次回來都在日記中做詳細記載。抗戰後期，國共關係日趨緊張，他依然不畏風險進城陪周恩來看戲。有個時期，周恩來安排伉鼐如在自己身邊工作，形同周恩來的私人秘書。

周恩來對伉鼐如信任至深，在一九四一年一月四日「皖南事變」發生後，周恩來為了應付國共破裂內戰爆發的危機，在處置了中共文件後，私人珍貴物品則由鄧穎超連夜送到伉鼐如家托其保管。在伉鼐如保存的物品中有一個瓷盒，裏面放著一塊手錶和一枚金質勳章。瓷盒是周恩來留學日本時日本友人贈送的禮物，周恩來一直珍藏在身邊。手錶乃是鄧穎超母親楊振德留給她的遺物。勳章則是周恩來去蘇聯時，斯大林頒發給他的純金功勳勳章。據伉鼐如後人說，手錶和勳章為寄放，但瓷盒則說好是送給伉鼐如家的禮品。

【90】　伉大器，《伉鼐如家事鉤沉 ——先祖父伉乃如與周恩來、鄧穎超》。

　　伉鼎如在一九四七年故世。中共上臺後，上述東西由兒子伉鐵儁保存。周恩來和鄧穎超到天津，陸續向伉家要回了當年寄存的手錶和勳章。伉家保存了瓷盒。但周恩來逝世後，鄧穎超似乎忘記了當年的承諾，派人向伉鼎如後人索要瓷盒，但被伉鐵儁拒絕。但一九九八年周恩來誕生一百年，在天津市文史部門的壓力下，伉鼎如後人終於被迫交出了瓷盒。

　　周恩來生前將瓷盒送給伉鼎如，但被鄧穎超最後索回，引起伉家後人不快，這是鄧穎超健忘，還是故意的？如果鄧穎超不是健忘，為什麼在周恩來逝世後要把周恩來生前送給伉家的禮品收回來？難道她對周恩來當初的贈送瓷盒的決定私下不滿，因此要在周恩來去世後收回？

　　周恩來與伉鼎如名為師生，但情同手足，兩人都熱愛戲劇，都有女性認同傾向，自詡為林妹妹。兩人對愛情和婚姻也有相同的看法，在日本時周恩來因知道伉鼎如為自己的婚姻苦惱，也向他披露了自己的同性戀隱私，並向他推薦鼓吹「不婚主義」的《新青年》雜誌。雖然伉鼎如不是共產黨人，但兩人保持了至死不渝的深情厚誼。周恩來對伉鼎如可以開心剖腹傾訴內心深處的隱私，對他非常信任，兩度（赴法前和「皖南事變」後）將貴重私人物品託付他保存。一個是堅定的無產階級革命家，一個是資產階級的教育家，但政治界限的分野和形勢的險惡始終無法割裂兩人的友誼。

　　兩人的交往還帶有一種神秘的氣氛。

　　據伉鼎如後人記述，周恩來每次來訪他的鼎兄，家人不得進入伉鼎如的房間，兩人的私會不得受家人打擾。

　　伉大器說：

　　　　祖父在世時家中有不成文的規定，大人事，家人、孩子不得參與。尤其囑周恩來與之往來、談話，家人不許介入。

不許對外隨便講與周、鄧的關係及往來情況，不許因私事找周、鄧。

其中周恩來與伉鼐如的來往和談話，要將家人摒除在外，伉鼐如妻子邢鐘秀特別囑咐幾個子女，周恩來來訪，不許進父親伉鼐如的房間。[91]

伉鼐如這樣的家規是出於什麼原因？當時國共關係緊張，有可能是出於政治上的考慮，但除了政治，是否還有其他原因？

【91】 同上。

第五章　同窗愛友

1　少年同窗戲劇情緣

但若論在周恩來情感天平上的重量，李福景（字新慧）遠遠超過了吳國楨和伉鼎如兩人，甚至可說是超過了周恩來在人世的所有朋友，無論男女。對這位摯友，周恩來稱之爲「慧弟」。

周恩來在《峙之日記節錄誌》聲稱，他每天都必須和「冰雪聰明」的李福景在一起，不能一天沒有李福景，與李福景在一起，可使他化愁爲喜，兩人聊天可以從早聊到晚，「而吾每睹新慧（李福景），輒令余化愁作喜，推心置腹，有願作竟日談，何可一日無此君之概。」

一九九八年，天津電視台曾把兩人的友誼放上電視螢幕，拍攝了三集電視連續劇《與周恩來同窗的歲月》。劇情介紹說，劇中的李福景是個舉足輕重的中心人物。他外表瘦小，性格活潑，有濃厚書卷氣，出身直隸教育廳長之家，既受到留洋博士父親的開放思想影響，又是個嬌生慣養、備受呵護的小少爺。

李福景比周恩來小兩歲，一九一五年進南開學校，雖然比周恩來低兩級，兩人不同班，但在一九一七年上半年曾同住一個宿舍。在周恩來後來的《旅日日記》中還記載他在日本懷想兩人當時同居一屋的如何相知相好。

金沖及《周恩來傳》記述周恩來這一段時間的經歷說，周恩來在南開學校四年一直住宿學校，學生是四人一室，第二個學年開始，他和兩位關係非常友好的同班同學張鴻誥、常策歐等三人自願結合，在新建的西齋三十五號住了兩年，但後來周恩來提議

散夥，說應該多接觸其他同學，於是周恩來最後一年是同蔡鳳等住宿一舍。一九一七年三月二十八日，周恩來和這三位舍友曾聯名以同舍的名義寫了一幅輓聯悼念逝世的同學，與周恩來同宿一室的另外兩個同學為李福景和薛撼嶽。

論與周恩來友誼，在所有同學朋友中李福景無論如何是最重要的，但金冲及竟然迴避了李福景和薛撼嶽兩人，僅以「蔡鳳等」一晃而過，這是比較奇怪的，因為蔡鳳此人在周恩來人生中幾無影響。薛撼嶽未提可以理解，因為這位與周恩來同室的同學，雖然後來還與周恩來同組「覺悟社」，但最後投靠軍閥吳佩孚，作了革命的叛徒。但避提李福景就有點耐人尋味了。

不過金冲及此說也透露了一個重要細節，是周恩來主動要與李福景合住一室，並不惜為此與兩個友好的同學常策歐、張鴻誥散夥。

李福景與周恩來一樣也非常熱愛戲劇，一入學就參加了學校的新劇團，與周恩來、伉鼐如等同台演出《仇大娘》。這個劇來自《聊齋》中的一個故事，由周恩來改編成新劇（即話劇）劇本。周恩來飾演其中一女角慧娘，李福景飾演慧娘丈夫仇祿男角。

此後李福景和周恩來多次同台演出《華娥傳》、《千金全德》等劇，李福景同周恩來一樣，有時也反串女角。

天津網一篇關於兩人友誼的文章「恰同學少年 ——李福景與周恩來在天津的戲劇生活」說：

　　當年在南開學校新劇團，周恩來是學生成員中的主心骨，李福景則是他得力的助手，許多事只要有周恩來參加，李福景必然支持。南開學校新劇團的新劇創作和演出，吸引了「京津坤班奎德社」的掌班人楊韻譜。奎德社是以演時裝新劇紅極京津的戲曲團體。一九一五年秋季，楊韻譜花費一個多月的時間，把南開學校新劇團演出的《恩怨緣》和《仇

大娘》，移植成河北梆子在北京公演，首場演出前派人到天津，邀請南開新劇團赴京觀摩指導。

是年十月十八日，周恩來、李福景、伉礪如等二十人組成天津學界觀摩團抵京，當晚在廣德樓戲院觀摩了《因禍得福》上部，次日又觀看了下部和《恩怨緣》。觀摩團離京時將一面寫著「移風易俗」的錦旗，送給奎德社作為鼓勵。

四個月後（1916 年 2 月），周恩來、李福景等人又以南開學校新劇團的名義再次赴京，重看了奎德社演出的《恩怨緣》，並將《一元錢》劇本抄贈給奎德社。一九一六年四月出版的《敬業》，刊登李福景所寫《京師觀劇記》，詳盡地記述了天津南開學校新劇團與坤班奎德社友好往來的來龍去脈，還用不少文字評述了奎德社演出的優長劣短，所談觀點，頗有見地。周恩來所作點評是：「斯文斯評，兩極其妙。」

戲劇家梁秉堃在一篇談周恩來與前輩戲劇家曹禺交情的文章中，也提到周恩來與李福景對戲劇十分癡迷，一道專程前往北京觀看戲，連觀兩日三場戲，看完還熱烈討論，興奮無比：

1915 年 10 月 18 日，北京廣德樓戲園上演其它新劇團演出的戲，周恩來得知以後，趕忙與李福景等二十多名同學組成「津門學界觀劇團」，乘火車前來北京，住在前門西河沿元成房。

當晚，來到大柵欄廣德樓戲園，在包廂裏觀看了《仇大娘》。看戲以後，周恩來、李福景等人返回住處進行了熱烈的討論，一直到次日凌晨兩點鐘。這天下午，周恩來等人再次來到廣德樓戲園，觀看話劇《恩怨緣》，大家認為，此戲幾乎無懈可擊，劇本好，又加上演員們聚精會神，取得了圓滿的結果。

看戲以後，周恩來、李福景等人去街頭吃晚飯，接下來再一次返回廣德樓戲園觀戲。大家認為，這場戲演得比頭天

晚上的效果還要好，他們邊看邊說，興奮地直至午夜才返回住處。【92】

關於這次赴京觀劇，李福景寫了一篇《京師觀劇記》，特別提到在北京三日因他年幼，大家托周恩來照顧他，「此行也，團中人以余年幼遠行，慮有疏忽，托余於周兄翔宇照護。三日行程今朝畢矣，誌筆記之，幸無增憂之處，自問可告無事於翔兄矣。」【93】這年李福景十五歲，剛進南開學校，他與周恩來本來不同班級，可能就在這次北京之行，周恩來照顧他，朝夕相處，兩人有了不同一般的深厚友誼。

兩人的深厚友誼也可能兩年前已開始，一九一三年周恩來隨四伯父從瀋陽到天津，秋天進入南開，因為父輩交情，兩人相識，該年秋周恩來還送了張照片給十三歲的李福景。

戲如人生，人生如戲。周恩來與李福景不但同樣癡迷戲劇，與其他同學不一樣的是，兩人有時在日常生活也活在自己的角色中。金沖及《周恩來傳》提到周恩來李福景不但在《一元錢》中分飾男女角色，為了演好戲，他常同李福景一起揣摩劇情，說是要「生活於劇中」。

2　世交淵源

周恩來與李福景同住一舍，同台演戲，台下也形影不離，有影皆雙。每逢周末和假期，李福景就帶周恩來到他家中度過。兩人的友誼非同一般，更有世誼之交。周恩來能進南開中學讀書，甚至後來能夠獲得南開學校免交學費的待遇，實際都與李福景的父親、天津名士李金藻有關。

【92】　梁秉堃，「第二章：不可或缺的歷史交往」，《老師曹禺的後半生》，作家出版社，2010年9月。
【93】　夏家善、崔國良、李麗中編，《南開話劇運動史料》1909-1922，南開大學出版社，1984年，p38。

李金藻字芹香，又署琴湘，祖籍浙江餘姚，為書香世家子弟。李為中國近代著名教育家，也是天津近代名書法家。李金藻一九〇三年赴日留學，入弘文學院師範科。歸國後任直隸學務處省視學與總務課副課長。一九一二年任直隸巡按使公署教育科主任，並為南開中學其中一位校董。周恩來在日記有時稱他為琴翁、琴伯。

李金藻一位天津顯赫名士和江蘇淮安一位沒落世家的少年周恩來又有何關係？看起來好像「八桿子打不到」。但在講究親族紐帶的中國傳統社會，靠沾親帶故的裙帶關係，真的就是隔著八桿子打得到。

周恩來有個同曾祖父的堂伯父周貽謙，排行為三，是周恩來三伯父，被中國媒體稱為改變周恩來命運之人。周貽謙學幕出身，給人當師爺，本人沒什麼很大本事，但他妻子錢馥蘭有個顯赫的哥哥。這位哥哥便是前清進士，清末當過陝西巡撫，民國後又當過北洋政府國務總理的錢能訓。錢能訓是當過北洋政府大總統的徐世昌的親信僚屬。光緒三十三年（1907 年）徐世昌任東三省總督兼奉天巡撫，錢能訓隨同出關任職奉天府參贊，當徐世昌這位封疆大吏的秘書長。周貽謙在家鄉江蘇淮安混不下去，就北上奉天省投靠了這位當了大官的妻兄，謀得一個好差事，也提攜了族人。【94】

錢能訓這位北洋官僚曾見過幼年的周恩來。光緒三十年（1904 年）在北京任監察御史的錢能訓回淮安參加妹妹婚禮，曾多次到駙馬巷的周公館作客，見到過只有六歲的周恩來，喜其聰穎靈秀，曾幾次指導他的書法。當時相遇於淮安古城的這一壯一

【94】　秦九鳳，「一个对周恩来成长有过重要影响的人──周濟渠」，中國共產黨新聞網。

少兩代人絕想不到，多年後兩人將會先後當上中國的總理，而年
幼的那位更會在中國的歷史上留下厚重的一筆。【95】

　　周貽謙到東北的次年，周恩來的四伯父（周恩來父親的胞兄）
周貽賡也在次年從淮安到東北投靠錢能訓，謀得奉天度支司俸餉
料正司書這個職位，後升任科員，再後調黑龍江任公債幣制主任
和制用科科長，薪俸不錯。周貽賡生活穩定後，一直資助淮安的
兄弟和周恩來等侄子。

　　一九一〇年，周貽謙回淮安探親祭祖，周貽賡要求他順便把
僅十二歲失學在家的周恩來帶到奉天府讀書。周恩來此後一直隨
四伯父生活，得以在北方讀書求學，進入精英子弟學校南開。周
恩來說，走出家鄉前往東北，改變了他一生命運。

　　一九一三年，周貽賡調到天津任長蘆鹽運司任科員及官銀分
號總稽核員，周恩來也隨四伯父來到天津。

　　錢能訓與天津名士李金藻是好朋友，通過妻兄錢能訓，周恩
來兩個伯父（周貽謙和周貽賡）也結識了李金藻。一九一三年李
金藻聽周恩來三伯父周貽謙說起他侄子周恩來自幼失恃，家世困
頓，但聰明好學，於是心生憐才之意，便介紹他到其任校董的南
開中學就讀。有個說法是，四伯父周貽賡在天津長蘆鹽運司的差
事也是李金藻和周貽謙兩人託人情為他謀到的，有了這個差事，
周恩來才得以免交學費。因此周恩來和李景福雖然家境有很大差
異，但有兩代交情，可以說是世交。因此李福景還未進南開，兩
人已開始密切交往。

　　南開學校這所私立的新式貴族子弟精英學校，費用非一般
清貧子弟可以負擔。迪克・威爾遜在他的《周恩來傳》說，周恩
來入南開的時候，學費一年三十六大洋（當時一個大洋約等於
一個美元），寄宿費二十四個大洋，還有每月四五個大洋的伙食

【95】同上。

1913年秋，周恩來將自己東關模範小學時的這張照片贈送給李福景；1958年周恩來六十歲生日，李福景將這張照片加洗擴印後轉送給周恩來，照片後面留詞是：「恩來七哥一九一一年在瀋陽讀書時。」

攝於 1912 年，14 歲。

1914 年，在南開學校。周恩來是著名的美男子，儒雅倜儻，風靡無數中外女性。

在南開中學，周恩來和比他小五歲的吳國楨，以及一位叫李福景的同學
被稱為「三劍客」。圖為周恩來與吳國楨攝於 1915 年。

周恩來與伉鼐如（前排左二）兩人開始交往是在 1914 年。周恩來在日期間，
與伉鼐如通信一百餘封，無話不談。後排左二為李福景。

在南開讀書時候，
周恩來自稱是每一天
都離不開李福景，「何
可一日無此君」。兩人
合影攝於 1915 年。

一九四九年後的李福景。

南開學校新劇團是中國早期話劇演出團體，1914 年 11 月正式成
立於天津南開學校。圖為 1915 年學校新劇團演員合影，後排左一
為周恩來。

周恩來參加了南開學校新劇團早期的演出和編創；他在 1914 年的《恩怨緣》扮演了「燒香婦」；1915 年的《仇大娘》，扮演了「既美麗又懂詩書」的「范蕙娘」(左二)。

圖為周恩來（右一）在新劇《一元錢》中飾演女主角「孫慧娟」。

1917 年夏，南開學校畢業留影。

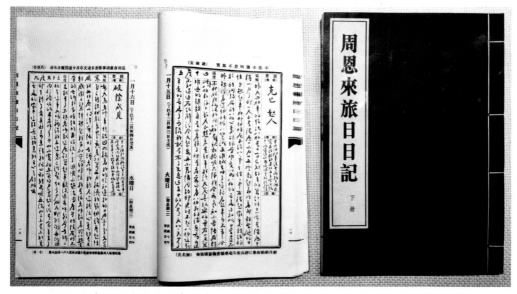

1998 年周恩來出生百年紀念，中國當局出版共 97 萬字的《周恩來早期文集》收錄了周恩來 1912 年 10 月 -1924 年 6 月的所有搜集到的手稿，其中頗爲珍貴的《周恩來旅日日記》全文，成爲本書研究的重要綫索。

1917 年秋，周恩來南開學校畢業後赴日留學。

1919年4月6日，周恩來（前排左二）
在日本京都與中國留學生團體新中學會會
友合影。

逕啟者茲有學生　周恩來　　係浙江省紹興縣　入曹在南開學校　卒業志願赴法　從工　重讀　生資格與本會所定預備赴法學生新章相　符合特此介紹　即希代訂四等船位以便西　渡為荷此即頌　　公綏

北京華法教育會啟　四月十八日

閱　李　□　□　留學儉學會印

周恩來、李福景借用「華法教育會」
組織的赴法勤工儉學名義，於一九二○
年十一月七日前往法國，但二人目的是
留在英國讀書。

投身五四運動的周恩來（四排右二）1920年1月29日與張若名（前排右二）、郭隆真
（前排右一）等四位學生被推舉為代表到直隸省公署請願，要求釋放反日示威中被捕的天津
各界代表，周恩來四人因此亦遭被捕。次年7月17日周恩來等21人集體獲釋後合影。

1921年周恩來（左）、李福景（中）與常策歐（右）合影於倫敦。

1924年中國社會主義青年團旅法支部在巴黎合影。周恩來（前排左四）。1946年4月
28日周恩來在重慶接受記者曾敏之訪問也提到他初到法國頗信無政府主義，而後轉向讀
《共產黨宣言》等馬克思主義書籍，在巴黎加入了中國共產黨。

1922 年在柏林張申府（右一）、劉清揚（右二）、周恩來（右三）趙光宸（右四，周恩來南開校友，「覺悟社」成員，在法國加入中共，後退黨，任國民黨中央監察委員。）等四人在 Lake Wannsee 一艘小船上合影。中共官方發表這張照片時，曾把其餘三人裁掉，只剩周恩來一人。

張申府（左一）在中共官方歷史上是一個污點人物，他在周恩來政治人生中兩個關鍵時刻拉拔周恩來的事實被長久掩飾遮蓋。張的新婚妻子劉清揚（左二）也是周恩來的入黨介紹人之一。本照與前照攝於同一時間。

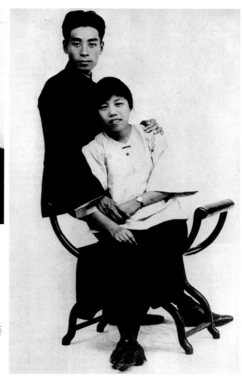

周恩來與鄧穎超在天津投身學運，共組「覺悟社」相識，但其實兩人相交淡淡。周恩來去歐洲後，在1923年春突然向鄧穎超求婚，確定了兩人的未婚夫妻關係。

周恩來與鄧穎超這對夫妻在中共官方話語中是一對理想的模範革命夫妻，備受推崇。兩人在廣州結婚的日子是1925年8月8日。

1926年周恩來同鄧穎超在廣東汕頭。

周恩來在中共黨外好友中有一傳奇人物，竟然是來自中共敵對陣營的國民黨中統特務二號人物張沖（字淮南）。1937年春，葉劍英（左）、周恩來（右）與張沖（中）在西安八路軍辦事處七賢莊。

1938年埃德加·斯諾（Edgar Snow）（左一）與周恩來夫婦在武昌珞珈山。

周恩來最早的緋聞是在抗戰時駐紮重慶時候。女主角是左翼影星「延安麗人」陳波兒。一九五一年鄧穎超撰文紀念陳波兒使緋聞不攻自破。圖為陳在《良友》雜誌第五十一期封面。

張國燾妻子楊子烈講過周恩來的一段緋聞，說他追求黨內同志張太雷美貌的未亡人王一知。這一緋聞經不起考證。

孫維世一直很得養母鄧穎超的疼愛，在鄧穎超與周恩來通信中，鄧提到孫維世，稱她維世女兒、女兒、或閨女，流露出很深的母愛。

1949 年 7 月周恩來首次以國家領導人身份接見梅蘭芳，兩人回憶了周恩來在北京演出新戲的往事。

1938年路易‧艾黎（Rewi Alley）（左一）、周恩來與作家史沫特萊（Agnes Smedley）（左三）在武昌。

參加第一次世界大戰在歐洲的中國勞工兵團是來自山東的彪形大漢，為路易‧艾黎首次邂逅的中國人。© In Flanders Fields Museum, Ypres, Belgium

1970年路易‧艾黎與周恩來在北京工人體育館。兩人這次公開見面解除了艾黎在文革中的困境。

《中國見聞錄》是路易‧艾黎在周恩來指示下宣傳文革的作品。

1959 年元旦在中南海周恩來的工作處所和居室西花廳，右一為李福景。

費。【96】此外還有一年四季校服就要八十大洋。校長張伯苓就曾說過,「吾嘗聞人謂本校為貴冑學校,此語誠非過當。」

　　中共官方文獻、一般的周恩來傳記,以及周恩來本人的自述,都說清貧的周恩來能夠在南開中學這所貴族子弟學校讀書,是因為學習優秀,獲得獎學金。但這個說法實際是個謊言。因為南開學校從來沒有向任何學生提供過獎學金資助,直到一九一八年一月才新增校章規定,對品學兼優家境清貧的學生,實行學費借助,卒業後六年還清,獎學金則完全沒有。而且新增校章出爐時,周恩來已經畢業留學日本。【97】

　　周恩來有個同班同學,後來成為著名書法家的吳玉如,他在「文革」後曾對神話周恩來的獎學金之說提出質疑。吳本人也是很優秀的學生,很受校長張伯苓的欣賞,三十年代曾當過張伯苓的秘書,但因為家貧,進南開兩年後被迫輟學。他說,南開學校不會因為學生品學皆優而給予獎學金。【98】

　　周恩來不是因為學習優秀拿到獎學金,而是因為某種原因被獲得免繳學費的優待,這與李金藻這位世伯有關。有一篇「說說李金藻」的文章這樣說:

　　　　周恩來的伯父周貽賡雖然有一份固定的工作,但是畢竟是一個普通的科員,收入微薄,家境十分拮据。周恩來常常省吃儉用,利用課餘和假期為學校刻蠟紙、抄講義,貼補家用。南開學校開資本主義現代教育之先河,教育內容和管理模式都十分先進,要求學習統一四季制式校服。而校服的費用達八十多塊大洋,這對周恩來來說,無疑是一項巨大的開支。李金藻理解困境中的周恩來,主動從自己薪水裏拿出這

【96】　迪克・威爾遜,《周恩來傳》,國際文化出版公司,2011 年 7 月, p31.
【97】　好搜百科 - 張伯苓條目的大事年表。
【98】　李愛華,「關於『周恩來是南開學校唯一免費生』問題的史實考證」,《黨的文獻》,1997 年第 2 期。

筆錢，周恩來的伯父（應該是四伯父周貽賡，因為周恩來到北方後主要靠這位沒有子嗣的伯父撫養）事後要予以返還，李金藻說：「資助一個社會賢達，乃人師之責，一生之中可遇而不可求，君何陷我於不義！」後來，李金藻還向校長張伯苓、校董嚴修建議，學校董事會還給予了周恩來免費生的待遇。

除了李金藻，南開學校創辦人兼校董嚴修與周恩來的六伯父周貽良也是認識的，周恩來也是他的世侄，因此李金藻的建議一說即通。實際上周恩來在入學的第二年獲得免交學費的最根本原因，是由於在李金藻的幫助下其撫養人四伯父謀到官衙門長蘆鹽運司的差事。

天津長蘆鹽運司營辦有一所鹽商業子弟學校「長蘆中學堂」，一九一一年天津當局將「長蘆中學堂」連同每年八千兩銀的經費一同併入南開學堂，以解決南開中學堂的財務危機，南開則因此優待鹽商業子弟免費入學，在一九一一年到一九一四年間，一共有四十名家庭為鹽商業者的學生獲得此優待。周恩來因四伯父供職長蘆鹽運司，他自然是鹽商業子弟，再加上兩位世伯的關照，周恩來才得以免繳學費。【99】

固然，周恩來無疑是很優秀的學生，但在當時的南開中學，他的同學可以說個個優秀，周恩來並非特別出類拔萃。他當年的同班好友潘世綸說，當年周恩來和他們一樣也不過是普普通通的學生，其偉大是後來參加革命逐漸發展出來的。

可以說周恩來沒有他的官僚家世背景和顯赫的社會關係，不可能進入南開這樣學費昂貴的私立學校，並獲得資助，在學校中

【99】 李愛華，「關於『周恩來是南開學校唯一免費生』問題的史實考證」，《黨的文獻》，1997 年第 2 期。另外，見《長蘆官立中學堂軼事》，天津市長蘆鹽業總公司網站。

如魚得水，為他以後的政治騰達開闢了道路。說他因為優秀而獲
得助學金，是為周恩來造神的創作。

中共上臺後執行以出身成份劃分社會等級的「階級分析」政
策，周恩來常公開口口聲聲說要與他的封建家庭劃清界限，背叛
他出身的階級，但他實際心知肚明，他的成長完全是靠他這個封
建家族的諸位伯父扶持培養，沒有他的封建家庭，也不會有後來
當上一國總理的周恩來。

周恩來與李福景同窗兩年，更有半年多同住一室，朝夕相
處。周恩來一九一七年畢業後赴日留學，兩人一度分離。周恩來
因為在日本讀書不成，被迫回國進入新辦的南開大學，因為嚴修
的背景，周恩來是免試入學。周恩來參加天津學運在一九二〇年
一月二十九日被捕，坐牢半年，七月十七日獲釋出獄。坐牢期間
後被南開大學校長張伯苓開除。周恩來生前告訴侄兒周爾鎏，張
伯苓此舉是為了自保：

> 這一天，七爸又親口對我說：「南開大學老校長張伯苓
> 是一個很好的教育家，長期與我維繫著良好的師生情誼。但
> 是當年他也曾經開除進步學生，甚至在「五四」運動期間，
> 因為我被「反動派」作為進步學生代表逮捕而在同學錄上摳
> 去我的名字。在當時的形勢下，為了學生和他本人的安全，
> 老校長不得不如此做。【100】

但對被開除的周恩來，學校給予了更高的回報。南開大學向
北京「華法教育會」推薦兩位學生赴法勤工儉學，為被開除的學
生周恩來和他的好友李福景爭取了赴法留學的名額，校董嚴修還
向兩人提供了獎學金。

【100】周爾鎏，《我的七爸周恩來》，香港三聯書店，2014 年 8 月，p198。

3　同赴英國

　　一般人誤會周恩來是赴法勤工儉學。但實際周恩來的初衷是與李福景同赴英國留學，並為此奔走了好幾個月。周恩來的「覺悟社」社友、南開中學教師馬千里一九二〇年十二月四日為周恩來的《警廳拘留記》將於《新民意報》連載發表時所寫序言指出，周恩來在該年五月開始編寫此書，到六月五日編完，未得謄清，案子開審，判決出獄後周恩來又忙著「預備赴英國留學」等事務，致使耽誤了好幾個月，至臨出國時書稿才交到他手中。[101]

　　一九九八年中共官方出版的《周恩來年譜》也說周恩來是要到英國留學，但這個官修年譜拔高了周恩來的動機，說他是「為進一步探求救國真理，經南開學校創辦人嚴修推薦和資助，決定到資本主義的發源地——英國留學考察。」實際周恩來初衷是謀求個人的出路，還有光宗耀祖的想法。在一九一八年的《旅日日記》中，周恩來一再為周家他這一房人的家道中落而悲哀，希望自己讀書有成，謀到出路後爬升到社會上層，然後改變其家族的命運。一月十一日的日記，記載他獲得其八伯父病逝消息後，焦慮無比：

　　　　連著這三天，夜裏總沒有睡著，越想越難受。家裏頭不知是什麼樣子，四伯急得更不用說了。只恨我身在海外，不能夠立時回去，幫著四伯、乾爹做一點事兒。如今處著這個地位，是進不得，也退不得。轉而一想，就使我暑假後不來日本，中學畢業的程度能夠做多大的事？那時候恐怕於家裏既沒有補助，於我倒反有大害了。想到這裏，我現在唯有將家裏這樣的事情天天放在心上，時時刻刻去用功，今年果真要考上官費，那時候心就安多了。一步一步地向上走，或

【101】《周恩來早期文集》上卷「警廳拘留記」馬千里敘，中共中央文獻研究室、南開大學，中央文獻出版社、南開大學出版社，1998 年 2 月，p479、480。

者也有個報恩的日子。如今我搬到這貸間來，用度既省，地方又清靜，正好是我埋頭用功的日子，任什麼事，我也不管了。

到歐洲後，他寫給國內親友的信也同樣是希望學業有成可以報效家族的意思，而報國則是第二位的考慮。

周恩來和李福景赴英實際是借用了赴法勤工儉學的名義。因為嚴修的關係，兩人在一九二○年十月八日獲得北京「華法教育會」開具的赴法證明，因此得以於十一月七日隨「華法教育會」組織的第十五批赴法學生團共一百九十七人，登上了法國郵輪「波爾多斯號」遠航歐洲。在「華法教育會」的赴法勤工儉學學生名單上，周恩來是以「浙江儉學生」的身份上船。當時赴法學生分為兩類，一類是去半工半讀，稱為「勤工生」，一類是去讀書，過清貧學生生活，但不考慮打工，稱為「儉學生」（當然後來也有儉學生迫於情勢而打工），周恩來屬於後一類，因為祖籍浙江紹興，所以歸類「浙江儉學生」。後來周恩來一再說他一開始即想到法國半工半讀，顯然不符事實。【102】

在周恩來和李福景兩人動身前的十月，嚴修提前寫了封信到倫敦，給北洋政府駐英國公使顧維鈞，向顧介紹周恩來和李福景，請他給予照顧。

兩人抵法國馬賽後，有留法「華法教育會」學生部幹事接待，次日到巴黎，有南開同學引領他們到旅館。李福景在法國住了一個星期即渡海到英國，周恩來因患病，在巴黎多居住了一個星期，在一九二一年一月五日抵倫敦。抵英後周恩來和李福景曾在倫敦羅素廣場附近的伯納德三十五號同居了好一段時間，這是

【102】沈沛霖口述、沈建中撰寫，《沈沛霖回憶錄》，台灣秀威出版社，2015年 4 月，p27。

一所學生寄宿的房子。周恩來與國內通信長時間使用這個地址，
甚至他後來到法國，仍靠李福景給他轉信和轉錢。

周恩來初衷是到英國還是法國，他自己本人應該是最清楚
的，但很奇怪的是，在中共建政之前他多次見記者都說他是到
法國讀書，完全省略了英國這段經歷。周恩來一九四六年四月
二十八日和二十九日兩個晚上在重慶對《大公報》記者曾敏之談
自己身世，說他在天津「出獄後決心遠遊，於是在民國九年遠涉
重洋，到法國參加了勤工儉學的隊伍。」(《周恩來年譜》把周恩來
見曾敏之日子搞錯，說是五月二日，估計是把曾敏之發表在《大
公報》這篇專訪周恩來的文章「十年談判老了周恩來」的日子張
冠李戴了。)

一九四六年九月周恩來在南京和美國《紐約時報》記者李
勃曼【103】談自己的身世，依然說自己是到法國留學，還說原因是
當時正值大戰之後，在法國容易找到工作，可以半工半讀。他
說，「我到法國後，並未做工。在去法之前，我已給國內報紙訂
合同，給它做特約通訊員，所以在法國一面讀書、一面寫文章。」
在李勃曼的訪問中，周恩來也完全沒有提到他最初是想到英國讀
書，甚至沒有提到他到過英國(對曾敏之則說去過英國，但是在
赴法的兩年之後)，但對李勃曼，他提到自己一度去過德國。

韓素音的周恩來傳記也受到周恩來的誤導，她以為周恩來和
李福景是因為在法國打工不易，才轉往英國求學。【104】

周恩來對中外記者講的不是真話，第一他不是要去法國而是
英國，只是因為英國留不下來後無奈去了法國。第二他在法國並
未進學校讀書，而是作了職業革命家。周恩來為何要撒這兩個

【103】編者注：未見發表的英文原文，所謂李勃曼應該是《紐約時報》二戰
　　　　後期派駐中國的 Henry R. Lieberman (1916-1995)。

【104】Han Suyin, *Eldest Son: Zhou Enlai and the Making of Modern China, 1898-
　　　　1976*, Hill and Wang, 1994, p51.

謊？第二個比較容易理解，對美國記者，他不想說自己是拿了共產國際的錢從事專職革命。第一個就比較費解。但如果考慮到他到英國留學是為了要與李福景共同生活，而後來又想掩飾他與李福景的這種關係，周恩來如此對兩位記者撒謊，就可以理解了。

周恩來生前及去世後好長一段時期，中共官方的說法都指周恩來去歐洲的目的地是法國，出處可能就來自周恩來本人這個說法，甚至可能是出於他本人的授意。但在周恩來去世多年後，中共公佈一批周恩來早年的文獻資料，周恩來留學歐洲初衷是赴法還是赴英才真相大白，證明周恩來所謂去法國讀書是不符合事實的，但周恩來要這樣說自有其動機。

4　向兩伯父和嚴修求助

一月二十五日，周恩來和李福景兩人在倫敦聯名給資助人嚴修寫了封信，由周恩來撰寫。該信先說兩人：

> 海行三十六日抵法之馬賽，當有留法「華法教育會」學生部幹事來接，招待一切，甚為殷懇。翌晨至巴黎，有南開同學導往旅館暫住。福景在法約留一星期，便渡海來英；恩來因患小恙，延至本月五號始抵倫敦。

然後介紹赴法勤工儉學的中國學生的窘況，說「留法界最大問題即勤工生不易尋找工作，饑餓之人日圍繞於『華法教育會』辦事處，而辦事之人亦苦無辦法。」留法「華法教育會」會長蔡元培抵達法國後也束手無策。

然後匯報兩人在英國準備入學的過程。信中說，兩人決定從倫敦北上讀書，一切手續已辦完，現只等學校回復。李福景準備到曼徹斯特大學，周恩來則打算入讀愛丁堡大學。但信中說到兩人面臨求學的經費問題，似是向嚴修求援。信中特別提到顧維鈞

人不在英國，去了日內瓦，因此嚴修請託顧維鈞照顧兩人的信，
顧維鈞可能沒有收到：

> 至英法情狀，除受歐戰之影響外，或與長者昔日居歐時
> 無大異。惟物價高貴，失業者多，勞資階級之爭無或已時，
> 是歐洲執政者所最苦耳。英俄通商條約，倫敦報紙今日已宣
> 佈其內容，是固不啻承俄國蘇維埃政府也。在法受歐戰影響
> 為最大，戰地恢復舊觀至今日猶不能達百之五六，滿目瘡
> 痍，雖在巴黎、倫敦亦可徵得，而生活程度之高，倫敦又在
> 巴黎兩倍上矣。
> 　　恩來、福景入學事，已決定往北部各大學，一切入學
> 手續已辦完，惟俟學校回信至，便將遄往。景或往滿卻斯特
> （Manchester），來或往愛丁堡（Edinburgh）也。顧公使（指
> 顧維鈞）尚在瑞士日尼瓦，國際聯盟事甚忙，一時或不易來
> 英，致長者函亦未由以達。官費事，須進入正式學校後方能
> 著手進行。而英國生活程度之高，金磅價格之長，竟超過留
> 美費用以上。倘官費不成，自費求學固甚難維持也。來現已
> 著手翻譯書報，能成與否尚未敢必，但總期奮勉達之耳！專
> 此，不盡欲言。倘蒙賜示，即祈寄至原存地址為叩。【105】

這即是說，周恩來為了解決經費，已著手翻譯書報，但是否
能解決則未可知，僅靠嚴休的資助和為《益世報》寫稿，若無官
費支持，周恩來在英國留學是不可能的。周恩來向嚴修談這事，
應該是向嚴修求助，希望嚴修幫助他獲得官費資助。

因為財力無法支持，周恩來在英國住了五個星期，二月中旬
被迫轉往生活費較低的法國生活，其間繼續為留學英國而籌劃費
用。他在二月二十三號在巴黎寫給表兄陳式周的信說，他已獲得

【105】《周恩來早期文集》下卷，1921 年 1 月 25 日致嚴修信，中共中央文
　　　獻研究室、南開大學，中央文獻出版社、南開大學出版社，1998 年 2
　　　月，p4。

愛丁堡大學回覆，可免去他的入學考試，但要考英文。但因為開
學日期為這年秋天十月，試期在九月，中間有六七個月時間，由
於英倫居大不易，因此到法國暫住半年，一則用費可省去十之
六七，二則可學法文。信中說：

> 英倫費用年須英金二百磅，合今日中幣已逾千元以外，
> 愛丁堡雖省，亦不能下千元，使弟官費不能圖成，則留英將
> 成泡影。退身步留法亦屬一策，然此時尚不敢驟定，因弟已
> 向國內籌劃官費事，或能有小成也。【106】

周恩來所說的向國內籌劃官費事，應該是指他寫信與他兩位
在北洋官場中有人脈的兩位伯父，向他們求助。

在中共中央文獻研究室和南開大學一九九八年出版的《周恩
來早期文集》中有周恩來一九二一年一月底在英國寫給五伯父周
貽鼎的一封信，簡報他現在英倫交涉入學事，說他打算入蘇格蘭
愛丁堡大學。但此信前後缺失不全。周恩來二伯父周貽康的孫兒
周爾鎏後來在《我的七爸周恩來》一書中指出，此信實際是寫給
二伯父周貽康，並托轉六伯父轉閱，是寫給兩位伯父的，因此信
中有「未暇稟報諸父」之語，意思是說抵達倫敦後因忙於申請入
學事，沒有時間及時向兩位伯父匯報。而且周爾鎏有信件原稿全
文。因周恩來在恩字輩中排行第七，周爾鎏稱周恩來為「七爸」。

周恩來這兩位伯父都是前清舉人，周貽康曾為直系軍閥江蘇
督軍李純的顧問兼秘書，家境富裕。而六伯父周貽良曾做過袁世
凱秘書和李純秘書長。此信主要是托這兩位在周家最有社會地位
的伯父憑藉兩人的官場關係，為他取得江浙地區的官費留學名
額，尤其是希望六伯父找王士珍疏通。王士珍為北洋軍閥元老，

【106】「1921 年 2 月 23 日致陳式周信」，《周恩來早期文集》下卷，中共中
　　　央文獻研究室、南開大學，中央文獻出版社、南開大學出版社，1998
　　　年 2 月，p20。

曾任北洋政府總理，時任蘇皖贛三省巡閱使，周貽良當時賦閒在家，但他與王士珍是舊識，說得上話。【107】

周爾鎏說，周恩來一九二〇年十月十八日離開天津南下上海，打算在滬上候船赴法國，曾專程至南京逗留，住在二伯父周貽康南京繡花巷一號的家中，取得資助。其實周恩來為赴歐洲獲取財力支持，還專程到山東濟南，拜訪過周氏家族另一位官僚——山東省財政廳長周嘉琛。周嘉琛是周恩來出了五服的堂叔，他資助了周恩來一百二十大洋。

中共官方在周恩來早期文集中，只公佈了這封信中很少一部分，周貽康的孫子周爾鎏曾長期在中聯部、外交部工作，擔任過中共駐英國使館的文化參贊，為一退休的外交官，為人慎重，雖然他這本回憶錄在香港出版，但仍不敢原文公佈周恩來這封信，只是轉述其中一些重要內容，並做了一些官式的解釋。

據周爾鎏說，周恩來在信中向兩個伯父強調他留學英國目地是為了個人安身立命和光宗耀祖「良以個人立身、家族榮辱，非恃實學不足以定功」，因英國費用高，生活不易，反復談到兩位伯父為他謀求官費名額而疏通官場的必要，「伏祈諸父酌辦。」

周爾鎏說，周貽康接信後匯了一筆錢給周恩來，但他隨即在該年病故，六伯父周貽良看來未能疏通成功或沒有去疏通。

按周爾鎏此說，可以解釋中共官方發表這封信時為何要斬頭切尾，刪去了周恩來請託兩位伯父疏通官場為他取得官費獎學金的這部分內容。因為周恩來在這封信中，並非官方所說「為了中華崛起而讀書」，而是為了個人揚名聲顯父母而留英鍍金，並且還低聲下氣地祈求兩位伯父向「反動」的北洋官僚疏通走後門，實在是有損周恩來這位「偉大的馬克思主義者、無產階級革命家」的光輝形象。

【107】周爾鎏，《我的七爸周恩來》，香港三聯書店，2014 年 8 月，p56。

　　周恩來為了留在英國，也請托過嚴修為他走後門。二月八日
他在倫敦給嚴修再寫了封信。這次是以他一個人的名義，請求嚴
修向與他有交情的北洋政府的教育總長范源廉「進一言」，或致
信浙江教育廳長疏通，「能於便中為致一函於浙省教育廳長」。

　　範翁老先生鈞鑒：

　　　抵英後曾上一函，計已達到。遙念福體安祥，精神爽
健，當如私頌。來所交涉之學校系愛丁堡大學，現已得覆
信，允來免去入學考試，只試英文，考期在九月，開學期為
十月，英國大學始業期都如此也。此半年中，或往愛丁堡大
學聽講，或往法國學法文。因入英國大學後，必須習其他一
國文字。行止究如何，現尚未敢確定。請官費事，來已呈稟
於留歐學生監督及浙省教育廳長。蓋請省費較部費略易也。
省教育廳方面，來已托人為之，能成與否殊不敢必。尚祈長
者向范總長處進一言，能於便中為致一函於浙省教育廳長
邪，固不勝其翹盼之至。李福景君已與滿且斯特大學交涉，
現尚未得其回報。倫敦天氣略冷於前，約如吾津初冬後，煙
霧甚大，不見日光者蓋有日矣！【108】

　　信中所說，「省教育廳方面，來已託人為之，能成與否殊不敢
必」，應該就是指他寫信給兩位伯父請他們設法給他謀求官費資
格，但能否成功則不敢講。但顯然，周恩來再三努力下，不論是
他兩伯父，還是嚴修，最後都沒有為他謀得官費名額。無財力支
持，周恩來英倫留學夢碎，與李福景同進同出的夢也破碎，只好
滯留法國。走投無路，最後上了革命的梁山。

　　而周恩來的慧弟李福景最後成功進入曼徹斯特大學，第三年
和第四年還獲得獎學金。李福景即把自己那份範孫獎學金讓給了

【108】《周恩來早期文集》下卷，1921年2月8日致嚴修信，中共中央文獻
　　　研究室、南開大學，中央文獻出版社、南開大學出版社，1998年2
　　　月，p18。

周恩來。周恩來在一九二二年一月再到倫敦，下榻在他與李福景共同的南開中學同窗好友常策歐寓所（常策歐就讀倫敦大學），停留了整整兩個月，據說是為《益世報》採訪國際新聞，真實目的更可能是為了探望在倫敦北邊曼徹斯特大學讀書的李福景。

一九二二年一月他和李福景、常策歐在倫敦留下了一張合照。照片上三人都穿著筆挺的三件頭西裝，李福景居中，常策歐和周恩來分站兩邊。周恩來的身子微向中間的李福景傾斜，其左手搭在李福景的肩上。

幾年後，李福景學成歸國，成為鐵道工程師，而周恩來則已是職業革命家，但兩人的深厚友誼維持終身不變。一九二七年國共分裂後，共產黨轉為地下活動，但周恩來每次到天津都化名王先生住到李福景家，受其掩護。一九二八年夏周恩來和鄧穎超前往莫斯科出席中共六大，經東北前往蘇聯途中曾得到在北寧鐵路皇姑屯機務段任職的李福景安排保護。郭大江「尋找李福景」一文說，抗戰勝利後李福景出任北平美援辦事處主任，專管分發美國援助的軍需品和物資。北平被解放軍圍城時，李福景為是否前往台灣遲疑不決，因受到周恩來派人捎來的親筆信留在大陸未走，將美援物資交給了中共。中共上臺後，李福景初在開灤礦務局工作，一九五六年調入北京任煤炭工業部科學情報研究所副所長，主任工程師。【109】

周恩來當總理後兩人仍然往來密切。

郭大江說，一九五八年周恩來曾與李福景一同前赴天津看望李福景母親。一九六〇年十月三日李福景肺癌病逝於北京，周恩來親自到嘉興寺殯儀館出席祭儀，獻上花圈，並吩咐秘書用他個人的錢來為李支付從住院到殯喪包括骨灰盒的所有費用。李福景死時，僅是來自前朝一個留用的技術專業人士，官職低微，但在

【109】郭大江，「尋找李福景」，《蘋果日報》，2011 年 9 月 25 日。

周恩來的安排下，李福景被安葬在八寶山革命公墓，享受著為中共打江山的無產階級革命家才能享有的殊譽。【110】

一九一三年秋，在南開的周恩來將自己東關小學時戴瓜皮帽留長辮的童年照贈送給李福景（李尚未進到南開，但因父輩的交情，兩人已經有往來）。一九五八年周恩來六十歲生日，李福景將這張照片加洗擴印後轉送給周恩來，照片後面留詞是：「恩來七哥一九一一年在瀋陽讀書時。」【111】

「恩來七哥」是李福景對周恩來的親密稱呼，「舊社會」朋友稱兄道弟很平常，但在一九五八年的紅色「新中國」，兩人身份迥異，政治社會環境也大變，但李福景仍然對中共大人物保持這樣親暱的舊時代稱呼，顯示兩人關係之密切非同一般。

「三劍客」的另一人吳國楨因為在共產黨的敵對陣營，訊息不通，還曾經為李福景這樣一個政治中立的技術專業人士在紅色中國的命運擔心。他生前可能不知李福景與周恩來情誼到達什麼樣的程度，因而無法設想在殘酷的中共階級鬥爭中，李福景這樣的資產階級知識分子可以得到周恩來的全力庇護而安然無恙。

但周恩來對故友的保護，也僅止於「文革」之前。「文革」期間李金藻在天津這樣的舊家世族自然首當其衝，無法倖免於批鬥抄家之大難。據李家後人說，作為天津著名教育家、書法家的李金藻，其傳下的書畫文稿、日記和李氏家族年譜最後都在這場浩劫中毀失殆盡，留下的寥寥可數。所幸的是，李金藻病逝於一九四七年，李福景也已在「文革」前去世，避免了親身經歷這場殘酷的磨難。

【110】百度百科「李福景」條目。
【111】《大型圖集 我眼中的周恩來：恰同學少年》是獨沐秋風的博客，材料摘自南京《周末》雜誌。

5　失愛友精神崩潰

恩來七哥與慧弟李福景的友誼到底深厚到何種程度？最能說明真相的就是周恩來這部《民國七年學校日記》。這部日記如果要定一個主題，我想最恰當的大概應該是「周恩來和李福景的情誼」，因為這是日記中最突出和主要的內容。前面已說明，日記表述了周恩來的愛情婚姻觀，洩露了他的同性戀傾向。除此之外周恩來這本日記還流露出他對李福景這位同性友人愛得要生要死，無法割捨的纏綿情感。

大陸出版的有關周恩來之書籍文章，對日記中這一最重要的內容均迴避不談，對於周恩來與李福景的關係，有的僅只是寥寥數語敷衍而已，好像李福景僅僅是周恩來眾多好友之一。這樣完全無視白紙黑字文獻資料的態度，似乎有難言之隱衷。

前面已說明，周恩來一九一八年赴日留學這一年的日記，從該年元旦開始。周恩來在這一天日記立誓要天天寫日記，一天不缺。他也在元旦這天日記中，為自己的日記定下格式，主要分為兩部分【修學】和【治事】。【修學】主要是引用格言、警句或詩句，或「自書所感」，即自己這日的主要感想。【治事】為每天活動記錄。

周恩來元旦這天立誓要每日一記，一天不缺，這一誓言只兌現到到八月二十七日這一天。這天之後就是有時記時有時不記，短短續續，有時還會一停中斷多日。

不但如此，這部日記記述風格也在八月二十八日之後突然大變。在八月二十八日之前，日記除了每日一記，還嚴格按照元旦定下的格式，每篇的篇首【修學】會引用詩句格言或個人所擬警句，然後是記錄該日活動的【治事】，而且對每日行事記述是鉅細無遺，諸如該日活動詳情及與何人交往和通信之類，有時會大

發議論和感慨。僅在二月二十二日到三月六日，因為周恩來忙於準備東京高等師範學校的入學考試，日記記得比較簡略。

　　但從八月二十八日之後上述記述風格嘎然而止，以後的日記除了其中一二日的記錄多寫兩句外，都是簡單一句，不引述格言，也不記錄該日活動，最多交代與某某人有通信而已。直到年底十二月二十三日最後一天日記均是如此，極之敷衍。

　　周恩來這部日記以八月二十八日為界，成為面貌截然不同的兩個部分。上部分顯示周恩來是在興致勃勃地寫日記，對周遭事物頗感興趣，記錄非常詳盡，包括讀了什麼書，看了什麼戲，有時甚至不厭其煩地複述整齣戲的劇情，有一天周恩來竟用了九百字來寫他的觀劇感。

　　而日記下半部分除了間中有幾日有一兩句抒懷情感的言語外，每日記述基本是一筆交代，大多是寥寥一行字而已。

　　前半部分八個月日記共五萬四千字，平均每個月六千七百字，但在八月二十八日之後，周恩來四個月的日記一共只有三千四百字，平均每個月僅八百五十個字，即後部分日記的平均每月記錄內容只有前部分的五分之一。在《周恩來早期文集》上卷，這部日記的前半部分一共佔有九十二頁之多，但後面四個月則只僅僅六頁而已。

　　由於這本日記從八月二十八日的顯然斷裂，感覺周恩來似乎在八月二十八日之前受到什麼重大打擊而心灰意冷，有相當嚴重的事發生在他身上。

　　其實不需另作考察，日記本身記述得清楚明白，周恩來確實受到人生一嚴重打擊。這個打擊僅僅因為他在八月二十六日這一天晚上獲知李福景將到香港升學而不能與他在日本一起生活。周恩來獲知消息後大受刺激，情緒幾近崩潰，心灰意冷，此後完全無心經營他的日記。

　　由於周恩來精神受打擊後下半部日記記述太簡略，對其在日本生活內容完全沒有提及，而且到他回國期間，除了他回國前夕手書自己的詩句贈同學張鴻誥，及遊京都寫的四首白話詩，也沒有留下涉及他這段時間留日生活的其他文字記錄，有的學者指這給研究周恩來留日的學習和生活情況形成半年多的空白，從而給研究周恩來的中外學者帶來一些難題，也引起一些爭議。

　　李福景在周恩來《旅日日記》中被稱之為「慧弟」。一九一七年周恩來赴日留學，李福景因為低他兩級，未能同行。

　　一九一三年春，周恩來隨四伯父到天津後，結識李福景。當時周恩來十五歲，李福景十三歲，剛進入男性青春期，青春少年，意氣相投，結為好友。該年秋，周恩來贈送李福景一張他的少年照。

　　兩年後李福景也進入南開，兩人成為學長學弟，周恩來自稱「何可一日無此君」，每一天都離不開李福景，見李福景即化愁為喜，兩人聊天可以從早聊到晚。兩人同台演戲，台下也生活在劇情中，赴北京觀摩新劇，學長周恩來專人細心照護學弟三天。最後一個學期，周恩來還特別與同班好友散伙，使得他可以與慧弟李福景同居一宿舍日夜相處。

　　因為「不可一日無此君」，甚至周恩來為個人事上北京，也要李景福相陪前往。一九一七年六月周恩來從南開學校畢業，七月下旬前往北京籌劃赴日本考官費留學事。此行他是和李福景（李福景家在天津）一道前往北京。[112] 兩人八月六日在北京聯名寫了封信給南開同學馮文潛，因為馮文潛將赴美留學，兩人為不能

【112】《周恩來年譜》說，周恩來一九一七年六月畢業後，「7月下下旬和李福景等同學去北京籌劃赴日本考官費留學事。」

前往送行對馮文潛表示歉意，說兩人要在十一日才能回到天津。按此計算，兩人在北京一起相處了近一個月。[113]

此外，周恩來與同學聯名寫信，好像僅止於李福景一人，迄今發現兩封兩人的聯名信。

八月十一日回到天津後，周恩來九月赴日留學，相交甚密的兩位好友被迫分離，這對周恩來情感應該是很大的衝擊。

在周恩來日記的開篇（元月一日日記）中，他提到：「**有生以來沾著這個『情』字，至於赤子之心……**，」因為其後的文字被塗抹，因此不知到底是什麼人什麼事導致周恩來為情所困。

這個「情」是否就是指他與李福景的情感？四年形影不離，不可一日不見，但現在兩人竟遠隔重洋，分離已整整四個月，這才使得周恩來「有生以來」首次受到感情的困擾？

元月三日的日記中即出現「三十不婚，可以不婚；四十不宦，可以不宦」的格言。當時周恩來才二十歲，為何竟然對自己的人生想得那樣遠，說出「三十歲不結婚，就不要結婚的」話？剛剛才說他為情所困，為何現在就立誓不結婚？而接著一月四日又引《列子·楊朱》的話「不婚不宦，情慾失半」。

但接著的一月五日的【修學】卻寫了思念情人，感情受困的痛苦詩句「綿綿葛藟綿綿恨；寸寸相思寸寸灰」。一方面要不婚禁慾，令一方面又為情所困，相當矛盾。

一九一八年一月十八日的日記，周恩來說，接到仉鼎如寄來他和李福景去年夏天在天津鼎昌照相館的合照，「喜歡的了不得。」然後想起「慧弟我有四個多月沒見他了，想起這兩年來我們兩個相處的知心。去年上半年同屋子的相得，真正是蓬、醒兩兄，雲、禪兩弟，樸山、尹山之外第一個好友了。」日記裏提到的其

【113】《周恩來早期文集》上卷，1917 年 8 月 6 日致馮文潛信，中共中央文獻研究室、南開大學，中央文獻出版社、南開大學出版社，1998 年 2 月，p299。

他好友均是南開中學同學，「醒兄」即前述常策歐，字醒亞，周恩來稱他醒兄。但這些好友中，只有李福景在周恩來心中是獨一無二的。一月五日的「綿綿葛藟綿綿恨；寸寸相思寸寸灰」是否就是為李福景所作？

一月三十日【修學】再引白居易《長恨歌》詩句：天長地久有時盡，此恨綿綿無絕期，表達有情人不能長相廝守的悲情。這個又是指誰和誰之間的「情」？

接著二月一日【修學】欄中引用了白居易詩《昭君詞》的前兩句：漢使卻回憑寄語，黃金何日贖蛾眉。

二月二日的【修學】引用的是後兩句：君王若問妾顏色，莫到不如宮裏時。

白居易這首詩是寫已遣嫁寨外匈奴王的宮女王昭君請送她出寨的漢使回國時傳話給漢家天子，表達她思念之情。周恩來引用此詩自然也有請使者回國傳送思念之情的含義。那周恩來的使者是誰？他思念不已的「漢家君王」又是誰？

這兩天的日記說，原南開同學任山和嚴修的第五子嚴智開（字季沖，就讀東京美術學校）要回國，所謂使者自然是兩人或兩人之一。二日的日記說，「季沖回來收拾明天回國的東西。我托他帶給慧弟的東西，也拿去了。」這樣看來嚴智開就是周恩來的「漢使」，他要傳思念之情的對象應該就是他的慧弟李福景了。

由此可見，一月五日的「綿綿葛藟綿綿恨；寸寸相思寸寸灰」，一月三十日的「天長地久有時盡，此恨綿綿無絕期」及三月十四日【修學】所錄「回想舊情無限憾」都應該是寫他與李福景的分離之苦。

周恩來日記一開始還提到了一件與李福景有關的事。剛創刊的南開校刊《南開思潮》寄來東京，南開同學會有人批評這本刊物，說辦得不好，周恩來覺得批評不公，打算在南開同學會聚會

討論此事時為《南開思潮》辯護。為了說服大家，他頭一天先做了準備，還與兩位同學談了許久功夫，以作說服。次日的日記說，「攻擊《思潮》的事，亦因為我反對，打消了。」

周恩來為何捍衛《南開思潮》如此賣力？因為《南開思潮》的副總編輯是他的「慧弟」李福景。

三月三十日日記寫他接到多封來函需要回信，但其中李福景來信是最緊急，「晨起得信多封，讀之。皆須答者，而慧弟詢其升學事，尤急急。」

李福景較周恩來遲兩年入南開中學，因此他應該是一九一九年六月畢業，現離畢業時間還有一年，開始考慮畢業後升學前途。從日記中所見，周恩來是一直在極力遊說李福景赴日留學。

四月一日他開始給李福景寫了一封很長的信就李福景升學事談他的意見，寫到很晚還沒有寫完，「晚歸。致雲弟書、致慧弟書甚長，論升學事未竟，夜已深，乃就寢。」

第二天又接著寫，「早起續草致慧弟書。」早上還是沒有寫完，晚再接著寫才完稿，立即發出，「晚歸續前書，竟，發出。」周恩來用兩天時間日以繼夜的趕寫給李福景信，寫得很長，也寫得很急。

一月二十二日的日記曾記載周恩來接到南開同學潘世綸來信說家裏老人不放心他遠到日本求學，他即刻回信要潘「哀求老人將來東的好處多說一說，或者能打動老人的心。」周恩來這封給李福景的長信也可能是向李福景大講來日本升學的好處。

四月三日他又給李福景去了一信。並同時給範、琴兩老伯各寫了封信。琴伯即是李福景父親李金藻，範伯是嚴修，顯然是想說服兩位老人以影響李福景。

四月六日周恩來為李福景開始寫一篇小說，「晚為慧弟作小說稿一篇」，次日早晨起床接著寫，「晨起續昨日未就之稿」。九日

小說寫完後寄往李福景。小說內容不明，不知是否與兩人情誼有關。有說這篇小說是應李福景所邀，為李福景所編校刊《南開思潮》所寫，但《周恩來早期文集》不見收錄。

四月二十三日，周恩來接到李福景來信，「歸來接慧弟來片，知升學有贊成余意處，甚喜。」即是說李福景接受周恩來的勸說，同意來日本，周恩來很高興。六月二十日他接到李福景父親李金藻來信，告訴他李福景八月將來日本，獲知這個好消息後周恩來極之高興，讀書也特別來勁。日記中說「知慧弟將於八月來，甚喜。下午歸來讀，甚勁。」

八月是暑假，李福景可能是欲用暑假時間到日本，原因既可能是探望周恩來，也可能是為了考察日本的學校，作為升學的參考。李福景為李金藻長子，信又是李金藻寄出，目的是來日考察的可能性最高。但李福景最終沒來日本，反倒是周恩來暑假回國探親。

周恩來在日讀書，全靠親友同學接濟，回國探親要多花錢，這對財政狀況不佳的周有很大壓力。而且他兩次爭取官費資格的日本入學考試都因為日文不過關失敗，照理他應該利用暑假在日本學好日文準備下次考試過關才是，但他卻不顧自己的前途，也不顧自己的財力偏要回國探親。看來探親是假，探望思念已久又不能來日本的慧弟是真。

但該年暑假周恩來回國探親發現李福景另有他圖，在報考香港大學。有可能他在日本已知道，所以要急急回國「探親」。

周恩來八月一日回到天津，頭五天他因「腳氣大發」，一直留在家中，同學好友紛紛上門來探望他，李福景除了八月二日未來，其餘日子是天天到周恩來四伯父家報到與周恩來見面。八月七日周恩來開始出門社交，首先去南開母校，與李福景一起吃午飯，晚上還與李福景、伉鼐如等一起看戲。可能因為李福景在準

備八月二十日的香港大學入學試，九日這天兩人未見面，十日周恩來前往北京探親訪友，住了一個星期，李福景也沒有陪同他前往，陪他去的是鼎兄（伉鼎如）和另一位同學陳慕蘧。

周恩來回到天津後，兩人又密切交往。二十日李福景在周恩來家，與周恩來一同吃了午飯，再前往試場。八月二十二日教育廳放榜，李福景只考得第八名，而香港大學僅錄取五人，李福景可能名落孫山。周恩來在日記中心情很平靜地說，「慧弟列是諒無望矣。」

但在八月二十六日這天事情有變。周恩來因參加同學滌非的婚禮，還做儐相，二十四日又赴北京。二十六日一早回到天津，前往母校南開學校，與伉鼎如等幾個師友到養病室見了李福景，午飯時與幾個同學在外面小餐館吃飯，然後再與李福景同往拜訪幾位同學。四點鐘歸家，然後到三伯父周貽謙家晚飯。再回到家時，發現伉鼎如已在家中等候他，然後告訴他一個意想不到的壞消息：李福景已被香港大學錄取，其父李金藻和家人都主張他往香港升學。

而這一天他曾兩度見到李福景，但李福景都未對他談起此事，大概是不忍心告訴他。他見李福景時，李在養病中。李福景患病，是否也因為要與周恩來長期分離影響心情有關？

但無論如何，與李福景在日本一同讀書的願望落空，此事對周恩來猶如晴天霹靂，打擊很大，讓他痛不欲生。當天日記詳細記述了他該日的活動，以及獲伉鼎如告知這個消息後的極度痛苦，日記中說：

> 歸來見鼎兄先至，告余以慧弟已取。琴伯及其家均主其往香港。**余聞之心傷已極，一場空歡喜，頓如涼水澆背，立失知覺。鼎兄去後，余殊無語對此事，昏昏睡去乃又睡不著，難受極矣。**

據郭大江「尋找李福景」一文說，查香港大學當時的「大學錄取委員會會議記錄」，李福景雖然香港大學入學試不理想，但校方同意他入讀，但要他複考英文。李福景後來在十二月的英文複考中過關，得以在一九一九年進入香港大學土木工程系，但只讀了一年。

周恩來所謂空歡喜，應該是指原以為李福景將會赴日升學。日記說李福景家人「均主其往香港」，即使說，在赴日還是往香港的選擇間，其家人是主張到香港讀書，否定了周恩來希望的赴日留學。周恩來已在日本飽嘗對李福景的思念之苦，而今短暫的別離恐成長期的分開，這對每日不可無慧弟的周恩來肯定是相當大的感情重擊。

在此個人感情的巨變次日，即八月二十七日，周恩來在【修學】中記述說，「最是傷心此日。」他立即給李福景寫了封長信。這天剛巧周恩來生父回南京。周恩來在日記中還寫道「昨事傷心方未已，今朝又復別嚴親。」**「此情此景不知若何難受。孤單單既離吾家，又復遠吾愛友，傷心之極不復再有言矣！」**

在這則日記中，周恩來首次稱李福景為「愛友」，而這個稱呼在周恩來留下的文獻中也只是指李福景一人而已。

八月二十七日這一天應該是周恩來最後一次認真寫日記，而日記主要陳述他受到打擊後的痛苦。過了兩個月後的十月二十五日，周恩來在八月二十七日這天的日記後面又補寫了一句，說他為李福景到香港升學事整整痛苦了兩個月，並因此無法寫日記，**「從怎頁起直至十月二十五日，吾未嘗提筆一記，此心之傷實歷兩月。每當月夕風晨、雨窗花前，吾心之念念吾家，想吾慧弟，尤難受也！」**

在這補記的日記中，周恩來想念「我的慧弟」（吾慧弟）到對月傷情，對花落淚的地步，如此纏綿悱惻，這樣細膩的情感表露

已遠遠不是至交好友間的情誼，而是一種傷心蝕骨的失戀之痛，只有失去戀人的人才會發出這樣痛苦的哀鳴。

周恩來說他從八月二十七日到十月二十五日「未嘗提筆一記」，但其後實際有記錄，只是極其簡單。二十八日的日記兩句話，【修學】說「**坐臥不安**」，然後一行通訊記錄「【通信】接山兄片一、撼弟片一、禪弟條一、鼐兄信一。」二十九日也是一行，為「【通信】柏榮信一、山兄片一，接峙之信一，南開同學會信一。」三十日的日記說「**黯然魂銷**」，然後記載寫了一信給李福景，接著一句說「**別吾慧弟矣！**」

這些記述有可能是周恩來後來補記，也可能因為記錄太過簡單，周恩來認為不算是提筆記述。

就在這「黯然銷魂」的八月三十日之後，周恩來長達八個多月的日記記載風格完全中斷，後來的日記（直到十二月底）不但中間常有一些日子完全空白，沒有一字記載，而且有記載的每次記述只短短一行，僅說給誰寫了信或收到誰的信而已。只在十月十七日，南開母校紀念日又多寫了幾句，抒發他懷念與李福景共處的時光，以及對兩人將從此分離所感受的痛苦「**今日，何日？今夕，何夕？軍樂鏗鏘，新劇開幕。此何地邪？晚間與同學數人遊公園、月夜淒涼，宛如舊日，回想前情，心焉愴惻矣！**」

周恩來因此事變，在八月二十七日之後，傷心到不願提筆記日記，先是達兩個月沒有提筆，後來則是指簡單一句應付了事，這種狀況至少是持續到該年年底。周恩來過了一九一八年之後是否寫過日記，以及日記內容如何，則不清楚。根據日記的描述，周恩來在隨後的歲月情緒相當消沉，如情人失戀一樣。

在一月二十二日的日記中，周恩來記述他南開中學另一位好友潘世綸家人反對他遠赴日本升學，周恩來也感到很失望，說「真正叫我失望得很了！」於是連夜寫快信去勸說，叫他「哀求

老人將來東的好處多說一說，或者能打動老人的心，也未可知。」
其反應僅此而已，與周恩來獲知李福景不能與他同在日本讀書時
那種痛徹心肺，幾近崩潰的狀態完全不能相比。

　　八月三十日日記說了一句「別吾慧弟矣！」八月三十一日，
記錄他分別寫了一信給李福景和李福景父親李金藻。其後三日無
一字記載，日記為空白。跳到九月四日，日記只四個字「安抵東
京」。

　　當時中國京津和東北的學生赴日留學，主要是乘東北南滿鐵
路經朝鮮到日本，而南方學生則是從上海坐船到日本神戶港上
岸，但周恩來初到日本走的是南方這條線，以及最終回國也是從
神戶啟程。據周恩來日記，周恩來這次暑假回國，是走的北線，
七月二十八日動身，從本州的下關登船，到朝鮮釜山上岸，然後
坐火車經朝鮮，輾轉四五日，八月一日才抵達天津。

　　周恩來這次返回日本，可能也是同一條路線，因此途中也要
用四五日，很可能是寫了「別吾慧弟」後的次日（八月三十一日）
即動身返日，恰好可在九月四日到東京。日記中空白的三日，應
該是在回日的路途中。周恩來八月一日回國後，同學朋友交往聚
會絡繹不絕，非常熱鬧，但突然之間，日記中不置一詞，沒有送
往迎來的記載，就回到了日本。

　　離別如此倉促，似乎周恩來是在大受打擊後，以逃離的心態
離開天津。他要返回東京療傷，孤身上路，在漫漫的長途中舔噬
自己的傷痛。

　　在八月二十六日獲得李福景將到香港升學的消息後，到他離
開天津返日之間，周恩來是否還見過李福景？李福景本來同意赴
日讀書，為何又改變主意？是他本人的意願，還是受到家人的壓
力？他和李福景之間究竟發生了什麼事？這些問題在日記中除了
說家人「均主其往香港」外，沒有其他記載，因此都沒有答案。

相信在李福景轉變意向改進香港大學讀書的決定後面，有很複雜的背景，而這些多少應該也與周恩來感情糾葛有關。

　　此後周恩來日記的記述只有書信往來的記載。而頭幾天甚至只有來信記錄，好像情緒低落到連給朋友提筆寫張明信片的勁都提不起來。後來可以提筆了，但也只是如「致霆翁、山兄、潔民、文珊、贊武信各一」之類，對其後行蹤活動，做了什麼事，到過何處，拜訪過何人等，完全不提，只在九月二十五日這天忍不住多寫了「慧弟生日」四字，並記載寄了一掛號信給李福景。十月十七日母校紀念日，寫了一段非常感傷的話。以及十月二十日的「二十年華識真理，於今雖晚尚非遲。」痛定思痛後此處突然大覺大悟，周恩來到底識到了什麼「真理」？日記中沒有任何解釋。

　　十月十七日母校日這一天，據《周恩來年譜》，周恩來在東京南開同學母校校慶紀念會上發表了演講，並當選南開同學會副幹事，這個演講免不了有慷慨激昂的言辭，但該日日記卻流露出沉重的悲涼情緒。可見，白日的演講未必是他心中的真實感受，周恩來的雙重性格自此已開始。

　　據迪克·威爾遜的《周恩來傳》和韓素音《周恩來和他的世紀》說，周恩來原是想去美國讀大學，校長張伯苓也勸他去美國，但是因為無財力支持，才赴日本讀書。周恩來的族人和同學共同資助他赴日。他抵達東京後，先在日本語言教學專家松本龜次郎興辦的語言學校東亞高中預備學校學日文，准備投考東京高等師範，以獲得北洋政府的官費資助。

　　當時北洋政府與日本政府之間有個資助中國留學生在日就學的協定，考獲東京高等師範和東京第一高等學校等指定日校的中國學生可以得到北洋政府的官費資助。但周恩來第二年三月投考失敗，七月又去報考東京第一高等學校，又以日語「會話成績甚劣」等原因落榜。

　　值得注意的是，周恩來兩度參加決定自己命運——能否獲得官費身份——的考試，兩次落第，心情自然不好，但在日記中的反應遠遠不及得知李福景不能到香港升學來得強烈。兩次考試失敗回國度假時還興致很高，訪朋會友，看戲吃大餐，遊公園，到照相館合影，玩得不亦樂乎，一點失敗的陰影都沒有。直到八月二十七日這天獲知李福景將到香港升學，情緒才直轉急下。

　　周恩來回家過暑假，經受了李福景升學問題的慘痛刺激，以逃離的方式回到日本，九月四日抵東京，其後行動如何，他的日記完全沒有記載。次年三月周恩來決定離開日本，四月中旬啟程回國，入讀即將開張的南開學校大學部。在這段時間他生活如何度過，個人前途作何打算，日記沒有披露，他也沒有任何可資參考的文字留下來。

　　以這次暑假回國探親為界，周恩來留日生活分為前後兩部分。前半部分，有周恩來與朋友的書信和他詳細的日記記載等為資料，其行踪和思想精神狀態非常清晰明白。但下半部分，從一九一九年九月到次年三四月回國，日記長達半年時間信息是空白的，來自他本人其他資料如書信等也告缺失，周恩來這段時間的在日生活變得神秘不可知，現在能夠略知一二都是依靠其他人的側面記述或回憶。

　　對周恩來留日後半部分的生活，連中央文獻研究室的《周恩來年譜》也只有如下這麼一點內容：

　　　　10 月 17 日　　參加東京留日南開同學會慶祝校慶日集會，發表演說，並當選為該會副幹事。
　　　　本年俄國十月革命勝利的影響傳到日本，同時由於階級矛盾空前尖銳，馬克思主義和不同流派的社會主義學說同時湧向日本，得到廣泛傳播，介紹各種思潮的書籍很多。周恩來開始接觸馬克思主義，先後閱讀了幸德秋水的《社會主義

神髓》、約翰‧里德的《震動環球的十日》，河上肇的《貧乏物語》以及《新社會》、《解放》、《改造》等雜誌，同時也閱讀了介紹「無政府主義」、基爾特社會主義、日本新村主義的文章。在十月二十日的日記中寫道：「二十年華識真理，於今雖晚尚非遲。」

　　1月（1919年）　日本早期馬克思主義研究者、傳播者河上肇創辦的《社會問題研究》雜誌創刊。周恩來是該刊的熱心讀者。

這段記述只說周恩來十月十七日在東京出席了南開同學的校慶會，以及讀了幾本書，實際並沒有清楚交代周恩來的主要行蹤。

周恩來回到日本後，可能先寓居南開同學王樸山在東京神田區三崎町家的樓上，十月即搬進了「新中學會」的集體宿舍「新中寄廬」。「新中學會」是留日的南開學生和其他天津學生成立的一個社團，周恩來一九一八年五月十九日加入。周恩來上半年日記中，有多次參加「新中學會」活動的記錄。在前部分的周恩來日記中，曾記述了他在「新中學會」的幾次演講，有一次是講婚姻和「獨身主義」，一講就講了一個半小時。

一九一八年十月，「新中學會」在東京早稻田租了一所有十七八間房的房子，作為會所和會員宿舍「新中寄廬」，約定除確有困難者外，會員都要搬進去過集體生活，因此周恩來作為會員，也不能例外。此外，宿舍內一切清潔衛生、燒飯、洗碗、採買、看門等生活事務，均由會員輪流擔任，各人所有現款一律交公存儲，按需支用，由經濟比較充裕的會員一次或分次交出定額互濟金，幫助有困難的會員的學膳等費用，以發揮會員間的互助精神。在周恩來日記附件的支出款項中，十月有搬家一項，支出搬家二元，飯錢四元的記載，應該就是搬進新中寄廬的費用。

據楊扶青所著《「新中學會」紀要》，是年十二月十七日，嚴修、張伯苓及北洋政府教育總長范源濂美國考察歸國，路過東京，參觀了「新中寄廬」，與「新中學會」會員共進午餐，而那日午餐就是周恩來和幾位會員烹調的。【114】

除了「新中學會」的集體生活，周恩來這半年還參加了另一個留學生組織——「留日南開同學會」的活動，並當選副幹事。周恩來好群體生活，喜歡交友接伴，在前半年的日記中有大量記載，但這些群體活動在他後半年的日記中無一字提起。似乎他只是打起精神與人應酬，內心還在失去李福景的傷痛中，未能平復。南開留日同學會慶祝校慶，他參與其中，觀看了新劇，發表了演講並當選副幹事，晚間還和數位同學遊了公園，但他沒有享受慶典的喜悅，日記中僅記述他觸景傷情，感到淒涼和愴惻，頗有點「對人歡喜背人愁」的味道。

6　神秘的「吳大個」

這時的周恩來呆在日本，精神痛苦，財力困頓，前途渺茫。迪克·威爾遜的《周恩來傳》書中說，一個神秘的人物 Wu Dager（中文版翻譯為「吳大個」）在周恩來最困難的此刻，精神和財力上都走投無路，幾近絕境之時向他伸出了援手：

> 一九一八年，當秋日來臨之際，周感到絲絲涼意。這時，吳邀請周到他那裏去和他住在一塊。吳由於獲得了兩份生活津貼，再加上有一個聰慧的妻子，他能夠繼續生活下去，並且按照學生的生活標準，吳過得非常舒服。「你和我們呆在一起」，他在信中寫道，「這樣我們可以抽時間商量一下你上京都大學的事情。京都大學的社會科學系師資力量很強，你會喜歡那裏的。我已經問了你好幾次，但每次你都

【114】《楊扶青与新中学会》，鳳凰網歷史欄目。

說不願意靠朋友過日子。然而，即使你不考慮我們在南開的友誼，可我們現在都是處於異國他鄉的外國人，難道我們不該互相幫助嗎？」吳的其他信都未能說服周，但這最後一封信感動了周。他整好行裝，乘上火車，奔向京都。在京都車站，他熱淚盈眶地撲進了他中學時的老朋友吳的懷抱。【115】

而這位「吳大個」是第二次充當周恩來的保護者。第一次是周恩來在南開中學的時候。

迪克·威爾遜說，周恩來初入南開中學時，清秀靦腆，穿一雙花襪子，像一個女孩子，因而受到同學戲弄，是這位個子高大、狀如摔跤手，有大力士之稱的東北大漢挺身而出將這些戲弄周恩來的同學訓斥了一頓，從此再無人敢欺負周恩來。周恩來隨後與「吳大個」建立了深厚的友誼。周恩來赴日留學，已在日本考上官費留學的「吳大個」找了幾個同學為他捐款，吳本人每月資助他十美金。一九一七年九月他在神戶港上岸時，是「吳大個」來接船。

這個「吳大個」是誰？中國大陸很多閱讀過這位英國作家所寫《周恩來傳》的讀者都在問這個問題。迪克·威爾遜的書沒有註解，而中國國內關於周恩來的著作則沒有提到過這樣一個人物。筆者花了很長時間才查到，原來此人是周恩來的南開同學吳瀚濤，字滌愆，周恩來日記中有記載，但當然不叫「吳大個」，而是他的字「滌愆」。迪克·威爾遜的《周恩來傳》中稱為「Wu Dager」或「Wu」，可能源於美籍華人學者許芥昱一九六八年英文出版的《周恩來傳》，後者提到吳瀚濤用的是化名。許的《周恩來傳》中文版一九七六年一月在香港出版，則稱為「瀚」。

【115】迪克·威爾遜，《周恩來傳》，國際文化出版公司，2011 年 7 月，p46。

此人非常重要，因為他有關周恩來在日生活的回憶填補了周恩來在日本後段生活的空白記錄，也是迄今有關周恩來這段時間因情感受到刺激而變得意氣消沉，乃至憤世嫉俗的唯一見證人。

周恩來什麼時候從東京到京都，開始與「吳大個」夫婦生活在一起？

查周恩來日記，他在暑假後回到東京，十月五日開始收到吳瀚濤多次來信，最後記載是十一月二十九日，他接到吳來信，然後回了一明信片。此後周恩來幾乎沒有再寫日記，僅止三天有記錄。十二月十三日【修學】寫有「母親亡後四十一周年生辰。」十二月十六日記，「【通信】致撼弟（薛憨嶽）片一。」然後是最後一天十二月二十三日日記，「【通信】致慧弟信一。」日記到此為止。

由此可推，吳瀚濤可能多次去信要周恩來到京都與他一道生活，準備投考京都大學，但都被周恩來拒絕了，最後接到吳十一月二十九日的來信，周恩來回了一明信片。

周恩來一九七一年一月二十九日接見日本乒乓球協會會長後藤鉀二時回憶他在日本留學生活，說他在神戶上船回國前在京都住了一個月。據《周恩來年譜》，周恩來一九一九年四月中旬從神戶登船回國，那麼周恩來住吳瀚濤夫婦家應該是該年三四月，而非一九一八年的秋冬。

周恩來多次拒絕後終於接受吳瀚濤的善意，有可能他當時處境已非常困難，迪克·威爾遜形容周恩來放棄了吃肉，「不得不勒緊褲腰帶。」[116]吳瀚濤有個能幹體貼的太太，兩夫妻又都獲得官費資格，租了一所小房子，生活很舒適，很歡迎他來共同生活。[117]

【116】同上。
【117】許芥昱，《周恩來傳》，明報出版部，1976 年 1 月，p27。

　　拔救周恩來出艱難境地的吳瀚濤也是一位在周恩來人生中留下重要痕跡，但因其後來的政治取向而被中國官方歷史有意淡化掉的人物。

　　在周恩來日記中，「滌愆」之名頻繁出現，兩人來往十分密切。元旦日記首篇就提到吳瀚濤來看他（當時吳在東京第一高等學校），他同時還收到吳瀚濤一張賀年片。其後四日，兩人天天見面。日記中記載，五月時間國內傳來消息，日本政府擬與段祺瑞政府秘密簽訂《中日共同防敵軍事協定》，留日中國學生認為是賣國條約，紛紛抗議，發起「愛國拒約」運動，甚至號召留日同學放棄學業回國請願。吳瀚濤是其中激進者，在五月十一日告辭周恩來回國。其後周恩來與他往來信件不絕。

　　在周恩來日記後面有個收入款項附件，記載同學給他的資助。在這個表上的收入中每月寫有「滌愆交來」五元的記載，說明吳瀚濤每月資助他五個大洋。

　　就是這位兩度庇護周恩來，並資助他學費的東北大個子，因最後成為中共的政敵，而被中共在歷史上抹殺掉。迪克·威爾遜和徐芥昱兩人的《周恩來傳》提到吳瀚濤都採用化名，可能最先出於許芥昱，因為他採訪過當時人在台灣的吳瀚濤本人，鑑於當時海峽兩岸處於敵對狀況，所以不便用真名出現。迪克·威爾遜的周傳初版在一九八四年出版，晚了十六年，迪克·威爾遜也在一九八〇年六月採訪過吳瀚濤，雖然中國「文革」已結束，但當時兩岸關係還沒有解凍，因此仍然用化名，原文為英文 Wu Dager，中文版翻譯為「吳大個」，也有人翻譯為「吳達閣」。

　　吳瀚濤是吉林人，比周恩來大四歲，不過在政治上遠比周恩來早熟，在入南開之前於吉林省立中學讀書時已加入國民黨，鼓吹革命，遭吉林督軍孟恩遠緝捕而南下天津進入南開。那時周恩

來還是一個政治上朦朧迷糊的少年，吳瀚濤已是個有流亡經歷的青年革命家。

　　此人也遠比周恩來會讀書。周恩來考官費資格屢考屢敗，從來沒有成功過，無奈之中最後要請人疏通走後門，但吳瀚濤考官費留學資格如探囊取物輕而易舉。吳一九一八年五月因抗議北洋政府與日本締約而放棄已經考入的東京第一高等學校回國。但隨後再回到日本，重新成功考入京都第三高等學校文科，後又考入東京帝國大學，獲得法學碩士。一九二五年又考取官費赴美讀書，連讀兩間美國名校，獲得哲學博士。【118】

　　吳赴美後，與周恩來因政見不同而分道揚鑣。周恩來到法國後多次將共產黨宣傳資料寄給吳瀚濤，長篇大論勸吳加入激進運動，但吳瀚濤回信說，「兩次收到寄來文件。彼此見解從不一致。願友誼終身。思想上分道揚鑣可也。愚兄瀚」【119】

　　吳瀚濤回國後先任教東北大學，成為東北名流，後在國民黨中任要職，「西安事變」中支持中央。兩人在「西安事變」後曾有一次故友重逢。蔣介石西安脫險後，吳瀚濤受蔣介石令飛西安調解中央與東北軍關係，奉命將蔣介石修改的停戰條件交給周恩來，在楊虎城公館見到了昔日同窗好友周恩來。據吳瀚濤說，兩人都有些尷尬，彼此稱先生，握手僵硬。敘舊寒暄後，周恩來問他太太是否還是原來那一位，吳瀚濤頓感憤怒，覺得受到侮辱，因為共產黨一貫詆毀國民黨官僚生活腐化。吳瀚濤於是冷下心來，以公事公辦的冷淡態度辦完這次交涉。【120】故友重逢，但友誼已逝。

【118】「民国合江省政府主席吴瀚涛──南开中学风云人物之17」，鳳凰博報，2008 年 7 月 25 日。
【119】許芥昱，《周恩來傳》，明報出版部，1976 年 1 月，p44。
【120】許芥昱，《周恩來傳》，明報出版部，1976 年 1 月，p152、153。

　　吳瀚濤是鐵桿反共分子，一九四七年十一月，任東北合江省
政府主席，再兼任東北行轅政務委員會委員及東北「剿匪」總司
令部總秘書長。東北陷共後，他與夫人苑潤蘭是經化裝逃到南
京。雖然青年時代與中共大人物周恩來有深厚交情，而且還有厚
恩於周，但與中共結下血海深仇，「吳大個」對勝利者不抱幻想，
最後夫妻兩人隨國府遷往臺灣，安享餘生。吳在一九八八年十二
月二十二日在臺北故去。【121】

　　在很長一段時間，在周恩來的官方經歷中，吳瀚濤是個不存
在的人物，到兩岸關係解凍，國共關係和緩後，才在大陸的刊物
上罕有地出現「周恩來同學吳瀚濤」這個人，但在官方文獻中他
到底與周恩來關係如何仍然諱莫如深，以金沖及的官版《周恩來
傳》為例，在周恩來南開中學這一章節中對吳瀚濤隻字未提。在
留日這章，提到吳瀚濤名兩次，一次將他並列在周恩來的其他同
學之中，第二次輕描淡寫地說周恩來離開東京歸國，途中經京都
在吳瀚濤處住了一段時間。

　　當時吳瀚濤和妻子及兩個中國學生同住在一棟租房中，周恩
來與他們生活在一起。按吳瀚濤的建議，周恩來現在唯一的出路
是爭取考上京都大學，但無任何資料顯示周恩來去努力過，給人
感覺他是完全放棄了，無心求學。周恩來填過一份申請入京都大
學的文件，選修政治學和經濟學課程，所留地址仍然是東京的東
亞高等預備學校，但不清楚這份申請書是否遞交給京都大學。迪
克‧威爾遜說，周恩來每天一早起床整理房間、打掃衛生，還給
吳瀚濤夫婦煮晚飯，不介意他的朋友說他做的是「女人的事情」。

　　周恩來在京都生活的這段時間精神非常消沉失落，不止一次
喝醉酒失態，思想也變得憤世嫉俗，激進起來。

【121】「民国合江省政府主席吴瀚涛——南开中学风云人物之17」，鳳凰博
　　　報，2008 年 7 月 25 日。

　　有一次，爭論發生在吃飯後，爭論的主要內容是如何拯救中國。由於爭論得比較厲害，周不停地往自己的杯子裏倒酒喝，在爭論的高潮中竟有點失態。「光靠強硬的領導」，他斷言說，「是不可能挽救局勢的，必須擁有堅定的追隨者來支持領導，必須逐步地對年輕一代和老一代進行徹底的再教育，如果可能的話，應該包括學生、工人、甚至農民；在革命成功之前，必須使這些人站在自己一邊。不進行革命，中國便得不到拯救！」

　　這時，吳傾過身來從他的朋友手中奪走了酒瓶，把它扔在地上。「如果你再這樣喝下去的話，那你根本救不了中國！」他叫道。

　　就連吳的妻子也插話提醒周說：「恩來，你必須關心自己的身體，不要喝得太多。在你來這裏之前，吳十分擔心你一人孤獨地呆在東京。他說，甚至在南開時你就愛喝酒。」

　　據吳說，周當時的反應只是靜靜地轉過身去找來一把掃帚，把亂東西清理了一下。第二天，他給他的主人們帶回一束鮮花，儘管他當時實際上已是身無分文。「你怎麼能真地和一個象我這樣的人生氣呢？」吳後來說道。

　　還有一次，當吳從喝醉了的周手裏把酒瓶奪走時，周衝回自己的臥室並把自己閂在屋裏面。吳發現周為自己沒有其他朋友而感到痛苦。他的日語還不是太好，影響了他大量外出，而使他的活動顯得單調孤獨。【122】

吳瀚濤和他的妻子察覺到周恩來精神上很痛苦，很落寞，但錯誤地理解是他日語不好缺乏社交，完全不知道他正在為一段感情上的巨大失落遭受著精神上空前的煎熬。韓素音的《周恩來和

【122】Dick Wilson, *Chou: the Story of Zhou Enlai* 1898-1976, Hutchison, 1994, p40, p41. 但中國大陸出的中文版，將「如果你再這樣喝下去的話，那你根本救不了中國！」篡改為「如果你堅持這種觀點的話，那你就不可能拯救中國」。迪克·威爾遜，《周恩來傳》，國際文化出版公司，2011年7月，p48。

他的世紀》英文版則說，吳瀚濤認為周恩來在日本這段最失意的
日子可能是在慘痛的失戀之中。【123】

在這半年多的時間，周恩來內心中激烈的情緒和思潮起伏究
竟如何？在周恩來日記除了十月十八日記載南開母校紀念日他心
情淒涼愴惻外，沒有其他文字記述，但他的同窗好友吳瀚濤接受
許芥昱和迪克·威爾遜採訪，證實了周恩來在這個時期情緒非常
低落失意。吳瀚濤大概是對周恩來這段時間真實精神狀況作出見
證的唯一的人。

雖然經過半年的情感療傷，周恩來低落的情緒估計一直持續
到他離開日本時。他三月離別東京時，周恩來將他那首「大江歌
罷掉頭東」那首詩抄送給考上日本官費留學的同學張鴻誥，附加
了一段臨別贈語，語氣相當落寞，稱自己「浪蕩年餘，忽又以落
第返國圖他興。」還說「醉罷書此，留為再別紀念，兼志吾意志
不堅之過，以自督耳！」情緒仍然未見平伏。

《周恩來年譜》說周恩來三月聽聞南開學校創辦大學部後才
決定回國「圖他興」。這個提法值得商榷。南開學校要辦大學部，
周恩來早在一九一八年四月嚴修訪美考察教育途中停留東京時已
知。據周恩來日記，四月十五日，周恩來到嚴修下榻處拜訪，交
談至午夜，是夜並在嚴修處留宿。南開大學學報的《南開校父嚴
範孫》文章說，嚴修在這天交談中，告訴周恩來將辦大學，歡迎
周恩來回去就讀。

但奇怪的是，周恩來四月已知南開大學將開辦，他在七月第
二度參加日本官費考試名落孫山，如果他打算進入南開大學，暑
假回國後他應該不必再回到日本。但他不但回來，而是受到精神
打擊後即刻匆匆返日，但到日本後又無心向學。這次可能是到走

【123】Han Suyin, *Eldest Son: Zhou Enlai and the Making of Modern China, 1898-1976*, Hill and Wang, 1994, p48.

投無路才回到中國。周恩來四月回國時，連路費錢都沒有，是吳瀚濤的夫人賣了貴重的戒指給他做路費。【124】

　　周恩來臨歸國前，「新中學會」多位好友及在京都的會友來向他告別，一起合影留念。周恩來這時留下遊覽京都的四首詩。三首寫於四月五日，一首寫於四月九日。寫於五日的其中一首《遊日本京都圓山公園》較耐人尋味：

> 滿園櫻花燦爛，
> 燈光四照，
> 人聲嘈雜。
> 小池邊楊柳依依，
> 孤單單站著一個女子。
> 櫻花楊柳，那個可愛？
> 冷清清不言不語，
> 可沒有人來問他。

　　詩歌中神秘的女子是誰？有很多解釋，是周恩來遊圓山公園的寫實？還是另含寓意，以一個神秘女子來抒寫周恩來內心的淒涼和痛苦？

　　經過無數次內心的掙扎，周恩來最後在無奈和悲涼中離開了他求學一年半的日本。可以設想，如果李福景如原計劃到日本升學，周恩來即或在日本報考官費資助學校一再碰壁，他應該還是會在日本繼續奮鬥下去，爭取來年再考。但李福景入香港大學使他留在日本已意興闌珊。而周恩來回國之際，其愛弟李福景也將離開天津南下英國殖民地香港讀書。兩人前途的分離導致了周恩來人生第一次大轉折。

【124】許芥昱，《周恩來傳》，明報出版部，1976 年 1 月，p30。

7 「寸寸相思寸寸灰」

周恩來歸國一年後，與李福景兩人的友誼又突然峰迴路轉。已成功進入香港大學的李福景最後卻放棄了香港大學的學業。他一九一九年進入香港大學土木工程系，只讀了一年，次年即與周恩來同赴英國留學。李福景已成功考入香港大學，為何讀了一年，最後放棄，改變主意，願意同周恩來一道赴英國留學？雖然沒有資料能解答這個問題，估計與周恩來有關。其間的過程應該相當複雜和曲折。

《南開中學風雲人物》介紹李福景說，一九二〇年七月十七日，周恩來獲釋出獄第二天，李福景父親李金藻設家宴招待周恩來，周恩來在席間向李金藻談到了想到歐洲留學的設想，得到了李金藻的讚賞和支持。【125】可見，與李福景前往英國留學，周恩來是遊說了李福景的父親，兩人同赴英國留學應該是在一九二〇年他出獄後已初步決定。其後近半年周恩來為赴英讀書而奔走各方，對他參與的天津學運熱度有所下降。周恩來在天津警察廳坐牢八個月，收集各牢友的資料，匯總寫了一部《警廳拘留記》。他在一九二〇年五月開始編寫，到六月五日編完，未得謄清。出獄後因為有機會與李福景赴英留學，周恩來忙於奔走赴英國留學事項，書稿耽隔了好幾個月，直到十月他臨出國時，才把這書交付發表。

周恩來為了把握與李福景生活在一起的第二次機會，確實盡了最大的努力。先是通過嚴修獲得赴法勤工儉學名額，兩人千里迢迢來到歐洲大陸，因為英國讀書費用太高，嚴範孫給他的獎學金和他為《益世日報》寫稿的收入無法應付，為了爭取在英國留下去，周恩來是窮盡了各種方法，他低聲下氣向兩伯父和嚴修求

【125】思愚，「周恩來家庭世交、同窗好友李福景——南開中學風雲人物之176」，鳳凰博報。

援，希望拿到江浙地區官費留學生名額，但和第一次一樣願望最後落空。

對於周恩來來說，不能進入愛丁堡大學，比第一次在日本失敗更加前路茫茫。在遙遠的歐洲，經濟的壓力更加沉重難以負荷，而且法國讀書語言更加困難，法語要從頭學起。更要命的是，又要再次被迫與心愛的「慧弟」分手。第一次分手，他希望李福景能到日本與他會合，願望落空後深受刺激，情緒極度抑鬱，匆匆逃回日本，對月傷情，醉酒、逃避朋友、放棄學業…，至少長達半年精神不振，甚至出現精神危機，從一個性格溫和的青年開始向憤青轉變。

至於李福景，順利進入香港大學已入讀一年，為了周恩來而轉學萬里之外的英國，他已為周恩來作出了重大犧牲。李福景能夠留在英國曼徹斯特大學讀書，一是他英文比周恩來好（已有香港大學的基礎），二他家庭經濟狀況較周恩來好，三李福景成績也好，後來還拿到大學給他的獎學金。李福景似乎不可能為周恩來再轉一次學。兩人這次一別，人生之路將會永遠不一樣。雖然周恩來沒有一本類似《旅日日記》的留歐日記記載他此時的心態，但可想而知在英國留學的失敗，對周恩來的打擊，可能遠遠比日本那一次嚴重很多。

李福景的父親李金藻有兩位夫人劉氏和呂氏，劉氏為正妻，李福景為劉氏所生，而且是長子，天津電視台的三集電視劇《和周恩來同窗的歲月》描寫李景福很聰明，帶書卷氣，又說他是個嬌生慣養的小少爺，這有可能符合真實的李福景原型。像這樣一個天津世家大族的長子嫡孫，李景福個人的人生之路，不是那麼容易自我選擇。曾經的「三劍客」之一吳國楨說：

> 他兼祧三家，兩個叔叔都無子女，按照中國的習俗，他不僅將繼承父親也將繼承叔叔的財產，因此三家都競相關心

他的福利。對許多中國人來說，最大的不幸莫過於沒有直系
後人在祖先靈牌前祭祀。人們很容易想像，在李的早年他是
如何被呵護的，每一步都是在仔細照看之中走過的，決不會
允許他冒險。他的生活是受庇護的，人生道路從一開始就是
標定好了。【126】

　　有關李福景後來的婚姻家庭生活，筆者多番查閱，收穫不
多，只是感覺李福景家庭生活可能不太理想。他的妻子柴志蘭浙
江寧波人，天津女師畢業，為鄧穎超校友，兩人感情如何，不清
楚。

　　一九五八年三月五日，周恩來六十歲生日，李福景與妻子曾
一同到中南海西花廳作客祝壽。兩人生了四個孩子，長子李競為
中國著名的天文學家。李競生於一九二八年，應該是李福景留學
歸國後所生。李福景長期在北方工作，但李競卻出生在李福景祖
籍的浙江餘姚，長到六歲才到天津與祖父李金藻一家生活，直到
成年。李福景看來與自己的兒女關係相當疏遠。他四個子女都沒
有與他共同生活，據李競說，「我們兄妹四人，都在祖父母的陪
伴下長大。」【127】對李福景來說，養兒育女好像是為了盡家族的責
任，生孩子是為祖父承歡膝下，看來不是一個有責任的父親。

　　不知是否因為父子關係比較疏離，李競對父親李福景青少年
時代生活，不是很清楚。他說，「父親說當年他從香港大學畢業
後一心想去英國留學，所以到了法國之後就和周恩來分開，轉道
去了英國曼徹斯特大學專攻土木工程。」李福景對兒子說的這番
話是不符事實的。第一，李福景沒有在香港大學畢業，只在港大

【126】馬軍，「吳國楨視野裏的周恩來」，《二十一世紀》二〇〇八年二月號．
　　　第一〇五期。
【127】倪勁松，「李競：探索太空奧秘的余姚人」，《余姚日報》，2015 年 6 月
　　　18 日。

讀了一年。第二，他是和周恩來一道赴英國留學，周恩來無法留在英國才去的法國，兩人是在英國分手，而非法國。

李福景為何要對兒子撒謊？是否要隱瞞他和周恩來的真實情感？

有關兩人交往實情，我們看到的只是周恩來這一方的資料，李福景那一方的感情如何，除了在一張照片上他親暱地稱周恩來為"恩來七哥"之外，幾乎沒有任何文字披露，因此只能從周恩來的角度來推測，可能在承受壓力上，他比周恩來要脆弱。李福景南開畢業後，本來已同意到日本升學和周恩來一起生活，但後來改變主意轉往香港大學就讀，或許是受到某種壓力（來自社會抑或家庭？）使他感覺兩人的交往沒有前途，因而要為兩人友誼的熱度降溫，這才使得周恩來的反應會如失戀一樣的強烈？可能李福景也為此飽受痛苦。

李福景最後在英國與周恩來分手，對他來說，也可能是很大的打擊，但以他的家教和成長背景，他應該沒有周恩來那樣叛逆，不會反抗家庭為他作的安排，不論內心如何痛苦，他仍然按照當年中國上層社會對子弟的期許，成家立業，雖然家庭生活看來不是很圓滿。

周恩來對李福景如此情深誼重，在天津四年，非每天見到愛友不可，一見到李福景，周恩來即化愁為喜，推心置腹，可以整天與李福景談天說地。赴日留學與李福景分開對他感情是很大挫傷，是「寸寸相思寸寸灰」。因此想法設法遊說李福景來日本讀書，最後知道李福景不來日本而是到香港讀書，晴天霹靂，「頓如涼水澆背，立失知覺」。此後匆忙逃回日本療傷，情緒低落，無心求學，對人歡樂背人愁，苦悶淒涼，長達兩個月無法提筆寫日記，最後的日記是草草了事，對自己的學業和在日生活隻字不提。周恩來亦因此變故，開始憤世嫉俗。回國後周恩來最終說服

李福景從香港大學轉學，與他一道赴英留學，開始新生活。為了達到這樣的目地，他用盡一切手段為自己爭取留英官費名額。

周恩來整個人生，除了李福景，恐怕沒有第二人讓他付出如此深厚的感情，並為兩人感情的波折承受了如此痛苦的磨難。

如果再倒過來看日記中周恩來對他「不婚主義」的陳述：他本人是相信愛情的，但只是認為，愛情是超越男女的，男女異性之間結合的婚姻家庭除了生育功能之外，毫無意義。周恩來「愛情」觀中，「戀愛是由情生出來的，不分男女，不分萬物，凡一方面發出情來，那一方能感應的，這就可以算作戀愛。」那麼他對李福景如此之深的感情算不算超越男女的愛情？

我這裏不是說李福景本人與周恩來一樣也是同性戀者。李福景本人的愛情婚姻觀念是否和周恩來一致？他對周恩來的感情究竟如何，是把周恩來僅當成義結金蘭的兄長，還是相知相愛的情人？這些問題沒有足夠的資料可以做出判斷。

但如果從周恩來這一方來說，他對李福景情感的傾向還是可以做出一個比較明確的結論：李福景就是他心目中的愛人。

根據周恩來這部日記流露出來的強烈同性戀傾向，亦不難理解周恩來與鄧穎超婚姻的種種不合情理，因為他與作為女子的鄧穎超沒有愛情，他愛的是南開同學李福景，與鄧穎超的婚姻對他而言只是一個不得已的權宜之計。由此，也可以對他和張若名之間撲朔迷離的感情作出一個判斷：他愛的是同性的同學李福景，異性女子張若名不是他的初戀情人。

金沖及是中共中央文獻研究室研究員，官方銜頭一大堆，為官方樹立的著名黨史學家，由他主編的中共領袖人物傳記，有《毛澤東傳》、《周恩來傳》、《劉少奇傳》、《陳雲傳》、《朱德傳》、《李富春傳》等，在官方史學界享有很高權威。因其地位和身份，金沖及可查閱和掌握的中共史料應該遠比其他學者多，但也囿於

他的身份，很多敏感史料他不會公開披露，而且他編著的中共黨史和領袖人物傳記經過嚴格審查，敏感資料更不可能公開。

從金沖及的《周恩來傳》，完全看不出周恩來與李福景有與眾不同的友誼。在南開中學這一章，金沖及提到周恩來本來與張鴻誥、常策歐自願組合同居一宿舍，但南開的最後一年周恩來以要接觸新的同學的名義，與張常兩人散伙，「他同蔡鳳等住在一起」，提到了在周恩來生涯中影響微不足道的同學蔡鳳，卻省略了與周恩來友誼最重的李福景。此章僅一次提到李福景，說李福景與周恩來切磋劇情，舞台下也要生活在劇情中。

周恩來日記是研究周恩來留學日本生活最重要的文獻，在金沖及《周恩來傳》第四章「東渡日本」，金引用資料二十八次，其中二十一處就來自周恩來《旅日日記》，但金沖及完全沒有提到李福景升學問題對周恩來精神的巨大打擊。中共官方編寫的《周恩來年譜》也絕口不提此事。

周恩來赴歐，金傳也未點出周恩來是要和李福景一道赴英讀書。金傳僅說周恩來和郭隆真、李福景、張若名同船前往。周恩來這三個友人，郭隆真與周恩來的友誼最疏遠，但卻排在最前面。郭隆真是中共的烈士，如此排名，符合中共的政治正確。此可見中共官方修史的政治衡量。金傳另一處提到李福景只是說李幫忙把嚴修給周恩來的獎學金轉給周恩來。

金沖及如此處理周恩來與李福景的友誼，可以說相當耐人尋味，明顯是故意輕描淡寫和忽略關鍵的細節。

周恩來《旅日日記》如果說有最重要最特別的地方，那就是有關他與李福景的友誼。令人不得要領的是，如此重要的內容，在大陸有關周恩來的傳記和文章，均是有意忽略或輕描淡寫。迴避和躲閃恰恰說明兩人關係有其敏感性，不好講也不能講，大有此地無銀三百兩的味道。

　　而且官修的周恩來傳記也對周恩來、李福景和伉鼐如青年時代這三個友誼鐵三角中的伉鼐如無隻字提到。

　　原因何在？不言自明。

　　現在有關周恩來與李福景深厚情誼的資料除周恩來日記的自述，全部出自於審查較鬆的個人回憶錄和紀念文章之類，所有經過嚴格審查的官方傳記或學術著作不是避免提及，就是輕描淡寫。這反而凸顯出兩人的情誼確實非同尋常，官方認為有關資料太過敏感，需要迴避。

　　關於周恩來與李福景情誼，不但中共官方和御用學者諱莫如深，周恩來自己也極力掩飾，所以會有意抹掉他曾和李福景一道赴英留學這段歷史，多次在接受中外記者訪問談自己身世時，說他當年到歐洲是要去法國勤工儉學，不提他赴英留學不成。對剪裁自己的歷史，周恩來是在有意識地做取捨。

　　周恩來入黨介紹人張申府成為中共歷史的污點人物，但周恩來對此其實並不太忌諱。在張申府脫黨後的一九四六年他還告訴《大公報》記者曾敏之，他是由張申府、劉清揚介紹入黨。一九五七年張申府成了「右派」，一九六二年三月二日周恩來對全國科學工作、戲劇創作等會議代表講話，還公開聲稱「我感謝劉清揚和張申府，是他們兩人介紹我入黨的。」【128】

　　周恩來對自己的入黨介紹人敢於公開承認，因為這記載在他檔案中，是他加入中共的證據，說不說都沒關係，對他沒有影響，但他與李福景的關係則是他的絕密隱私，因此需要千方百計掩飾，甚者不惜篡改自己的歷史經歷。

　　由於周恩來本人的有意誤導，即或現在中共官方的正式史料已肯定周恩來赴歐是為了到英國讀書，但至今很多有關周恩來的

【128】周恩來一九六二年三月二日對全國科學工作、戲劇創作等會議代表講話的摘錄，轉自《周恩來自述》中第十章：建國之後的《知識份子出路》，國際文化出版社，2009 年 8 月。

文章仍然以為周恩來初始目的是到法國勤工儉學，看來周恩來剪裁自己的歷史還是頗成功的。

8　一別走上革命不歸路

周恩來在英國呆了五個星期，最後黯然返回法國，隨即經張申府和「覺悟社」朋友劉清揚介紹，加入了中共，走上了革命的不歸路。

周恩來當年雖然是激進青年，雖然在赴歐之前已對馬克思主義有所認識，在《警廳拘留記》中多次提到他在獄中給難友講馬克思主義，但他在加入中共之前仍然還未確定他要走哪一條道路。一月三十日在英國給表哥陳式周的信中還說他思想仍未定型，對中國應該走英國之路還是走俄國之路，尚無定論，仍在取俄或是取英之間徘徊思考，並認為最好「得其中和以導國人」，即採取中間道路最好，而他本人現只考慮求實學以謀自立，至於今後人生道路要在了解歐洲社會真相後再說：

> 弟之思想，在今日本未大定，且既來歐洲獵取學術，初入異邦，更不敢有所自恃，有所論列。主要意旨，唯在求實學以謀自立，虔心考查以求瞭解彼邦社會真相暨解決諸道，而思所以應用之於吾民族間者；至若一定主義，固非今日以弟之淺學所敢認定者也。來書示我意志，固弟之夙願也，但躁進與穩健之說，亦自難定。穩之極，為保守；躁之極，為暴動。然此亦有以保守成功者，如今日之英也；亦有以暴動成功者，如今日之蘇維埃俄羅斯也。英之成功，在能以保守而整其步法，不改常態，而求漸進的改革；俄之成功，在能以暴動施其「迅雷不及掩耳」之手段，而收一洗舊弊之效。若在吾國，則積弊既深，似非效法俄式之革命，不易收改革之效；然強鄰環處，動輒受制，暴動尤貽其口實，則又以穩進之說為有力矣。執此二者，取俄取英，弟原無成見，但以

為與其各走極端，莫若得其中和以導國人。至實行之時，奮進之力，則弟終以為勇宜先也。【129】

而且周恩來在這封信中說他擬在英國讀書三四年，然後再到美國讀書一年，暑假期間則往歐洲大陸考察。顯然周恩來是打算用四五年時間讀書學習思考，然後再選擇他的人生取向。但不到一個月，一返回法國，周恩來即九十度大轉彎，擺脫猶豫不定，果斷取俄的激進主義，作出他人生最關鍵的決定，投身了共產黨的暴力革命。

在此期間，除了可以肯定他無法拿到官費名額，而且因為英國生活費太高，他無法留在英國等待秋天愛丁堡大學開學之外，我們不知圍繞他和李福景，以及他和李福景之間還發生過什麼事情。但他的人生觀的大轉彎很難說與他無法留在英國與李福景共同生活沒有關係。這個時間點不能僅以巧合來解釋。

周恩來加入共產黨後的三月，他給國內的「覺悟社」的成員諶小岑、李毅韜寫信談及他選擇共產主義的心路歷程，承認他初到歐洲時還未決定走共產之路，說：

我從前所謂「談主義，我便心跳」，那是我方到歐洲後對於一切主義開始推求比較時的心理，而現在我已得有堅決的信心了。我認清 C.ism（共產主義）確實比你們晚，一來因為天性富於調和性，二我求真的心又極盛，所以直遲到去年秋後才定妥了我的目標。【130】

周恩來一九四六年四月二十八在重慶接受記者曾敏之訪問也提到他初到法國，讀克魯泡特金自傳，頗信「無政府主義」，而

【129】《周恩來早期文集》下卷，中共中央文獻研究室、南開大學，中央文獻出版社、南開大學出版社，1998 年 2 月，p8。
【130】《周恩來年譜》，1922 年（24 歲），中央文獻出版社，1998 年。

後認識到「無政府主義」走不通，轉向讀《共產黨宣言》等馬克思主義書籍，在巴黎加入中國共產黨。【131】

　　像周恩來這樣一個原本溫文爾雅、待人熱情友善，甚至還有點多愁善感的世家子弟，為何會在如此短的時間，突然之間做出如此戲劇性的人生大轉彎，投身到最極端的暴力革命中？這是很多人的疑問，被國際學術界視為周恩來人生重大謎題之一，因而成為研究周恩來的一個重要課題。

　　周恩來南開「三劍客」中的吳國楨即對周恩來後來的選擇表示很難理解。他說，在南開時候，他和周恩來、李福景三人常交流內心深處的思想和青春抱負，對「宇宙間的一切事物均能達成一致的意見」，但最後三人卻走上完全不同的人生道路，他是一個堅定的民主信奉者，李福景不關心政治，想不到南開中學時還是一個完完全全的孔子信徒的周恩來最後成為一個共產主義者。而吳國楨認為這和周恩來家庭不幸福有關。他說，由於家裏無法支持周恩來讀書，南開中學畢業後無法升上高等學府而不得不到社會謀生，這使得周恩來非常痛苦，去到法國後又目睹一戰後的社會混亂，於是狂熱地信奉了共產主義學說。【132】

　　吳國楨的解釋一部分是說得通的。

　　首先一戰後的歐洲大陸與周恩來最初浪漫想像中的自由世界出入太大。

　　第一次世界大戰後，英法兩國嚴重缺乏勞動力，蔡元培、李石曾、吳稚暉等中國名流與法國一些知名人士發起並建立了「華法教育會」，在法國里昂籌辦中法大學，號召動員中國青年去法

【131】《周恩來年譜》，1946年（48歲），中央文獻出版社，1998年。《年譜》說訪問是在該年5月2日，據曾敏之本人說，實際採訪日期是四月二十八日和二十九日兩個晚上。五月二日是訪問刊登在《大公報》的日期。

【132】馬軍，「吳國楨視野裏的周恩來」，《二十一世紀》二〇〇八年二月號·第一〇五期。

國半工半讀。當時中國的激進青年對法國懷有非常浪漫的想像，周恩來對法國也非常憧憬。他在坐牢期間寫了一首詩給即將離開故國，遠渡重洋赴法的「覺悟社」的同學李愚如，表達了他對歐洲的嚮往。

> 走東海，南海，紅海，地中海；
> 一處處的浪卷濤湧，
> 奔騰浩瀚，
> 送你到那自由故鄉的法蘭西海岸。

因為這首詩，以及李愚如赴法前夕，曾親到天津地方檢察廳看守所探望過周恩來，與之辭行。李愚如一度被誤會為周恩來的女朋友，其實李愚如當時已有相愛的男朋友、同為「覺悟社」會友的潘世綸，即周恩來這首詩中提到的述弟，他也是周恩來的南開中學同學。李愚如到看守所也並非探望周恩來一人，而是探望慰問所有羈獄的「覺悟社」朋友。李和潘在一九二五年回國後結婚。

但真到了憧憬的西方自由故鄉，周恩來看到的現實讓他大為失望。一九二一年一月二十五日在倫敦寫給嚴修的信說：

> 至英法情狀，除受歐戰之影響外，或與長者昔日居歐時無大異。惟物價高貴，失業者多，勞資階級之爭無或已時，是歐洲執政者所最苦耳。英俄通商條約，倫敦報紙今日已宣佈其內容，是固不啻承俄國蘇維埃政府也。在法受歐戰影響為最大，戰地恢復舊觀至今日猶不能達百之五六，滿目瘡痍，雖在巴黎、倫敦亦可征得，而生活程度之高，倫敦又在巴黎兩倍上矣。[133]

【133】《周恩來早期文集》下卷，中共中央文獻研究室、南開大學，中央文獻出版社、南開大學出版社，1998 年 2 月，p4。

　　但更主要的是，周恩來此時陷入人生一個很大困境，赴日留學失敗，費勁心機謀得赴英國讀書的機會，但求學竟然再次失敗，而且生計也有問題。一時之間前途茫茫，走投無路。

　　他在倫敦給兩位伯父的信中說得很清楚，像他這樣的書香世家子弟，「良以個人立身、家族榮辱，非恃實學不足以定功」，不能出國求得扎實的學問，拿到過硬的學問文憑，就無法出人頭地，光宗耀祖。

　　但周恩來要出國鍍金有兩個很大的障礙，第一是供養他的四伯父拿不出這筆錢來，第二是他愛交際不愛讀書。

　　如果周恩來家世富有，不怕家裏拿大把銀子讓他出國闖蕩自費留學，捱多幾年終會有成。如果不富有，但能夠讀書考試考到官費，家貧難題也就迎刃而解。但周恩來「性惡靜，愛交遊」，太熱衷從事社交活動，無法靜下心來去苦讀。

　　周恩來最嚮往的是到美國留學。離開奉天東關模範小學後，曾報考留美預備學校 - 清華學堂，但沒有通過英文考試。但瞭解周恩來的同學朋友都說，周恩來不適宜走學術的道路。

　　網上最近有文章披露說，原山東大學著名歷史學家陳同燮一九一三年入南開中學，與周恩來同學，他生前在課堂上對學生說：「周恩來並不適合念書，但是人極其聰明，特別能鑽營。在中學期間，熱衷於各種各樣的活動，例如社團和演話劇等。」

　　周恩來喜歡社交，樂於結友交好，奔走社團活動，這是他最顯著的特性。他的畢業鑑定說他，「以善交遊，到處逢人歡迎。曾為校風報總經理、演說會副會長、國文學會幹事、江浙同學會會長、新劇團佈景部長、暑假樂群會總幹事及班中各項幹事，凡此均足證其學識毅力之勝於人也。」【134】

【134】《南開學子的博客》http://blog.sina.com.cn/s/blog_a300d84601018by7.html

　　學業方面，周恩來在南開中學尚能應付自如，但到了日本就有點力不從心。他進入一個專門教授中國留學生日語的語言學校——東亞高等預備學校補習日文，準備三月考東京高等師範學校，及七月考東京第一高等學校，考上任何一所，他就可以獲得官費資格。

　　韓素音說，周恩來在日本無法集中精神讀書。周恩來剛到日本不久給同學陳頌言的信也承認自己無心向學，懶病時發：

　　　　弟現預備日文，無大困難，所難者懶病時發，不肯向書堆裏求快樂，是為病耳。官費考試在明夏，屆時背城之戰，十有九必敗，緣來此日文程度一年，用功者可保考入，若弟優遊性成，誠難有把握矣。

　　他的日語一直無法過關，在日記中感嘆說：

　　　　我想我現在已經來了四個多月了，日文日語一點兒長進還沒有，眼見著高師考試快到了，要再不加緊用功，不要(說)沒有絲毫取的望，就是下場的望恐怕也沒了。

　　結果兩次爭取留日官費資格的考試皆失敗。一直很欣賞周恩來，認為他有宰相之才的嚴修一九一八年四月在東京與周恩來見面長談後，在日記中對周恩來學業不佳感到失望。[135]

　　但周恩來又是一個雄心勃勃的人，他在《旅日日記》中表達很強烈的改變個人和家庭命運的願望，而且不乏雄心壯志，曾以梁啟超「十年以後當思我，舉國如狂欲語誰？」的詩句作為對自己的期許。

　　周恩來愛讀梁啟超的《義大利三傑傳》，讀了很多次，最心儀書中才智過人，為義大利的自由和統一作出不朽貢獻的十九世紀

【135】Han Suyin, *Eldest Son: Zhou Enlai and the Making of Modern China, 1898-1976*, Hill and Wang, 1994, p35.

政治家加富爾（Camillo Benso, Count of Cavour）。加富爾成為統一後的義大利王國的第一任首相。【136】周恩來有可能自己也以加富爾為楷模，希望自己也能像加富爾那樣建功立業。但他也知道，只讀了中學，在當時的中國社會很難出人頭地，「就使我暑假後不來日本，中學畢業的程度能夠做多大的事？那時候恐怕於家裏既沒有補助，於我倒反有大害了。」

心比天高，但命運不濟，坎坷的人生會影響一個人的思想取向，會讓人從溫和變得憤世嫉俗，從而被激進的革命浪潮所席捲而去。

英國比起日本來說，費用高出更多，沒有官費連生活都成問題。周恩來讀書不成還可以在日本滯留近兩年，但在英國他連熬到九月愛丁堡大學開學的財力都欠缺，只停留五個星期就不得不回到法國。這樣的人生境遇完全可能是催化他激進的因素。

在英國生活不下去的周恩來一回到法國時，即見到一場中國勤工儉學生因「求生不易，勤工無力，儉學尚未可能，蓋入於窮途暮日之境」，而作困獸鬥的包圍中國駐法公使館的鬧事，作為旁觀者，他一定也產生了很大的生存危機意識，急需找到另外的出路。【137】

周恩來在英國留不下來，在法國一樣面臨很大的生存問題。勤工儉學生去法國之前，充滿幻想，就像現在一些經濟難民以為

【136】《周恩來旅日日記》3月21日記載「我打開梁任公所編《義大利三傑傳》來念。這篇傳記，我已經讀過多少次，中間雖有多少錯的地方，大概與英文、意文的傳記差不了什麼。我在西洋偉人傳記中，最愛的是加富爾，所以每次讀《三傑傳》，心裏頭總覺有一番感慨。這次讀這個傳記，是我到日本來頭一次。在日本有上半年的閱歷，所以讀的時候，感觸的地方益發添了許多。」
【137】《周恩來早期文集》下卷，周恩來為天津《益世報》所寫報導《留法勤工儉學生之大波瀾》，該報於1921年5月9日至18日連載。中共中央文獻研究室、南開大學，中央文獻出版社、南開大學出版社，1998年2月，p23。

外國遍地是黃金一樣，他們以為到了法國，就可以留洋讀書，沒有錢可以打工。沒想到現實的冷酷。一戰後法國經濟凋敝，工作機會不多，再加以「華法教育會」破產，無法資助窮困潦倒的中國勤工儉學生。而這些中國學生無論如何清貧，在中國都是出身於中產以上家庭的知識青年，雖然「勞工神聖」這句口號在當年響徹雲霄，但一般都沒有體力勞動的經歷，可以說是肩不能挑手不能提，四體不勤五穀不分。這些文弱書生打工，最多能勝任的無非帳房文書之類，到法國這些現代工廠去幹體力活，是他們絕對無法承擔的苦役。周恩來在雷諾汽車廠只幹了三個星期，便幹不下去，說「這簡直不是人過的日子」。【138】不想打工又要讀書的中國學生衝擊中國駐法領事館，佔領里昂的中法大學，結果被法國政府遣返回國。其中之一的陳毅曾說，他原來想做人上人，走入上流社會，因此到法國去讀博士，沒有想到讀不成，反被趕了回國，無奈之下才去幹了革命。【139】

　　周恩來與陳毅不同的只是他沒有被趕回國而已。此時生存有危機，而共產國際則及時給予救援，願者上鈎，中國留學生靠攏法共，每人可獲三百法郎的津貼。【140】周恩來走上這條道路幾乎是命中註定。

　　但這也只是部分的理由，壓垮駱駝的最後一根稻草，甚至可說是最關鍵的因素可能是與李福景共同生活的夢之破滅。

　　在英國與李福景分手，可以想像猶如一九一八年從日本回國度暑假那次一樣，周恩來應該再一次受到巨大精神打擊，這次打擊之大，最後迫使他要以革命這種最極端的手段來轉移此時衝擊他的巨大精神創傷和焦慮，解脫內心如山之沉重的心理壓力。內心的暴風雨需要外部的狂風暴雨來沖銷和壓制。

【138】迪克‧威爾遜，《周恩來傳》，國際文化出版公司，2011 年 7 月 p74。
【139】黃嫣梨，《張若名研究及資料輯集》，香港大學亞洲研究中心，p172。
【140】許芥昱，《周恩來傳》，明報出版部，1976 年 1 月，p39。

研究周恩來赴日和赴歐兩次留學不成的心路歷程，筆者很驚奇地發現，周恩來從溫和到激進竟然是重複了兩次。每一次激進化都恰好發生在慧弟離他而去，情感生活發生巨變之時，而在慧弟與他在一起時，他又從激進回覆溫和。

來到日本之初，周恩來的政治見解及行為都還是相當溫和，和當時一般的世家子弟差不多，求新求變，但不反叛，但在知道李福景將到香港升學而大受打擊，九月從中國回日本後，思想就開始趨向反叛激進，回到天津後更投身到當時最激進的「五四」運動中。

周恩來到日本後，其日記記載他考慮最多的就是個人的出路和對家人的回饋，而社會和國家是排第二位的。元旦開篇即說：

> 我今年已經十九歲了，想起從小兒到今，真是一無所成，光陰白過。既無臉見死去的父母於地下，又對不起現在愛我、教我、照顧我的幾位伯父、師長、朋友。若大著說，什麼國家、社會，更是沒有盡一點力了。佛說報恩為無上，我連恩還未報，又怎麼能夠成佛呢？俗語說得好：「人要有志氣。」我如今按著這句話，立個報恩的志氣，做一番事業，以安他們的心，也不枉人生一世。

而這樣奮鬥努力出人頭地報答家族親恩的話，在日記中反覆出現。周恩來很關心國事，常閱讀報紙，評論時事，並參加宗旨為愛國的留學生組織「新中學會」，但所持立場相當溫和及中立，對激進派和溫和派都有批評，反感激進派使用暴力，指他們其心可欽，但其行可誅。

在初到日本後的致同學陳頌言信中，周恩來說留學日本的人分三派，「一埋首用功，不聞理亂；一好出風頭，到處聲張；一糊塗到底，莫明其妙。」對好出風頭的激進派很不以為然，並講述了他抵日後親見一批留日學生圍打中國駐日使館的暴行，「一

群無經濟能力之國民，叫跳怒罵，心可欽，行可誅，見之傷心彌甚。」

周恩來日記中論及革命的穩健派和激進派，一直是中立旁觀，非常理性：

我想起十年前留學日本的學生，壞的不說，知道愛國的人，大半分為兩派：一派是服從革命；一派是贊成君主立憲。這兩派的，全是希望去把國家弄好了；但是主意不同，遂互相攻擊。激烈派看著穩健派沒有大出息，有奴隸性，極力排斥；穩健派看著激烈派暴跳亂罵，毫無建設思想，成事不足，敗事有餘，也持著反對的主意。究竟這兩派天天打著旗子排斥人，他自己預備了沒有？還是毫無實力，等到回國做事的時候，一個一個的狐狸尾巴都現出來了，那裏還能為國呢？

……

今天到青年會的時候，接著孔雲卿從美國來信，看了很喜歡。但是他信中說留美學生情形：「留美學生有一種習氣，好出風頭。弟視之如上海時髦，攫得一會長書記，便以為大功業就，即此歸國，便可騙人賺錢，陽面公，陰面私，造成一種最時興之爭權奪利之人物。固不敢謂全體無真正憂時愛國之士，然而未之見也！」

這一篇話，我看著實在難受。這種狀況，與現在留日學生有何分別？不過名目上一個主穩健，一個主激烈。激烈的回國去，到底不如穩健的香，受人歡迎。從這裏看起來，留美學生的手段、本領，還是比留日的高。然而真正的志士，實在是到處都有；不過不愛出風頭，就沒有人知道了。

……

這種人約分作兩派：一派是民國元、二年時代的出頭人物，打著愛國的旗子，到處亂叫亂鬧，行他的騙人的手段；一派是近二年的時髦人物，裝著個極穩重的樣子，專排斥激烈黨，說他們不能成事，自己卻假公濟私，行他那奸險的手

段。這兩派人全是迎合著社會心理去走的。俗語說得好，「明劍易躲，暗劍難防。」頭一派的人，現在社會上已經知道他是虛張聲勢，不中用的了。這種毒尚不容傳流過久。唯獨後一派子人，社會上還不知道他是假的，信他是好人。這種人將來要不去反對，恐怕那個毒比頭一種更甚了。至於這兩派人，在國內屬於何黨何派，在國外屬於那國留學生，我很不願下這種斷語，硬給他評判。因為這樣子人，已經是無處沒有了。

　　一九一八年上半年周恩來經過對日本的觀察，已否定了他過去曾認同的軍國主義，曾瞭解過俄國十月革命，但還是一個旁觀研究的態度。四月二十三日他的日記說他看了一本介紹俄國十月革命的雜誌《露西亞研究》，看後寫下俄國革命的概況。

　　　去年的春天居然把俄羅斯皇帝的位子推翻了，組織臨時政府，俄國的國民也算幸福極了。但是革命的黨派亦甚複雜，有的贊成君主立憲，有的贊成民主，還有贊成無政府的，意見不一，所以俄國革命了一年，國內的狀況總沒有安寧。政府總換人，國民的心裏還沒有一定的標準去走，這也是改革必經的階級。不獨俄羅斯是這個樣子。按著俄國現在黨派，大概分作三個名字：一個叫做「立憲民主黨」，這黨的主義多半是贊成君主立憲、責任內閣的制度。革命後，頭一次掌權的人就是他們。一個叫做「社會民主黨」，這黨中分作兩派，一派是「過激派」，他的主義是主張完全的民主，破除資產階級的制度，實行用武力去解決一切黨綱。他的行為大半與社會革命黨很接近，黨魁就是現執政的「賴寧」（列寧）氏。還有一派是「溫和派」，他的主義是民主，如辦不到則仍主張君主立憲。資產階級的破除須與有資產的人接近。當著克侖斯基執政的時代，組織聯合內閣，這派人很占多數。第三是「社會革命黨」。黨中分作三派，第一是正統的社會主義派，這派的人是農民中產階級的人□族，三

派合起來組織的，所以他們的主張非常的和平。第二是「國家社會主義派」，這派人主張將土地收歸國有。第三是「激烈的社會主義派」，主張極端的破除資產階級制度，他的主義很與「社會民主黨」中過激派相合。總起來說，俄國現在的各黨派，除了保皇黨少數人外，大宗旨全不出於「自由」、「民本」兩主義。按現在情形說，君主立憲的希望恐怕已沒有再生的機會。過激派的宗旨，最合勞農兩派人的心理，所以勢力一天比一天大。資產階級制度，宗教的約束，全都打破了。世界實行社會主義的國家，恐怕要拿俄羅斯作頭一個試驗場了。

這段話看得出是很中立客觀的，除了羨慕俄國人能推翻帝制（辛亥革命後，反對帝制支持共和是當時中國社會主流意識，周恩來有此看法不算激進。），對俄國革命的各黨派沒有褒貶，其中指出過激派因得到勞農支持，勢力很大，有可能在俄國掌權。周恩來後來回憶說，他到日本不久，俄國十月革命發生時，他認識很淺，「關於十月革命的介紹，我在日本報紙上看到一些。那時叫『過激黨』，把紅軍叫『赤軍』。」[141]

而在這段時間，周恩來雖然也讀了《新青年》雜誌，很欣賞《新青年》排孔、「不婚主義」和「文學革命」等新潮思想，但也讀佛經，參佛，廣受各方思想影響。

周恩來不僅思想不激進，行動也是主張溫和的，所以多次批評激進派「其行可誅」。是年五月留日學生發起反對段祺瑞政府與日本政府簽訂《中日共同防敵軍事協定》的愛國拒約運動，激進的留學生號召全體罷學歸國抗議，響應者眾，形成熱潮，對不願輟學歸國者有很大壓力，日記中有大量記載。周恩來愛國，也反對中日密約，但對歸國抗議的激進運動不是很支持的，五月四

【141】金沖及等，「周恩來1971年1月29日與日本友人后藤鉀二談話記錄」，《周恩來傳》，中央文獻出版社，1998年2月，p42。

日的日記說，「今日各省同鄉將以開會，議留日學生全體回國事。下午三數省表決歸國。**余於斯事持消極反對主義，閉口不言。**」雖然多位與周恩來密切往來的同學是主張罷學歸國抗議的主要人物，其中包括吳瀚濤，但周恩來抗拒同學壓力，不受影響，顯得相當理智清醒，並未加入罷學歸國的熱潮中，會上不發言，會後仍然前往東亞高等預備學校單人教授（松本龜次郎）處學日文，準備應付七月進入東京第一高等學校的考試。

但周恩來暑假歸來，受李福景香港升學事件刺激，思想突然激進。金沖及《周恩來傳》說周九月初重新回到日本，思想大變，特意讀了好一些介紹俄國十月革命和馬克思主義的書籍，包括美國左派記者約翰·里德（John Silas Reed）寫的俄國十月革命實錄《震動環球的十日》（Bolshevik Revolution, Ten Days That Shook the World.）、日本著名左翼經濟學家京都帝國大學教授河上肇的經濟學著作《貧乏物語》，和社會革命黨人幸德秋水的《社會主義神髓》。其中河上肇對周恩來的影響最大，歸國的時候，箱子裏還帶著河上肇的書。金沖及認為周恩來十月二十日日記中所說的「二十年華識真理，於今雖晚尚非遲。」即是指周恩來這一思想的大轉變。

迪克·威爾遜的《周恩來傳》也指周恩來很受河上肇思想影響，從一九一九年起「成為河上肇博士的半月刊《社會問題研究》的熱心的讀者。」周恩來希望吳瀚濤為他介紹在京都帝國大學教書的河上肇認識，但吳瀚濤不願意。因為周恩來思想越來越激進，與好友吳瀚濤的思想分歧也越來越大，吳甚至後悔將《資本論》這本書借給周恩來。有次兩人爭論救國之道，周恩來不停喝酒，言論很激烈，說不革命不能救中國，酒醉失態，吳瀚濤砸了他的酒杯。【142】

【142】迪克·威爾遜，《周恩來傳》，國際文化出版公司，2011 年 7 月，p47。

　　周恩來回國後，進入新辦的南開大學，但摯友李福景是年在香港讀書，留在天津的周恩來思想行為更形激進，雖然進了南開大學，但他後來承認沒有讀一天書，全身投入「五四」運動。

　　非常諷刺的是，一九一八年五月反中日密約的學生愛國運動被視為來年「五四」運動的序幕，但就是在這年的五月四日這天，留日學生大會上，周恩來對激烈行動是「消極反對」，對輟學歸國抗議的表決是「閉口不言」，拒絕表態。而次年的「五四」他突然一變為憤青，南開大學校長張伯苓因而被迫開除他學籍。此時任北洋政府總理的正是為周恩來幾個伯父謀得生計，從而也使得在淮安城失學在家的周恩來能夠北上進入上層精英學校接受新式教育的三伯父妻舅錢能訓。錢能訓因「五四」運動於一九一九年六月被迫下臺，三伯父周貽謙氣得揚言要登報與不肖子周恩來脫離叔侄關係。[143]

　　周恩來日本留學從溫和派變成憤青，當然有諸多原因，個人原因方面不能不說與李福景有關。

　　待到周恩來出獄，有希望與李福景一道赴歐留學時，周恩來又從熱血沸騰的憤青變身回去為一心求學的標準世家子弟。在倫敦給表哥陳式周、兩位伯父和嚴修的信中，一再表示他此次赴歐是要花四五年時間好好讀書，以求安身立命。

　　周恩來的「覺悟社」朋友諶小岑在他的回憶錄《天津「五四」運動及「覺悟社」》中提到，周恩來從天津警廳獲釋後，八月初在「覺悟社」年會上，周恩來發言說了兩點：一、大家還年輕，應該繼續求學充實自己，第二今後應該團結各地愛國社團聯合行動挽救中國。[144]這番話實際是表示他要退出當時的學生運動，

【143】秦九鳳，「一个对周恩来成长有过重要影响的人——周济渠」，中國共產黨新聞網。
【144】百度百科「諶小岑」條目稱，據諶小岑回憶錄，周恩來出獄後的一九二〇年八月初，即周恩來已確定將與李福景赴英留學後，「覺悟

要去讀書了。這番話也等於是宣布「覺悟社」散伙，因為周恩來這時他已開始準備與慧弟一同赴英求學，其憤激的心情開始平靜下來。因為赴英求學心切，在奔走各方財力支持時，他對學運的熱氣也隨之下降，因此獄中寫的《警察廳拘留記》耽擱多個月沒有謄清無法完稿發表。

吳國楨說李福景對政治從來不感興趣，而是保持中立。李福景先是選擇在英國殖民地的香港讀大學，後又在周恩來遊說下，選擇轉往英國讀書，在文化思想方面，李福景應該是比較傾向英美的。這時的周恩來思想也不極端，對英美也很欣賞，因此才會有考慮先在英國讀書三四年，然後再轉往美國留學一年的打算。

他一九二二年三月給國內的「覺悟社」朋友寫信，說他初來歐洲時「談主義，我便心跳」，對激進主義是很排斥的，直到二一年秋才鐵了心追隨共產主義。【145】

讓我們來設想一下，周恩來留英不成，對他來說，前途沒有了，還不能和心愛的人生活在一起，人生打擊之大，可能會如大廈傾覆之烈，對二十三歲的熱血青年周恩來，難免不會有社會黑暗，看不見光明前途之感。痛苦出憤怒，巨大的打擊使感情豐富性格細膩的周恩來頓時變成上世紀二十年代的憤青。這時溫吞吞的自由主義再也不合他的胃口，而宣稱要以暴力手段打翻現實這個黑暗社會，建立人間天堂的共產革命確實讓這個再次失戀走投無路的憤青抓到了一絲救命稻草。

社」在法租界舉行了年會，有十四人參加，周恩來對「覺悟社」前景做了兩點總結：「一、我們都還在青年時代，最長的只有二十五歲（諶志篤），年輕的只有十七歲（鄧穎超），我們都缺乏革命的知識和經驗，今後應該繼續求學充實我們自己；二、我們應該團結各地的愛國團體，採取共同行動，才能挽救中國於危亡。」等於是宣告「覺悟社」散伙，大家各謀出路。

【145】《周恩來年譜》，1922 年（24 歲），中央文獻出版社，1998 年。周恩來 1922 年 3 月致信國內「覺悟社」成員諶小岑、李毅韜信。

　　作為同性戀者，周恩來感受的社會困境要比他的異性戀同代
人要多加一重。除了他當時遭遇的現實逆境，如貧困、求學無
門、前途暗淡、無顏回國，也無錢回國之外，由於同性戀不見容
於社會，周恩來不能像異性戀者一樣公開表達自己的真實情感，
只能借助各種煙幕扭曲地發抒內心的慾望。在獨自承受失戀的痛
苦時，亦無法向朋友傾述而獲得安慰和解脫。這些困境壓在內
心，不能見天日，更加重了他的焦慮、失落、痛苦和絕望。這時
人生跡近滅頂，革命組織找上門來，等於是向他拋下一個救命浮
圈。

　　周恩來侄兒周爾鎏引述周恩來生前同他講過的一句發自肺腑
的話說：「我參加革命既是自己的深思熟慮，也是被逼上梁山。」

　　周恩來在南開時候，因為像女孩子，有娘娘腔，曾受到同學
的譏笑，還有同學說他噁心，而這些同學只是因他的外表歧視
他，尚不知道他的性傾向。在周恩來的日記中沒有他因性傾向受
到歧視的記載，但他必定對當時主流社會的觀念有所體會，因此
他在日記中多處流露出他在感情上的困擾。

　　周恩來在日本時，對遠在故國的愛友李福景思念不已，「寸寸
相思寸寸灰」，深陷情感困擾，但他也可能意識到自己的性傾向
和對李福景的感情不容於於主流社會，精神受到壓力，因此非常
苦惱，曾讀佛經，希望走佛教無生之路，以此獲得解脫，但他在
日記中說，「鬧了多少日子，總破不開情關，與人類總斷不絕關
係。…叫我將與我有緣的一一斷絕，我就不能。既不能去做，又
不能不去想…」直到他從《新青年》受到啟發，借來當時的最新
思潮不婚主義來為自己作擋箭牌。周恩來天生溫和純良，不是一
個頭上長角身上長刺的叛逆人物。只是他內心的性呼喊屬於被社
會歧視的少數派，即同性戀團體自稱的「性小眾」（大眾一詞的
相反）。如果此時他內心中開始醞釀反叛情緒，則應該是作為「性

小眾」一員對主流社會的反叛。他走上中共革命之路有很大一部分原因是因為性傾向不見容於社會，走投無路，而被迫上了革命的梁山。

一般來說與社會主流有別的同性戀者比起主流人士更有反體制的叛逆性。比如香港爭取真普選的民主運動，同性戀者相當活躍，其參與人數的比例及活躍程度都很高。因為他們是社會的少數派，深受社會歧視，對社會公平的渴望高於主流社會。周恩來被歷史開了一個玩笑，他因為實際的社會邊緣身份，渴求正義和對歧視的擺脫而叛逆，但卻把自己投身到一個對社會性小眾更加歧視，甚至加以迫害的革命中。周恩來從參加共產革命那一天開始已注定是一個悲劇人物。

周恩來算得上是歷史的一個弄潮兒，但他自己也被歷史潮流所玩弄。當赤潮越過漫長的中國北方疆界，普天蓋地捲來，他被命運拋進了這個歷史的大漩渦之中，最後身不由己，被迫順流而下。

曾經如歌德小說（The Sorrows of Young Werther）中那個浪漫多情的「少年維特」的周恩來，此後在這場急風暴雨的革命中，其內心情感和良心的大起大伏，掙扎和煎熬，只有他自己所知。少年維特用自取生命來殉情，周恩來卻用中國萬千黎民的苦難為他的感情殉了葬。

這亦令人不免聯想到，如果周恩來成功拿到獎學金，在愛丁堡古老安靜的教室裏讀書追求知識，愛丁堡和曼徹斯特不過半日火車的距離，週末和假日可以與心愛的慧弟切磋學問，閑話家國事務，周遊英倫三島，他還會投靠共產黨，去鼓吹發動暴力革命嗎？他最後是否會與同學吳國楨一樣，成為一個溫和的自由主義者？中國的歷史是否會因此改寫？

第六章　為何結婚？
為何選擇鄧穎超？

1　迫於社會壓力

　　周恩來既然對女子無法產生情愫，對男女結成婚姻毫無興趣，甚至厭惡，那他最後為什麼要結婚？既然他不愛鄧穎超，為何要選擇鄧穎超為妻？

　　周恩來結婚這主要是社會的壓力。雖然中國經過「五四」的洗禮，但中國傳統社會男大當婚，女大當嫁的習俗仍然非常強大，尤其是對於像周恩來這樣的家世良好的子弟。雖然周恩來口說「不婚主義」，但真的不婚，會遭受嚴重的物議，最終不免被人懷疑到其性傾向。

　　西方的著名同性戀者可以採取獨身生活，終身不與異性結婚，因為獨身在西方社會是可以接受的。但在重視家族繁衍，「不孝有三無後為大」的中國傳統社會，世家子弟不論性傾向如何，都要踐行締結婚姻，生兒育女，傳宗接代的家族責任。

　　中國傳統社會好男風的士大夫文人最後都會結婚生子，如清朝兩位公開的同性戀文人鄭板橋和袁枚。清朝諷刺小說《儒林外史》寫了位有同性戀傾向的豪門世家公子杜慎卿，他非常討厭女性，說，「婦人那有一個好的？小弟性情，是和婦人隔著三間屋就聞見他的臭氣。」但他卻托媒人為他物色女子納妾，向朋友解釋說，「這也為嗣續大計，無可奈何，不然，我做這樣事怎的？」

　　世家子弟而且優秀如周恩來一到適婚年齡，必然要受到來自傳統中國社會娶妻的壓力。在周恩來早期生活中，我們知道周恩來至少有多次被人提親，但都被他拒絕。

　　在中國傳統社會，家世良好學業優秀的清貧子弟常會受到大戶人家的欣賞，納為佳婿。當時南開中學時代的周恩來性格溫良、長相俊美、善於社交、而且學業優秀，即是這樣的佳婿候選人。南開中學創辦人嚴修很欣賞他，欲把一個女兒許配給他為妻。周恩來的南開同學後一道赴日留學的張鴻誥在一篇回憶文章中說：「我記得一九一六年春夏之交的一個晴和天氣，我倆（即張與周恩來）吃過晚飯到南郊散步，他告訴我說：嚴家托趙大爺向我提親，要把女兒許配給我。他說，我是個窮學生，假如和嚴家結了親，我的前途就一定會受嚴家支配，因此辭卻了。」【146】

　　嚴修欲納周恩來為婿這事應該是真的，因為嚴家後人也承認有這回事，但對於婚事不成，嚴家後人說是嚴修女兒不願意。嚴範孫的孫子嚴仁賡在《黨的文獻》一九九〇年第四期上一篇文章《周恩來與嚴修》說，嚴修很器重周恩來的人品和才學，他的長子嚴智崇曾想向周恩來提親，把妹妹嚴智安許配給他，但嚴智安表示年齡尚小，暫時不願提起婚姻。

　　嚴家的說法與周恩來同學的說法有矛盾。到底拒婚的是哪一方？可能是張鴻誥的說法比較可信，因為周恩來是同性戀者，而且當時公開主張獨身「不婚主義」。也可能雙方都不熱心。但嚴家小姐嚴智安最後卻終身未婚，原因不詳。

　　做嚴修的乘龍快婿，對當年家世已沒落，生計一直困頓窘迫的周恩來應該是很好的出路。嚴修為前清的翰林和學部侍郎（相當於現代的教育部次長），入民國後從事教育，創辦南開中學及後來的南開大學，在天津社會地位很高，而且家道殷實，非常富

【146】費虹寰，「周恩來的婚戀觀探析」，《人民網》領袖人物資料庫。

有（父親是鹽商，有個堂叔更是清末鉅賈）。嚴修與周恩來六伯父周貽良是朋友，稱得上是世交，他本人又是周恩來的恩師，周與嚴修的幾個兒子也有很深的友誼，因此常拜訪嚴家，他赴歐洲讀書前，嚴修還為他餞行。而且嚴修這位千金人很漂亮，接受的是當時最時髦的西式教育，正在北京最早開辦的西式學校貝滿中學讀書，還會彈鋼琴。周恩來常往拜訪嚴家，見過本人，還可能有過交談。兩人結合，郎才郎貌女才女貌，是天生一對璧人，而且也算得上自主自願的「文明婚姻」。因為是同性戀，家世如此卓越，個人如此優秀的女子對周恩來也毫無吸引力。【147】

周恩來推拒的理由是不想嚴家控制他人生，但他後來卻接受嚴修的資助到歐洲留學。嚴修在嚴家帳目開支上專門為周恩來立了戶頭。除第一年的用款是用支票交周攜走外，以後三年，均讓人匯寄，每半年一次，準時不誤。周恩來在歐洲參加共產黨後，有人曾勸嚴修不要再資助周恩來，但嚴修不為所動，以「人各有志」奉答。看來嚴修不是要控制他人的人。周恩來拒婚的托詞自然不成立。對異性女子毫無性趣的周恩來這只能這樣為自己解脫。

已屆婚齡的優秀世家子弟周恩來可能不止面對嚴家這一宗提婚。坊間傳聞周恩來南開中學好友張蓬仙也曾經想把妹妹張世仙許配給周恩來。這個傳聞來自於周恩來贈送給張的一個明代萬曆

【147】國際周恩來研究會網站文章《革命伴侶》2010-12-29，文章說，1917年6月，周恩來南開畢業前夕，嚴修長子嚴智崇從北京給嚴修寫信稱：「周恩來之為人，男早已留心。私以為可為六妹議婚，但未曾向一人言之耳。」6月9日他再次寫信說：「今日為星期六，四妹擬令六妹出來一次，以便當面詢之也。」信中六妹即嚴智安。嚴智安當時十六歲，在北京貝滿女中讀書，不願談婚論嫁。後嚴智安終身未嫁，中共上台前病逝。議婚之事後為周恩來得知，他也不贊成這門婚事，他對同學張鴻浩說：「我是個窮學生，假如和嚴家結了親，我的前途定會受嚴家支配。」；《城市快報》，「天津小洋樓嚴氏舊居：嚴修侄孫才是真正主人」，2010年5月31日；迪克・威爾遜《周恩來傳》中說，嚴智安「最受人追求」，「長得極為漂亮，周早就認識她」。

年製的祖傳硯台。後來張蓬仙妹妹張世仙出嫁，張蓬仙將硯台送給妹妹做嫁妝。張世仙一直珍藏到她去世。這個硯台的歷史好像暗示周恩來與張蓬仙妹妹有某種婚嫁未遂的淵源。【148】

　　一九二〇年一月，周恩來因積極投身反對北洋政府對日政策和抵制日貨的學運，與二十餘參與者被捕，關押天津警察廳半年，七月十七日公審當日獲釋。韓素音《周恩來和他的世紀》說，獲釋者「他們都成了英雄。不少人要給周恩來說親。劉律師也暗示他有一位漂亮的侄女…」而周恩來回答是「國家需要全部的精力。」而予以拒絕。劉律師是當時北京著名的大律師劉崇佑，為京津一帶的名宿，在周恩來被捕後為他們作義務辯護。

　　像周恩來這樣優秀的知識青年，可以設想不結婚要承受多大的社會壓力。

　　二十世紀初雖然中國已結束帝制，進入民國新時代，然後「五四」運動和「新文化」運動衝擊中國，但當時仍然普遍早婚。嚴家向周恩來提婚那年周恩來十八歲，正是那個時代男子談婚論嫁的年齡。

　　查幾位中共早期領導人和與周恩來赴法留學的戰友的結婚年齡與婚姻狀況，不難發現早婚普遍，而且多數婚姻狀況極其複雜。毛澤東首次婚姻十四歲，共四次婚姻，不包括女友；陳獨秀首次婚姻十八歲，一生三次婚姻；李立三首婚十七歲（五次婚姻）；張申府十八歲（四次婚姻，並有多次婚外情）；張太雷二十歲（兩次婚姻）；惲代英二十歲。而李大釗甚至才十一歲，也有說十歲（妻子是比他大的童養媳），因此李大釗二十歲就做了父親。

　　比較遲的如蔡和森，第一次結婚時二十五歲，但在他三十六歲短促的一生中，已有兩次婚姻，前妻是中共著名女烈士向警予，他的第二任妻子李一純婚姻生活也相當複雜，曾是毛澤東第

二任妻子楊開慧長兄楊開智的妻子，後嫁李立三，然後再嫁蔡和森。瞿秋白第一次婚姻也比較遲，為二十五歲，但感情生活相當豐富，結婚兩次，而且第二次轟轟烈烈，成為一時的大新聞。

李富春結婚比較遲，與蔡和森妹妹蔡暢結婚時是二十三歲，而且終其身只有一次婚姻，但兩人真正相愛，愛得相當熱烈，白頭到老。

可以說周恩來是完全例外，徹底的「異端」。

一九二五年八月八日他與鄧穎超結婚時，已二十七歲。在那個時代，可以稱之為「老光棍」。這在世家之弟中是極為罕見的。一般只有下層社會溫飽不繼的貧窮男子才可能在這個年齡還沒有結婚成家。

一個出身良好，受過高等教育的子弟，高齡不婚在那個時代是無法在社會上立腳的。單身成年男子獨居甚至惹人懷疑，甚至租不到住房。當時上海的出租房在「有房出租」招貼上多附四字「非眷勿問」。所以中共一些秘密機關主持人要假冒成一對夫妻來消除外界的懷疑。【149】

一九二七年蔣介石清共後，中共在上海雲南路 477 號有個秘密機關和聯絡站。這個聯絡站表面是家經營紗布生意的商店，掛牌為「福興」，老闆熊瑾玎（中共上臺後曾擔任過中國紅十字總會副會長）是當時在上海的中共中央機關的會計。中共中央多次在此召開秘密會議。商號有老闆無老闆娘，時間長了會引起懷疑，當時在上海主持中央工作的周恩來遂為熊瑾玎安排了一個老闆娘朱端綬。兩人對外是夫妻，對內是同志，晚上各睡各的。但這個煙幕婚姻最後弄假成真，日久生情真的成為夫妻。【150】

【149】裴毅然，《紅色生活史：革命歲月那些事（1921-1949）》，秀威出版社，1994 年，p82。

【150】周燕，《朱端綬：中共中央秘密機關裏的「老闆娘」》，中國共產黨新聞網。

　　為了完成家族繁衍子孫的責任，也為了在充滿歧視的現代社會中藏身於主流社會的茫茫人海中，中國的同性戀者普遍選擇了異性婚姻，甚至在當今社會，與異性結婚仍然是絕大多數同性戀者的被迫選擇。

　　中國性學家李銀河在二〇一四年底接受《三聯生活週刊》訪問說，中國社會男大當婚、女大當嫁的傳統很強勢，結婚率高達96%，只有 3.8% 的人終生不結婚，「這種比例真是世界罕見。」結果造成 70% 的同性戀去跟異性結婚。【151】而另一位性學家張北川則估計中國的男同性戀者在社會壓力下 90% 與異性結婚組成家庭。【152】李銀河和張北川所說還是對同性戀已比較包容的中國當下社會，上世紀的情形更是可想而知了。

　　像周恩來這樣的新潮青年，對社會上婚姻的壓力，最好的辦法就是以正好流行的「不婚主義」來做擋箭牌，直到他赴歐洲時仍然以此為藉口。但這個藉口不能一直使用下去，因為老是不談戀愛不娶妻，勢必最後就會引人懷疑到他的性傾向去了。在歐洲時候，因為他不交女朋友，已讓人說他是仇視女子。

　　因此周恩來結婚應該還是用來做煙幕，掩飾他的性傾向，以立足於中國社會。

　　周恩來在回國之前要確定與鄧穎超的婚姻關係，很大程度是迫於當時的社會壓力，以及應付朋友和同學之間的疑惑。周恩來作為共產國際培養的重要人物，即將回國在中國大革命潮流中擔任一個相當重要的角色，因此需要一個很體面的公開形象，而在當時的中國社會，一位高齡單身男子是無法擔當起這樣一個角色的。

【151】李銀河，「王小波是一瓶醋，而他是醬油」，《三聯生活週刊》，2014 年
　　　12 月 26 日
【152】「同妻之痛 中國同妻人數或超千萬」，個人寫作網。

周恩來在眾多革命女同志中選擇鄧穎超，可能有很多考慮。首先如前述，鄧穎超是大革命時代非常活躍的女社會活動家，知名度很高。當時共產國際正在大力推動國共合作，欲在中國建立一個取代當時北洋政府的左翼親蘇政權，周恩來作為推動國共合作的重要人物派遣回國，與鄧穎超結合有助推動國共合作。反正作為一位同性戀者，如果不得不選擇一位異性為妻，與個人情感無關，最好就是選擇對其事業有助的女子，從此功利角度，鄧穎超自然是最上乘的選擇。相比社會運動家的鄧穎超，書卷氣較重的學者型女子張若名自然就輸了一等。

其次，對當時還沒有回國的周恩來，如果需要一位女情人以應付朋友的不解和疑惑，與鄧穎超的遠程紙上談情，比與一個現實中的面對面的戀愛要易處得多。他人在歐洲，用遠在萬里之外的鄧穎超來緩解朋友對他不婚不戀的疑惑，也是最好的擋箭牌。

與鄧穎超的婚姻，只是周恩來掩飾其同性戀傾向的一個煙幕，一個為了事業考量的功利性盤算，其間並沒有真正的愛情。作為同性戀者也對與異性的肌膚之親會有不舒服的感覺。周恩來一九二四年回國後，並不急於與他的「未婚妻」鄧穎超會合，也無心去見鄧穎超。或許他以為可以一直拖下去，繼續他的隔空遠程戀愛。

拖了一年後他面臨逃不掉的現實。鄧穎超「五卅」運動期間在天津太活躍，遭到北洋政府通緝，在天津待不下去，在組織的命令下經上海南下當時的革命大本營廣州，參加國民政府工作，迫使人在廣州的周恩來不得不兌現婚姻的承諾。

事到臨頭，周恩來仍然是逃避和拖延，也因此才有不去碼頭接他的新娘，新婚之夜賴死不進洞房，新婚之後即馬上投入工作，這種種不近情理的行為。

2　為家族延續後代

從功利的角度而言，周恩來最後妥協結婚，是否和許多中國同性戀者一樣，也有為家族繁衍子孫的考慮？

這個可能性很大。首先，周恩來在其日記中一再強調婚姻唯一的本質就是生兒育女，傳宗接代，「至於夫妻，那純粹為組織家庭，傳流人種的關係，才有這個結合。」「夫婦除生育外無功能」。

在中國傳統社會，同性戀者為了家族繁衍，一樣會娶妻生子。傳宗接代對中國傳統社會男性成員來說，是非常重要的家族責任，沒有子嗣是家族最可怕的詛咒。雖然周恩來最後成為共產主義者，但就其世界觀來說，上世紀三十年代的周恩來與晚年的周恩來應該不是完全一樣的，他從小所接受的家族責任意識在上世紀三十年代恐怕還沒有完全被激進革命所清洗掉。而且研究晚年的周恩來發現，其家族傳統意識並非如他本人公開所說已被他完全拋棄。

對周恩來出生的世家大族，傳宗接代，繁衍家族，光宗耀祖是核心價值，絕後，沒有子嗣，無人承繼香火是天大的不幸。周恩來的十一伯父周貽淦臨終前，因為沒有子嗣，周恩來即被安排過繼給他，以承繼香火。一直資助周恩來讀書的四伯父因為沒有兒子，周恩來的弟弟周恩壽後來也過繼給四伯父為子。周恩來二伯父周貽康第一位妻子王氏患有精神病，他在外做官，把王氏送回淮安老宅生活後，再娶一家秀才的女兒程儀貞為妻子。周恩來青少年時代受過程儀貞的照顧，聽到周家有人說程是他二伯父的小妾，很不高興。他對程儀貞的孫子周爾鎏解釋說：周貽康因王氏有病無法生育，「難免有不孝有三，唯恐無後的傳統思想」，向程家提親時，有意隱瞞已娶有王氏這樣的事，所以程儀貞是以妻子名分嫁入周家，應該不是小老婆。[153]

【153】周爾鎏，《我的七爸周恩來》，香港三聯書店，2014 年，p382。

周家雖是大家族，但論子孫繁衍，周恩來親祖父周俊龍這一房人特別不幸，周恩來日記中感嘆是「鰥寡孤獨全都佔全了」，青少年時代的周恩來為此飽嚐痛苦。

周家祖上是浙江紹興望族，人稱寶佑橋周氏，前清一代出過兩位進士和五位舉人。周恩來的祖父周攀龍共五兄弟，均在清咸豐年間北上江蘇淮安發展，後周攀龍與二哥周駿昂合購淮安駙馬巷一大宅定居（現該大宅為「周恩來故居博物館」）。

周攀龍生前曾任安東、阜寧、桃源縣知縣和海州直隸州知州，生有周貽賡、周貽能（周恩來父親）、周貽奎、周貽淦（周恩來的嗣父）四子。但周攀龍大約在周恩來三歲時去世後，他這一房人即很快衰落，四個兒子的命運都不好。排行十一（按同祖父排行）的周貽淦無子嗣，在周恩來過繼給他一年後病故，其妻陳氏（周恩來嗣母）也在周恩來十歲過世。排行第八的周貽奎（周恩來八伯父）因幼年時患重度小兒麻痺症，雙腿無法站立，癱瘓在床。

周恩來親父周貽能老實無用，終年奔波在外謀生，無力養家。只有排行第四的周貽賡因隨堂兄周貽謙（周恩來三伯父）投奔在東北做官的舅子錢能訓，謀得中級文員的差事，家境稍好，也很照顧淮安的同胞兄弟和侄子，並把周恩來和弟弟周恩壽接到身邊讀書。但他很不幸的是沒有子嗣，前後娶了三個妻子都未能給他生個兒子。相比同居駙馬巷大宅的周駿昂這一房人，就差太多了。

周駿昂有兩子周貽康（周恩來二伯父）和周貽良（周恩來六伯父），兩人均是清末舉人，混跡官場，生活不錯。周恩來在英國時曾向這兩位伯父寫信請求兩人疏通官場，為他謀取江浙地區的官費留學名額。

對於自己這一房人的衰敗和人丁的逐漸凋零，周恩來非常傷感，其日記常常為此嘆息不止，並一直希望自己有出息後能振興家族。他在《旅日日記》中記述說他接到弟弟周恩溥來信說八伯父周貽奎故世，為家族的不幸悲痛不已：

> 猛然接著這個惡消息，那時候心中不知是痛，是悲，好像是已沒了知覺的一樣。想起我爺爺膝下四子，我父親（指其嗣父周貽淦）早就去世，以後接連著四媽（四伯母趙氏）、乾娘（周恩來親母萬氏）、母親（周恩來嗣母陳氏）同著姊姊、弟弟全都去世，四伯自四媽去世後，隔著八年四姨（周貽賡的繼室楊氏）才進門來；跟前又沒有個弟兄，乾爹（周恩來親生父親周貽能）從乾娘死後已經十一年了，總沒有再續。我是父母雙亡一支中還算八伯跟前是完全的，不想天不諒人，叫我們這支四房頭鰥寡孤獨全都佔全了，真真是可憐，可慘到極頂了！加著家中竟〈境〉遇如此，遇著這樣大事，還不知如何是好呢！

幾天後的日記又記載他為淮安老家的困境煩惱得無法入睡，希望自己能考上留日官費名額，有了過硬的學歷後能在社會一步步向上走，好報答親恩。他說：

> 連著這三天，夜裏總沒有睡著，越想越難受。家裏頭不知是什麼樣子，四伯（周貽賡）急得更不用說了。只恨我身在海外，不能夠立時回去，幫著四伯、乾爹做一點事兒。如今處著這個地位，是進不得，也退不得。轉而一想，就使我暑假後不來日本，中學畢業的程度能夠做多大的事？那時候恐怕於家裏既沒有補助，於我倒反有大害了。想到這裏，我現在唯有將家裏這樣的事情天天放在心上，時時刻刻去用功，今年果真要考上官費，那時候心就安了。一步一步地向上走，或者也有個報恩的日子。

一月十四日的日記提到八伯父後事，覺得作為子侄為家族盡到力，感到慚愧：

　　四伯的信是告訴八伯死後的一切事情，說是二伯同六伯一共寄去五十塊錢，成的殮。四伯得著信，隨後又寄去四十塊錢，寫信給王大太爺，請他到家裏去照料。照這樣信來，這個資訊是一定無可疑的了。可憐聽說棺材只二十多塊錢、衣裳十幾塊錢。八伯受苦受一輩子，連死後也不得個好穿、好殮。四伯說：「我無以對八伯，即無以對祖父母也！」我想起我們做子侄的，現在既沒有力量幫助幾個伯伯去顧家，還一天一天的飽食暖衣，真真是沒有一點良心了，要再不著實用功，那還成個人麼

一月十五日日記還在記述為八伯父的逝世而傷心，覺得自己不孝，應該發奮用功讀書：

　　昨天四伯來的信說，八伯是十二日巳刻故去的。算計時日，一定是陰曆十一月了。那一天正是陽曆十二月二十五，雲南起義同著耶穌聖誕的日子。想起來我那個時辰，正給八弟去信，信中有提起家裏頭的話，頓時間轉念到八伯，心裏頭很覺難受，以為八伯的苦處不知何日受盡。不想，同著這個時候，八伯已經在淮城去世了。這樣看起來，可見事事全有個徵兆。何況我同八伯是親叔侄呢。只恨我全無良知，不曾悟到此事；八伯死後十幾天正趕著是新年，我終天喜笑玩樂，何曾有一點兒難過的想頭，真是不孝極了！但是，孝要心孝，八伯死的消息，前者既不知道，還有托詞；從今天起要再不發憤用功，那更對不起八伯這幾年受的苦處了。可憐我就是有了出息，近支子的人是一天比一天少了。

二月十二日是大年初二，身在異鄉的周恩來不免思親，想到他祖父周俊龍這房人的現實慘景，恨不得立刻回國為家裏做點事：

> 前天晚上是除夕。蓬、山兩兄在我這地方住下，一直談到夜間三點鐘才睡。那時候我想起家中情景：四伯在黑龍江，冰天雪地，冷的異常，無一親人；乾爹在北京，每月的薪水，僅僅的夠用，皮衣是沒有，吃也吃不著好的；八媽自從八伯死後，心裏頭也不知難受到什麼地步；看著弟弟妹妹，尤其傷心！黑弟（周恩來幼弟周恩壽）可憐，有爹爹看不見，有哥哥也不能照管，心裏頭的難受又不知怎樣呢？天津家裏到這個年關，四姨又不知擔多少愁，挨多少罵呢！唉！想起來這個年，我們家裏可以說是極難堪了。東西南北，分散各處。比著說，還是我處竟稍優呢。撫心自問，我實在是不安，翻來覆去，也睡不著了。再想起爺爺娘娘同著爹娘的墳，聽說棺材還暴露在外。越想越難受，恨不能即時回國，為家裏處置這些事情才好。

由這些日記記述來看，早期的周恩來家族觀念還是相當深的。他兄弟三人父親無力撫養，生母早逝，他自己的嗣父嗣母也一早離開人世，全靠家族父輩照顧提攜，因此他既感家世之苦，亦感家族長輩養育照顧之恩，即或後來加入激進的只講階級不講親情的共產革命，原來柔軟的心靈被殘酷的革命烈火百煉成鐵石，周恩來親族的意念和家族責任感還是相當強烈。

從寫日記到一九二三春，他與鄧穎超確定未婚夫婦關係，不過四五年時間，而且還未實際投身於血與火的殘酷革命，此時革命對他還只是一個不乏浪漫情調的冒險。而且那時他的世界觀還沒定型，沒有如後期那樣要與所謂舊世界徹底決裂的意識。這個時候傳宗接代、延續家族香火的家庭責任感還是有的，而在當時有可能影響到周恩來，使他最終放棄「不婚主義」。

　　周恩來在很長一段時間，他一直示人以革命事業至上六親不認的假面，常在黨內黨外說他已徹底背叛自己的封建官僚家庭。而他生前官方宣傳只說他如何大義滅親，絕口不提他如何善待親友。但近年中共不再講階級鬥爭之後，有關周恩來的許多新史料出來，才發現所謂六親不認的周恩來實際很有人請味，還是很能照顧自己的族人，尤其對那些出身封建官僚的長輩不但未劃清界限，而且還有拳拳孺慕之情，想法讓他們安度晚年。他的侄子周爾鎏對此的解釋是，周恩來對他周家的長輩是「嫌而不棄」，嫌是劃清思想界限，不棄是保持親情，給予關注和照顧。

　　抗戰爆發後，周恩來主持漢口的八路軍辦事處，立即把親父接到身邊奉養，後又轉移到重慶與自己一道生活。中共建政後，周恩來對仍然在世的二伯母和稱為周八太的八伯母都照顧有加承擔起為她們養老送終的責任。

　　據程儀貞的孫兒周爾鎏說，程儀貞逝於一九六二年，在她生前周恩來從未中斷過對她的問安祝壽，他在北京讀書工作，七爸周恩來要求他每年寒暑假一定要回上海探望其祖母和母親，並為他支付路費。[154]

　　中共剛上臺的一九五〇年，周八太帶著孫子到北京看望周恩來。周恩來和鄧穎超陪八太遊覽頤和園。一九五三年，八太到北京看病，在中南海的西花廳住了些日子。八太生病治療，周恩來三次致信淮安地方政府，說在縣裏人民醫院治療即可，不必轉到外地，醫療費由他出。「如果治療無效，一切後事也請你們代為辦理。但要本著節約和簡樸的精神辦理。現寄去人民幣二百元作為治療和辦理後事的費用，如不夠時，請你們先墊付，到時候來信說明支付情況，我再補錢去……」[155]

【154】周爾鎏，《我的七爸周恩來》，香港三聯書店，2014 年，p380。
【155】秦九鳳，「周恩來鄧穎超給淮安的幾封信」，2014 年 1 月 22 日，西祠胡同網。

　　表面上這樣的信是說不要給予他的伯母特殊照顧，但實際為變相打招呼。周恩來的八伯母只是淮安城一個來自「舊社會」的破落官僚家庭的家庭婦女，沒有任何公職，她的患病和後事與政府何干？有必要三次去信地方政府嗎？試想一個小小的地方政府接到當朝宰相三次來信，怎麼敢怠慢，自然會予以特殊照顧。八太去世，周恩來又給淮安地方政府的信中表示感謝，還特意補寄了二十五元墊支款。周恩來補寄墊支款，是地方政府配合他做戲而已，以示周恩來廉潔無私。

　　周恩來進中南海當了一國總理後唯一再世的父輩是六伯父周貽良。周貽良為北洋政府的官僚，一個地道的封建士紳，雖然曾照顧過周恩來祖父這一房人，在他的嫡親八伯父過世曾連同二伯父匯款資助辦喪事，但與周恩來政見不合，關係欠佳。據周恩來二伯父後人周爾鎏說，周貽良思想守舊，曾反對周恩來等周家子弟入南開中學等「洋學堂」，周恩來在天津參加學潮，周貽良責備周恩來離經叛道，為周家不肖子弟，還寫信給浙江紹興父老鄉親，說周恩來行為不當，為不肖子孫。周恩來出國留學（可能是赴日這一次），向兩位家境最好的伯父求助，二伯父予以資助，但周貽良不但不給，反罵周恩來「拆白黨」。後來周恩來留英，寫信託周貽良向王士珍疏通，為他謀個官費留學名額，周貽良沒有辦成，可能是不太情願。周恩來曾向後輩說他這位伯父是「為富不仁」。[156]

　　雖然周貽良對他這個侄子並不好，但作為唯一在世的父輩，周恩來仍然相當尊重他。一九四六年五月，周恩來率領中共代表團抵達南京，周恩來約弟媳馬順宜一道赴揚州見六伯父周貽良，馬不願去，說六伯父脾氣不好，但周恩來說晚輩對長輩應該恭敬有禮。兩人到六伯父家時，他正在午睡，周恩來小心翼翼，怕驚

【156】周爾鎏，《我的七爸周恩來》，香港三聯書店，2014 年，p403。

擾了他的午休。馬順宜說，周恩來對六伯父和她的婆婆（即四伯母陳儀貞）都很小心恭敬。【157】

　　周恩來還動用自己的權力為這位封建遺老安排好晚年生活。周恩來進中南海後即致信周貽良邀他進京議事，在西花廳相見，隨後安排他住進當時政務院交際處最好的招待所之一的遠東飯店。當時住進此酒店的都是中共統戰的著名人士，如莊希泉、高士其、梅蘭芳等。後來還經常請他到西花廳作客。五○年十月一日中共「國慶」，周貽良獲邀登上天安門城樓觀禮。經周恩來安排，周貽良在一九五一年六月被正式聘請為新成立的政務院文史研究館首批館員。其他館員都是清末和民國年間德高望重的碩學鴻儒，而周貽良只是揚州地方上（周貽良晚年定居揚州）一位稍有點名氣的士紳，是不夠資格晉身中共高級統戰知識分子之列的。他能進去僅因為他是周恩來的伯父而已。【158】

　　一九五一年七月一日，中共建黨三十週年，周貽良獲得更大榮譽，和文史館館長符定一（湖南著名教育家，曾為毛澤東就讀湖南全省高等中學時的老師，任文史館長，為毛澤東欽定）兩人被推選為文史館代表向中共太祖高皇帝毛澤東敬酒。【159】

　　中共上臺之初，經歷革命腥風血雨，九死一生打下江山的中共領導人正在享受權力的甘甜，還來不及展開又一輪政治內鬥，想必周恩來那幾年還沒有如履薄冰的危機意識，這時內心可能充滿個人奮鬥成功的快感，自己終於一步步走上去，而且遠遠超過了日本留學時候的預期，竟然走到位極人臣的頂峰，可以「光宗耀祖」了。

　　周貽良八十大壽，周恩來召集在京的周家後人，親自下廚，在西花廳為周貽良舉行家宴。周恩來的生父周貽能和撫養他讀書

【157】許芥昱，《周恩來傳》，明報出版部，1976 元 1 月，p199。
【158】秦九鳳，「周恩来的六伯父周嵩尧」，楚州政協網，2008 年 1 月 29 日。
【159】同上。

的四伯父均逝於他進中南海之前，未能看到他事業的成功，是周恩來人生一大憾事。他對侄女周秉德說：「對生我的父親，特別是養育我的四伯父，我都沒有報答他們的養育之恩，現在你六爺爺要來北京，我可以盡一個晚輩的義務和孝心了。」雖然並未養育過周恩來，這位僅存的父輩人物周貽良就成了周恩來欲報答父輩養育之恩的移情對象。【160】

　　以周恩來這樣強烈的家族意識，不排除生育後代是他與鄧穎超結婚的初衷之一。一九二五年鄧穎超與周恩來完婚三個月後，發現自己懷孕，當時鄧穎超給何香凝當秘書，作為國民革命軍東征軍總政治部主任的周恩來正在東征前線。鄧穎超認為工作很忙，沒時間養育孩子，就自作主張將孩子打掉。周恩來回來後獲知大發脾氣。侄女周秉德說，周恩來發這麼大的脾氣，鄧穎超還是第一次看到。周恩來說：你怎麼可以一個人做這樣的主，這是兩個人共有的孩子，你怎麼有權利一個人做主把他打掉。而且你怎麼可以把革命和生兒育女對立起來？【161】

　　其實當時的中共革命者普遍不重視生兒育女，為工作墮胎並非罕見。比如在法國勤工儉學的蔡暢與李富春結婚後懷孕，不想要孩子，找了幾家醫院做人工流產，但法國法律禁止墮胎，蔡暢才不情願地生下孩子。【162】有些革命者有了孩子也隨意送人。托派人物劉仁靜的前妻史靜儀在莫斯科生下孩子後送人。【163】毛澤東秘書田家英的妻子董邊在延安懷上孩子後，先是想方設法墮

【160】周秉德，第三章《養老敬老是伯伯的家風》，《我的伯父周恩來》，遼寧人民出版社，2000 年 10 月。
【161】周海濱，《國家之子：我如何訪問紅二代》系列的第五篇「周恩來為何沒有子女」，百度百家網。
【162】《李富春獨女李特特：媽媽蔡暢是一個冰冷的殼》，深圳新聞網，2008 年 8 月 22 日。
【163】東方平，「生如夏花：民國女子史靜儀的愛恨情仇之三」，財新網。

胎，最後一生下來就送給當地的農民，從此母子再未見過。【164】
鄧穎超和當時的革命女性看法相似，認為孩子是革命的包袱，但
沒有想到周恩來反應如此強烈。

　　而且最重要的是，周恩來在日記中強調，婚姻唯一的功能就
是傳宗接代，為了生兒育女結婚，這符合周恩來對婚姻的定位。
但人算不如天算，鄧穎超第二次懷孕也因為難產，最終無法為周
家誕下一個子嗣。

　　在中共官方宣傳周恩來的美德中，一再歌頌周恩來為了革命
未能生育自己的子嗣，是一種以關懷天下蒼生為己任的大公無私
偉大情操。實際上，周恩來絕後，非不願，是不能也。他想要子
女，但因鄧穎超不瞭解周恩來的意願而絕了育，後來因為自己的
性傾向又無法和其他女子發生愛情，因此也不可能有孩子。有沒
有親生的孩子與周恩來個人情操是否偉大恐怕完全無關。

【164】董邊口述，《董邊：和田家英相識相愛的日子》，《縱橫》雜誌，2015
　　年第三期。

第七章　與路易・艾黎的友誼

1　進入民國社會風氣大變

當年的周恩來是他那個時代的新青年，陽光健康，溫和理性，熱愛和準備接受一切新事物。但矛盾的是，他的性傾向使他在這個新時代找不到自己的定位。

中國傳統本來對同性戀相當寬容。儒家經典之一的《詩經》中的一些愛情詩是歌頌同性戀，如《鄭風・揚之水》、《鄭風・狡童》等篇。春秋戰國時代，視同性戀為人類正常的情感。《左傳》中還記載一個孔子為一位同性戀者主持公道的故事，魯國的國君魯昭公的兒子公為有個寵愛的年輕情人（嬖僮）汪錡，兩人在與齊國的稷曲之戰中一道陣亡，因為汪錡未成年，魯國人打算用未成年的殤禮，但孔子反對說，汪錡是為國戰死，應該給予成年人的葬禮。

為寫這本書，筆者讀了好幾本關於同性戀的書，談到中國同性戀歷史，這些書都洋洋灑灑列舉中國自古以來的著名同性戀者，從先秦的衛靈公與彌子瑕的分桃艷聞開始，齊景公、楚宣王、漢代十個有「分桃斷袖」癖的皇帝…到歷朝歷代的帝王、公侯、文人、雅士，然後是男風盛行的明清兩朝，同性戀名人仿如繁星，熠熠閃光：明代著名文人袁中道、明末清初的張岱、清初詩詞家陳維崧、揚州八怪之一的鄭板橋、清代詩人袁枚、著名學者狀元畢沅等等…。

但奇怪的是這個從先秦以來綿延不絕的名單一進入清末民初後竟然是一片空白，空白一直持續到到上世紀七八十年代，到同

性戀平權運動興起，中國（包括中港台）當代才開始又有同性戀名人出櫃，如白先勇、張國榮、蔡康永、關錦鵬…到這次參加香港佔中運動的歌手何韻詩、黃耀明、香港立法會議員陳志全等。

難道從清末民初到上世紀七八十年代這整個長達近一個世紀的時間段，中國不存在同性戀現象嗎？

當然不是。

同性戀自古以來即有，遍布人類每一個社會。中國疾病預防控制中心 (疾控中心) 等公佈報告稱，中國當今社會中十五歲以上性成熟的男性中 3% 到 4% 是同性戀者，即以一百名男子中有三至四人是同性戀，而這個比例也符合西方學者對西方同性戀人口的統計。中西學者均認為同性戀者佔性成熟人口的比例一直相當穩定，不會隨社會經濟文化因素的改變而改變。[165] 上述比例數字可能未必適用於清末民初到上世紀七八十年代這一個時間段，因為畢竟時代不同，但無論如何也會有一定比例的同性戀人口存在，只是或大或小而已。

在中國近代約八十年間的時間，同性戀現象從社會消失，不是不存在同性戀者，而是他們隱秘起來，消失於公眾視野中。研究同性戀的學者指出，在開放包容的時代，很多同性戀者勇於公開於社會，但在壓制否定同性戀的社會，同性戀就會隱瞞自己的性傾向。而清末民初那個時代正是中國主流社會開始排斥歧視和打壓同性戀的時候。

清末民初，社會對西方開放，西風東漸，將同性戀視為違反自然秩序的道德犯罪的西方基督教文明進入中國，中國民風為之

【165】李寧，「2012 中國同性戀調查報告及對同性婚姻合法化的思考」，2014 年 2 月 18 日，《中國性科學》雜誌網。

大變。而且二十世紀之初的西方性學研究者普遍將同性戀視為一種病態的精神狀態，是性倒錯或性變態。【166】

　　人們迎接新時代，激烈反對舊的傳統，但在潑去髒水的時候，不免把嬰兒也倒掉。從清末民初北京著名紅燈區八大胡同的男性賣淫風氣的盛衰，可以看到這個觀念的變遷。

　　清朝中葉的嘉慶道光年間，八大胡同男性賣淫的「相公堂子」【167】非常興盛，但在清末的庚子拳亂之後妓業興起，接受西方文明的新派人物將男風視為腐朽沒落的舊染污俗，「相公堂子」開始沒落。甫入民國，「相公堂子」更遭到查禁。著名戲劇藝術家田際雲以重人道的理由向北京當局呈文，要求查禁八大胡同的「相公堂子」。應社會輿論北京外城巡警總廳民國元年四月二十日，發布告示取締提供男性性服務的戲班「相公堂子」，指其存在是「人格之卑，乃達極點」，「玷污全國，貽笑外邦」。自此「娼妓徹底壓倒相公」。【168】

　　中國「新文化」運動的好幾位領軍人物在鞭笞舊禮教時，也捎帶修理了「斷袖分桃」之癖。魯迅曾以刻薄的語氣諷刺梅蘭芳「男人扮女人」，甚至挖苦愛爾蘭同性戀劇作家王爾德（Oscar Wilde）「可惜他的太太不行，以至濫交頑童，窮死異國」，「連生前身敗名裂的王爾德，現在也不算是丑角。」【169】

　　但「新文化」運動的一些領袖對娼妓卻不排斥，有的自己嫖娼，如陳獨秀、魯迅，有的對妓女唱讚歌，如劉半農編《賽金花本事》。而男風則受到鄙視。京劇名伶梅蘭芳出身於「相公堂

【166】王晴鋒，「生存現狀、話語演變和異質的聲音——９０年代以來的同性戀研究」，《青年研究》2011 年第 5 期。

【167】對男妓寓所的俗稱。

【168】張金起，「八大胡同裏的塵緣舊事」，思兔在線閱讀。

【169】見魯迅雜文《準風月談‧登龍術拾遺》和《且介亭雜文二集‧七論「文人相輕」——兩傷》。

子」，成名後，一群力捧他的上流社會權貴們極力掩飾其出身背景，想盡辦法為他漂白身世。

同樣是性交易，為何厚此薄彼？這當然是因為過去認為是風流雅事的「斷袖分桃」，進入民國成了傷風敗俗的陋風，人人惡之。「龍陽之好」逐漸從社會主流消失。而周恩來從南開畢業，前往日本留學時，正是這樣一個時代。

時周恩來二十歲，過了青春期，性意識已經成熟，因此對自己的性傾向應該比在南開少年青春時期有更清醒的認識。這時他已覺醒的性意識與當時社會大環境氣氛形成了劇烈的矛盾和衝撞，他作為「小眾」的一分子，無法為主流社會的道德規範所接受，從而產生心理上的極度不安、甚至還可能有罪惡感和羞恥感。

周恩來在他的《旅日日記》中，表達出精神上相當困惑、不安和痛苦，而且除了「鼐兄」外，他還無法與人討論疏解，求得安慰。他努力地為自己尋求情感的出路，佛教的無生、《新青年》提倡的「不婚主義」…但都無法解開他的情感之惑。他和摯友李福景的痛苦分離更將他推向了人生的極端選擇，使他從一個性格溫和熱愛新事物的世家子弟轉身為最激進的革命者。

從事業上來說，周恩來應該是很成功的。因為他出色的組織活動能力和社交手腕，南開中學的師生，包括非常賞識他的「南開校父」嚴修都說他有宰相之才。他青年時代也相當崇拜有經天緯地才華的義大利政治家加富爾，以這位為統一建功立業的義大利王國第一位首相作為他人生的楷模。純從事功而言，不去計較一個所謂的資產階級革命和一個共產極權革命兩者間的孰是孰非，以及周恩來和加富爾兩人功過的最後歷史論定，周恩來無疑是成功了，甚至比他的偶像加富爾還要成功。

　　要在主流社會生存和發展，周恩來必須極其小心地掩飾他真實的性傾向，一生充滿謊言。

　　從人格心理的發展來看，周恩來事業的成功最後是扼殺了他最可寶貴的真性情。自此他性情發生裂變，虛假的一面迎向陽光，自己最真實的一面則永遠地被隱藏封閉在黑暗的幽冥世界中，至死無法解脫。

2　國際密友艾黎

　　儘管同性戀在民國成為禁忌，是個消失的話題，但是民國是一個自由度很大的社會，威權式政府壟斷（實際是不完全壟斷）了政治權力，但其權力不伸向私人空間。用儲安平的話來說，自由仍有，只是多少的問題。私下的同性戀或低調的同性戀行為仍然不受打擾，男性之間的親密交往的空間仍然相當大。只是沒有人再敢於像明清時代那樣光天化日之下洋洋自得地招搖過市。

　　中國傳統社會男女授受不親，異性之間不能社交。男性只能在同性之間交往。另一方面中國傳統社會高度重視男性友誼，甚至將男性義結金蘭的友誼置於夫妻關係之上，所謂「兄弟如手足，妻子如衣服，衣服破，尚可縫；手足斷，安可續？」在西方一些往往被視為同性戀舉止的男性身體接觸，比如勾肩搭背、摟摟抱抱之類行為在中國社會卻是容許的，比如《三國演義》中桃園結義的劉關張親密到同榻而眠，這也給同性戀者們較多公開交往的活動空間。法國後現代主義哲學家，著名的同性戀者福柯（Michel Foucault）就對中國社會男男之間可以公開顯示親密情感非常羨慕。[170]

【170】《性學專家李銀河開講情感與性》國家社會動員項目網站－中國疾控中心－北京市疾控中心合作網站。

　　因此，在二十世紀初的社會環境吸引了一大批在西方受到社會壓抑的同性戀者來到較為寬容的中國。其中一人就是中國的國際友人、周恩來的好友新西蘭人路易·艾黎。

　　在中共奪取政權之前，周恩來雖然也參與黨內鬥爭，也在延安整風中受到毛澤東的整肅，但周恩來相對處於比較安全的位置。在民國時代對個人生活相對較寬鬆的環境，周恩來因其外交才能很長時間是活動於黨外的社會，如武漢和重慶時代的國共和談及合作時期，雖然有性壓抑，被迫結婚掩飾其性傾向，但整個心境還是比較放鬆的。甚至在幹革命之餘，還有一些結朋交友的空間，恐懼程度相對較低。此時他的同性戀並沒有完全壓抑，只是非常低調而已。

　　在這一階段，除了李福景，低調的同性戀者周恩來有沒有其他熱愛過的同性情人？

　　要回答這個問題相當困難。在國際舞臺上活動的周恩來如此小心地保守他的秘密，而中共也如此嚴密地維護著這個唯一聖人的形象，有關資料很難獲得。回答這個問題至少在中共未開放檔案之前是很困難的。

　　但檢視周恩來這個時段的生活，也不是沒有一些蛛絲馬跡使我們找到一些可能在他感情世界中透射過光芒的男人，甚至和他關係曖昧的男友。細究周恩來一生，發現與與周恩來有真情厚誼的男性朋友竟然多數在革命隊伍之外。他與這些並非革命同志的情誼超越了僵硬的黨派意識形態，如李景福、高亦吾、伉鼐如等。當然，為了維護這些持久的友誼，周恩來是盡力把這些朋友爭取到自己的營壘中，但也有失敗者，如吳瀚濤、吳國楨等。

　　由於中國傳統社會將男性之間的情誼置於夫妻感情之上，男性友誼可以肢體接觸，可以勾肩搭背，甚至同榻而眠。而且中國儒家社會講「不孝有三，無後為大」，迫於傳宗接代的壓力，同

性戀男子一般都會娶妻生子，更不用說還有雙性戀者。因此同性戀的愛情容易隱藏在中國社會所容許的男性親密交往的外衣下，除非有資料證實，我們很難說，與周恩來有深厚感情的摯友哪一些是同性愛人而哪一些只是單純的金蘭之交。

在周恩來的諸多好友中，只有一人算得上是中共陣營中人，但處於一個較邊緣的位置，不能算嚴格的革命者。他亦是周恩來諸友中唯一被證實的同性戀者。此人即大名鼎鼎的中共國際友人路易・艾黎。中外這兩位有同性戀傾向的名人在交往中雖然彼此都戴著面具，但所謂心有靈犀一點通，他們特有的精神世界讓他們有特別的感受同類的觸角。雖然目前有關他與周恩來的交往尚有許多空白之處有待填寫，但要是在這本書漏掉兩人的友誼，周恩來的情感生涯也將缺少重要一角。

一九八七年周恩來的遺孀鄧穎超給這位新西蘭人路易・艾黎的自傳《艾黎自傳》寫序說，「我從一九三八年在漢口認識艾黎同志，至今已近五十年。對他的人品我一直是很欽佩的。周恩來同志在解放前後都經常關心艾黎同志的工作和生活，認為他是中國的一位久經考驗、意志堅強的朋友。」這篇序言說明周恩來與艾黎有長久的友誼，並一直關心後者的生活。

在周恩來侄兒周爾鎏的《我的七爸周恩來》一書中介紹了與周恩來關係密切曾參與革命或支持中共的四位國際友人，其中一位就是路易・艾黎。路易・艾黎終身未婚，周爾鎏在書中說，他的七爸（周恩來）是這樣解釋路易・艾黎的不結婚：

> 路易・艾黎在艱苦的中國革命歷程中不僅同我們許多中國革命者同甘共苦，甚至考慮到自己隨時有犧牲的可能，因而未去組織自己的家庭，卻收養救濟了許多中國孩子，並將他們培養成材，以致自己在晚年仍然兒孫繞膝，其中不少人還成為得力的國家幹部。這一歷史的事實說明，像艾黎這樣

的國際朋友數十年如一日，最終成為我們中國革命隊伍當中的一位受人尊敬的重要成員。我們要好好學習他的始終如一，終身不渝的無私奉獻。【171】

因為隨時要犧牲，就不能組織家庭，這個解釋未免太牽強。但周恩來這樣說有他的理由。

路易‧艾黎是一位奇人。他一九二七年正當盛年時候的三十歲來到中國，在中國整整度過了一個甲子之歲月，直到他一九八七年十二月二十七日在北京逝世，享年九十。在他寓居六十年的中國期間（艾黎最終仍然持新西蘭護照，是中國的新西蘭僑民），他一生做了三件大事，從而使他在中國和他祖國新西蘭都大大有名。

第一件大事，艾黎在中國抗戰時和幾個中外名人發起組織了一個支援中國抗戰的後勤運動——工業合作社運動（簡稱工合）。艾黎推進工合運動的組織——中國工業合作協會，孔祥熙任理事長，理事均為名流，艾黎為技術顧問。後來宋慶齡和艾黎還在香港成立國際性組織——工合國際委員會，在國際社會為工合籌款。工合運動在抗戰時候的中國相當成功，生產中國軍需民用品的工合社在尚未被戰火燃燒的中國遍地開花，最盛時期近五百家。國際間名氣也相當大。多個國家成立工合促進社，紐約的促進社甚至邀請到羅斯福總統的夫人任名譽主席。工合的英文拼音Gung Ho 這個專有名詞，最後竟然進入英文詞典變身一般名詞，為團結開拓之意，據悉美國海軍陸戰隊使用這個詞作鼓舞加油的口號。

新西蘭孤懸南半球，為南太平洋之中一個極之偏遠的島國，遠離國際社會，離最近的人類文明世界——澳大利亞最南端的塔斯馬尼亞半島也隔海相望一千五百公里，相當於十個台灣海峽那

【171】周爾鎏，《我的七爸周恩來》，香港三聯書店，2014 年出版，p351。

樣寬。新西蘭人煙極其稀少，在艾黎青少年時代新西蘭人口僅一百一十萬。因此新西蘭青年在這個地老天荒的孤地非常苦悶，有歐洲先民冒險精神的就紛紛遠渡重洋到國外謀求發展，但像艾黎這樣建功立業，獲得可觀國際聲望的並不多。因此艾黎在一個古老的大國獲得的成就使得他在自己的故鄉新西蘭小國成為傳誦一時的英雄人物，有的中小學教師會在課堂上講述艾黎的傳奇，令一些學生非常神往。

但艾黎的偉大似乎是被極度誇大了。新西蘭坎特伯雷大學政治學教授安琳（Anne-Marie Brady）指出路易‧艾黎對工合的創建和貢獻沒有那樣偉大，他作為工合運動的象徵性角色是他的好友埃德加‧斯諾通過他的誇大式新聞報導，有意識地豎造出來的。斯諾用生花之妙筆報導艾黎和工合運動，將艾黎和阿拉伯的勞倫斯相提並論，說「T.E 勞倫斯為阿拉伯人帶去毀滅性的游擊戰術，而路易‧艾黎為中國帶來創造性的工業游擊戰術」，成功地將艾黎打造成繼阿拉伯的勞倫斯之後又一個西方白人在東方的冒險傳奇。艾黎因此在國際上暴得大名。安琳說，新西蘭政府也加入炒作艾黎的偉大國際人道主義者的神話，用金錢資助他在中國的活動，因為新西蘭政府認為這有助於提升新西蘭這個小國的國際形象。【172】

艾黎的第二件大事是他在抗戰時期至中共上台之前，在中國創辦了培黎技術工業學校，以西方來的資金辦校，對窮人子弟和孤兒給予工業技術培訓。

第三件大事在艾黎生前相當榮耀，但今後歷史書寫就未必是很光彩的。因為艾黎在中國抗戰時候贏得很大國際聲望，中共即利用艾黎的國際形象為中共參加韓戰辯護，並幫助中共政權粉飾

【172】Anne-Marie Brady, *Friend of China—the Myth of Rewi Alley*, Routledge Curzon, 2003, p32, 33, 34, 35.

其形象，向全世界推銷紅色中國，助其拓展外交空間，並拉攏中國和他的祖國新西蘭之間的關係。

由於艾黎這一貢獻，中共視艾黎為第一等友好的國際友人。一九八二年路易・艾黎八十五歲壽辰時，北京市政府授予他「榮譽市民」稱號。一九八五年，甘肅省政府授予他「榮譽公民」稱號。他逝世時，鄧小平為他題詞：偉大的國際主義戰士永垂不朽。

二〇〇九年，中國國際廣播電台、中國對外友協和國家外國專家局聯合主辦評選百年十大中國國際友人活動，已故世的艾黎成功進入十大（其餘九人為白求恩、約翰・拉貝、薩馬蘭奇、斯諾、李約瑟、愛潑斯坦、柯棣華、泰國詩琳通公主、日本人平松守彥）。【173】

路易・艾黎終身未婚，中共官方的解釋與周恩來解釋自己為何選擇與鄧穎超結婚的原因一樣，把路易・艾黎這個選擇神聖化，說艾黎是為了把自己一生奉獻給中國人民的事業，選擇了獨身生活。周恩來是艾黎這個神話的推手之一。

但這是一個天大的謊言。研究過路易・艾黎身世的安琳（Anne-Marie Brady）更指這是中國方面製造的一個神話，路易・艾黎順水推舟，接受了這個有關他不婚的解釋。

真相其實是：路易・艾黎是位沒有出櫃的同性戀者，這在新西蘭幾乎是一個公開的秘密。周恩來的上述解釋是為他這個親密友人掩飾這個天大的秘密。艾黎不結婚，不是因為所謂崇高的中國革命事業，而是和周恩來一樣，他不愛女人，不願意與異性結成婚姻，他是一個同性戀者。但與周恩來不同的，周恩來最後迫於中國強大的社會壓力，選擇了婚姻，他沒有，儘管周恩來曾勸他結婚。

【173】《十大国际友人评选》，中國國際廣播電視網絡台《國際在線》。

　　路易‧艾黎一八九七年十二月二日出生於新西蘭南島南阿爾卑斯山腳的坎特伯雷地區春田鎮，這個小鎮離著名的基督城六十多公里。這是一個嚴父慈母的家庭，父親對他要體罰，因中學時代學抽煙，曾被父親鞭笞屁股，以後終身不近煙酒。他讀中學時文科成績很優秀，但理科一般。

　　路易‧艾黎在第一次世界大戰的一九一六年參加了新西蘭軍，雖然其長兄剛在歐洲戰場戰死，但他仍然渴望到歐洲打仗。在一戰時候，大英帝國中，新西蘭男子前往歐洲參戰的比例相當高。當時一百一十萬人口的新西蘭竟然有百分之十的人前往歐洲作戰，幾乎所有適齡男子都去了歐洲戰場。因為熱血方剛的男子在新西蘭覺得生活孤寂苦悶，因此願意參戰到歐洲開眼界。路易‧艾黎參軍後隨即派到法國戰場作戰。

　　一戰結束後二十三歲的路易‧艾黎回到家鄉，與一位戰後歸來的老同學傑克‧史蒂文生（Jack Stevens）到北島一個非常偏遠的河谷（Moeawatea Valley），買了八百公頃的牧場飼養牛羊，這個牧場非常荒涼，騎馬一整天，四十公里，才能到一個叫 Waverley 的小鎮，而直到今天這個小鎮人口也不超過一千人，可說是荒絕人煙。路易‧艾黎就在這一荒野中與傑克過著與世隔絕的同居生活。

　　安琳說路易‧艾黎喜歡裸體，在信件、詩歌、他的傳記和談話中常強調裸體的快樂。大陸一些回憶路易‧艾黎的文章也提到艾黎赤身裸體與他的學生一起游泳。在炎熱的夏季，艾黎和傑克通常只穿一雙靴子，一絲不掛，赤身裸體幹活。這個逃進荒野，躲避主流社會的情景很像李安電影《斷背山》，如此過了六年。

　　但六年後，路易‧艾黎與傑克‧史蒂文生雙宿雙棲的生活無法為繼。一九七九年路易‧艾黎在中國中央電視台第十台播放的

文獻記錄片《路易·艾黎》中說，因為夥伴要結婚，他成了多餘的人。他說：「我最好離開。」[174]

路易·艾黎因為其性傾向無法在當時還很保守的新西蘭基督教社會生活（新西蘭在一九八七年還將同性戀視為犯罪），他決定前往中國。一戰在歐洲時，路易·艾黎就接觸過幾位中國人，後來與傑克·史蒂文生經營牧場，他常讀的《奧克蘭新聞週報》在一九二七年有許多關於中國革命的報導。路易·艾黎說，這些報導使他對中國產生了興趣。

但促使路易·艾黎到中國的真正原因是相比西方基督教社會，中國是對同性戀最寬容的東方國家。路易·艾黎在歐洲戰場初次見到中國人，是參加一戰的中國勞工軍團，他碰到幾個來自山東的大漢，他們的高大豪爽，以及不同於西方基督教文明的性觀念給他很深印象。

安琳在一九九三年七月四日訪問過路易·艾黎的好朋友，在山丹培黎學校為路易·艾黎當過六年助手的新西蘭同鄉 Courtney Archer。Archer 的中文名叫艾啟赫，是名會計師。他擔任培黎學校的總會計，並教授會計課程。他一九五二年離開中國回到新西蘭，但以後多次訪問中國，逝於二〇〇二年。艾啟赫本人也是同性戀者。他說，路易·艾黎常和他談起在歐洲和這幾位山東漢子的邂逅，暗示他和中國山東人有過性行為。艾啟赫說，這可能是路易·艾黎的首次性經驗，是促使他前往中國追求性自由的原因。[175]

【174】中央電視台探索·發現頻道五集文獻記錄片《路易·艾黎》第一集《早年歲月》。

【175】有關路易·艾黎部分資料，除另外註明外，均來自 Anne-Marie Brady 的著作 *Friend of China-the Myth of Rewi Alley*, 及她發表在澳洲國立大學學術期刊《東亞歷史》1995 年 6 月號總第第九期上的論文 West Meets East: Rewi Alley and Changing Attitudes towards Homosexuality in China。

　　安琳對西方同性戀者紛紛前往中國開始新生活，有專門的研究。她說，在中國民國時代，大批西方同性戀者前往中國，有各種各樣原因，諸如政治、文化、冒險、旅遊，但最大原因是尋求性自由。中國向他們提供了在自己母國社會中找不到的避難所。傳統中國社會對同性戀的寬容和接納使得性傾向可以模糊掉，同性戀者不會被社會排擠和邊緣化，不必另外發展與主流社會相區隔的同性戀圈子，可以生活在主流社會中。她說，雖然在民國時期，中國社會受西方影響，對同性戀的寬容文化也在改變，但中國社會的戰亂和治外法權拖慢了這種改變。她說，中國社會這種特性使得路易‧艾黎和他的同好者如魚得水，直到中共革命勝利使其終結。

　　路易‧艾黎動身前往中國，先到澳洲，再坐船到香港，從香港到上海。一九二七年四月二十一日來到中國，拿到六個月的簽證。此後他在中國度過一生。

　　路易‧艾黎任英租界工部局工業科督察長，很快就成為左傾的馬克思主義者，並與中共建立聯繫，他的住家，在法租界的愚園路 1315 弄 4 號的一棟三層的西式洋房曾是中共的秘密據點。他與英國工程師甘普霖（Alec Camplin）共同在此生活了八年。安琳指兩人都是同性戀者，但彼此之間可能不是情人，因為兩人都被中國男子所吸引，都收留了中國窮人的孩子為養子，這種收養有性的用意在內。一九三三年三十五歲未婚的路易‧艾黎已先收養十四歲的少年段士謀，以後又收養了十一歲的邁克，加上甘普霖及其收養的兒子，組成了一個全男性的奇特家庭。在上海期間，路易‧艾黎還有位叫文森（Vincent）的密友，艾黎為他拍過含有色情味道的性感照片。

　　艾黎和甘普霖一九三四年加入上海外國人的馬克思主義學習小組，成為中共的同路人，兩人在愚園路的住所因此成為中共地

下活動一個聯絡站，庇護過多位中共人物。中共上海黨組織曾在住處的頂樓小間裏架設電臺，用以與正在進行長征的紅軍保持通訊聯繫。

艾黎的住處是中共黨員的接頭地點和避難所，同年春，史沫特萊把剛從東京來滬的國際問題專家陳翰笙帶到此處，以躲避租界當局的搜捕，後又由艾黎護送上遠洋輪船，脫離危險。一九三五年深秋，通過史沫特萊介紹，聯繫張學良的中共中央代表劉鼎在此住了較長時間。

艾黎在上海期間認識了美國傳教士約斯夫·培黎（Joseph Bailie），深受其影響，後來他辦的學校就是以培黎命名。中國抗戰爆發後，艾黎辭去上海租界工部局工業督查職務，與斯諾夫婦來到國民政府臨時所在地的武漢，並找到八路軍辦事處，一九三八年六月，路易·艾黎武漢見到了周恩來。周恩來表示支持路易·艾黎的工合運動。

一九四二年，路易·艾黎利用他因發起工合運動的國際聲譽，在西安以西兩百公里外寶雞附近的小鎮雙石鋪，建立了一個培訓中國貧窮子弟的技術學校 - 培黎學校，吸引了不少熱心的西方人士前來助教，包括好萊塢電影《黃石的孩子》中的主角原型、一九四五年病死山丹的英國青年喬治何克（George Alwin Hogg），後來再西遷到甘肅的山丹。這些西方教師很多是同性戀者。艾黎稱他一生最快樂幸福的時光是培黎學校的日子。這個學校有三百名男孩。他們被叫做艾黎的孩子。

艾啟赫接受安琳的訪問說，在培黎學校同性戀很普遍，年長的男孩找年幼的漂亮男孩睡覺。路易·艾黎也和學生睡覺，大家習以為常，沒人大驚小怪。這些孩子長大成人，結婚生子，培黎學校的性經驗沒有對他們造成陰影。艾啟赫是聽到一些學生說他們和路易·艾黎睡過覺，才知道路易·艾黎是同性戀。

安琳說，在一九四九年中共上臺之前，中國人享受了很高的性自由，但在毛澤東時代，對同性戀政策非常嚴厲，完全禁止，同性戀者一旦被發現，就會被監禁，甚至處死。在北京大學教英文的 Max Bickerton 因為公開同性戀被驅逐出中國。一九四九年中共上台前夕，在培黎學校被解放軍接管之前，路易‧艾黎曾召集外國同性戀者開會，警告他們要收斂行為。

路易‧艾黎知道現實的嚴峻，更加嚴密保守他的秘密，一直聲稱他是因為革命而不結婚，拒絕與任何人，甚至他的家人談論他為何選擇獨身。多年後，他的弟弟 Pip 問他，為何選擇不婚的生活，他回答是：到中國後參加了革命，對我來說，革命和家庭之間只能二選其一。

安琳說，路易‧艾黎的醫生趙改英在回憶路易‧艾黎的文章稱，路易‧艾黎青年時代在新西蘭 Moeawatea Valley 經營農場時，一位姑娘愛上了他。他到中國後那個姑娘還在等待他，給他寫信說，要嫁給他，但要求他離開中國回到新西蘭。路易‧艾黎回信說：我的事業在中國，中國需要我，婚事因而作罷。但路易‧艾黎的妹妹 Joy Alley 接受安琳訪問說，這是艾黎編造的，艾黎的故鄉沒有這樣一位姑娘。

解放軍接收培黎學校後路易‧艾黎和其他教師遭到整肅，「三反」運動時挨整，但他沒有返回他的祖國，在一九五二年被召集到北京，作為新西蘭的代表參加亞太和平會議，從此定居北京，以著名西方人士（工合運動發起人）對外推銷中共政權，並促成他的祖國和中共交好。

安琳說，在中共上台後，路易‧艾黎身邊仍然有許多年輕英俊的男子，但他與這些青年男子沒有肉體上的關係，只是一種精神上的友愛。但是他的單身未婚在中國這樣一個重視傳宗接代的社會，是個相當引人注目的事。他的好友喬治何克在他的回憶錄

《我所見的新中國》（I See A New China）描述路易·艾黎在雙石鋪培黎學校的生活引發了他戀童癖的議論。這段描述說：

> 路易在雙石鋪的窯洞和他以前在上海的家一樣，學生不上課的時候，家中塞滿了男孩。他們從路易的肩膀跳下跳下，或被路易頭朝下吊起。他給孩子們灌腸，孩子們互相在生疥瘡的部位擦硫磺軟膏……孩子們光屁股對著火爐烤火（路易自己屁股上的疤痕證實他也喜歡這樣的娛樂。）孩子們扯路易的腿毛，還用手指戳這個外國人的巨大鼻孔。

有很大可能喬治何克本人也是同性戀。他是以一種欣賞的筆法寫下上述場景，而他本人的生活方式與何克非常相似，生前也收養了一家四兄弟。

培黎學生張志复的回憶也有相似的一幕。他說一次艾黎和何克來到培黎成都分校，正巧碰到那天是他的生日，何克和艾黎帶著一幫男同學到華西大學附近的青春島野遊，艾黎裸體游泳，和一群男孩子打鬧，並有肌膚的親密接觸：

> 大家圍坐在島上一片草地上，吃著帶來的食物，唱著歌為艾黎祝壽。艾黎高興地說，「島上沒人，天不算冷，有勇氣的和我下水游泳。」他自己首先脫了個精光，大家喊著，「下呀！」也紛紛跳入水中，游到島的另一側，艾黎趴在岸邊喊著：「快來滑滑梯。」同學們便從他的身體往下滑。正在打鬧歡笑之中，不知誰說了一句：「看！那邊來人了，還有女的。」這可把大家嚇了一跳。艾黎趕忙游向深處，大家也隨著都站在水中。【176】

據培黎學校的學生回憶，艾黎喜歡和學生打鬧，晚上在宿舍和學生扳手腕，在炕上打滾。和學生們光著身子在河裏游泳洗

【176】張志复，「艾黎與成都培黎學校」，《紀念路易·艾黎文集》（白求恩精神研究會），甘肅人民出版社，1997年。

澡，打水仗嬉戲也是經常的事。甘肅山丹當地的百姓都知道，「艾黎愛娃娃。」[177]

但這些記載均不見於路易・艾黎的回憶錄。艾黎對他與男性的親密接觸是相當諱莫如深，包括他與周恩來的交往，只有某些事件粗線條的簡單交代。他在上海愚園路與英國工程師甘普霖八年的共同生活，以及那位性感的朋友文森（Vincent），他都避而不談。

海外對路易・艾黎效忠中共及他的性傾向有各有傳聞，有看過喬治何克回憶錄的人說，路易・艾黎是戀童癖，中共向他提供男孩，換取他心甘情願為中共宣傳，另一種說法指中共可能以此來勒索他，強迫他為他們服務。電影《黃石的孩子》放映後，一位加拿大影評人指責電影粉飾了培黎學校黑暗的一面[178]。但安琳說，經她研究，路易・艾黎只是一個同性戀者，不是戀童癖，和他有性關係的主要是十幾二十歲的青年男子。不過艾啟赫親眼見到艾黎對學童有猥褻舉動，把手伸進到男孩子的褲襠中。

安琳說，進北京後，路易・艾黎對自己的性傾向嚴加保密，他身邊一些人至今不知道他的性傾向。她訪問了艾黎身邊兩個工作者，兩人斷然否認路易・艾黎是同性戀。安琳說，有人即或知道，也不會承認。

在安琳之前發表的形形色色路易・艾黎的自傳或文章都是按照中共官方的宣傳對他加以神話，尤其是將他的終身未婚，說成是為了中國人民的革命事業而犧牲了自己的婚姻幸福。

【177】張德禄，「故鄉人民思念您」，山丹縣人民政府，《紀念路易・艾黎文集》（白求恩精神研究會），甘肅人民出版社，1997年。

【178】一位名叫 Ronald Jack 的加拿大人 2008 年 6 月 12 日看了電影《黃石的孩子》後，在他的博客寫了篇文章，THE CHILDREN OF HUANG SHI - Movie whitewashes story of western paedophile in wartime China，指責路易・艾黎是戀童癖，及電影粉飾培黎學校黑暗的一面。

　　當然這種矯情高調的說法不是所有人都能接受。他的善解人意的好友紛紛為他說項，補充細節，有的說他青年時代遭受過失戀，失戀的痛苦使他不願意再作嘗試。另一位中共國際友人馬海德（Shafick George Hatem）醫生（馬海德是路易·艾黎的終身好友，兩人交情始於三十年代的上海）的夫人蘇菲則說路易·艾黎在法國戰場受過傷，不能生育。但最流行的還是那個家鄉的姑娘要他回國結婚他不肯的故事。周恩來的侄兒周爾鎏在《我的七爸周恩來》一書中也是這樣說法。很有趣的是，馬海德本人也是這個說法，因此與他妻子的說法竟然有矛盾。馬海德在《半個多世紀的友誼》中說：

　　　　艾黎一生未婚，他是一個感情真摯而深沉的人，他需要溫暖。但是，幹革命是要擔風險的，往往不容許有私人聯繫。為了革命的利益，他犧牲了個人的幸福，把自己的一切都獻給了中國人民。[179]

　　路易·艾黎的神話是在「六四」事件後打破。天安門事件震驚世界，這使得路易·艾黎的家鄉人開始質疑新西蘭與這個屠殺學生的政權的關係。八十年代中國初開國門，新西蘭通過一位自己的子弟的視角來認識紅色中國，又因這位子弟的紐帶作用，以為孤懸太平洋南端的新西蘭和位於北端有古老歷史的中國有一種特殊友誼。天安門的流血使他們恍然大悟，原來他們對大洋另一端的中國是浪漫化的誤讀了，引領他們盲目弱視的就是他們新西蘭這位在國際上最著名的子弟。於是安琳決定發掘路易·艾黎的

【179】馬海德，「半個多世紀的友誼」，《紀念路易·艾黎文集》（白求恩精神研究會），甘肅人民出版社，1997年。

真相,最後完成了她的研究著作《中國的朋友-路易・艾黎之迷思》,解構了中共建造的偉大國際友人神話。[180]

安琳說,中共為了維護其塑造的神話,阻擾她披露真相的研究。當中國對外友好協會聽說她在寫有關艾黎和其他西方同性戀者在中國尋找性自由的論文,即通知艾黎在中國的領養家庭不可接受她的訪問。友協也拒絕向她提供學術研究的幫助,還通知一位新西蘭學者說,如果他與安琳合作,他們將不再與此人來往。

安琳說,新西蘭學界也有一大批人靠路易・艾黎的神話為生,包括研究路易・艾黎的學者和新西蘭中國友好協會等,他們也對安琳施壓。一九九三年,新西蘭政府和維多利亞大學舉辦亞洲學會學術會議,與會的安琳事先呈交了論文,其中有句話提到路易・艾黎的性傾向,新西蘭中國友好協會的高層要求會議將她的論文撤下來,理由是談論艾黎的性傾向不合國家利益。新西蘭中國友好協會還派人與安琳交涉,向她施壓,要她把這句話從論文中除去。好在新西蘭是自由民主國家,一位政府外交官一口回絕了新中友協,說「這裏是新西蘭,不是中國。」[181]

3　與艾黎的交往

有傳聞說,路易・艾黎早在上海就認識周恩來,周恩來有段時間還住在路易・艾黎家中。但根據路易・艾黎的傳記,路易・艾黎是在一九三二年認識宋慶齡,一九三四年參加上海第一個國際性的馬克思主義學習小組,才和中共建立聯繫。

周恩來早在一九三一年十二月已因顧順章事件中共在上海的中央機關被破獲,無法立足於上海而逃往江西蘇區,周恩來應該

【180】Anne-Marie Brady, "Acknowledgements" in *Friend of China—the Myth of Rewi Alley*, Routledge Curzon, 2003.

【181】Anne-Marie Brady, "Epilogue" in *Friend of China—the Myth of Rewi Alley*, Routledge Curzon, 2003, p171.

不可能在上海時與路易・艾黎同居一房。現唯一能查到的只有韓素音的周恩來傳記一句話，在上海「他和一些歐美人，及路易・艾黎這樣的同情者有聯繫。」[182] 但韓素音這句話沒有註解，因此不知來自何處。

根據艾黎和鄧穎超的說法，周恩來和艾黎兩人首次見面是一九三八年在武漢。

「西安事變」後，國共再次合作，周恩來一九三七年十二月十八日作為中共代表抵達國民政府的臨時首都武漢（南京已失陷），次年十月二十五日在漢口淪陷前離開武漢。艾黎則在一九三八年六月從上海來到漢口，和埃德加・斯諾等籌劃工合運動。

艾黎自傳說，他在周恩來的東湖寓所（武昌郊外珞珈山武漢大學一棟西式別墅，周恩來夫婦一九三八年五月開始在此居住[183]）第一次見到周恩來。[184]

巧的是，兩人年齡相差僅三個月，當時都四十而不惑，但周恩來的外貌比他實際年齡要年輕很多。周恩來支持他籌劃的工合運動，還給他出了一些主意，建議他去爭取國民黨要人支持。

鄧穎超為艾黎自傳所寫序言，說她是在漢口首次結識艾黎，即是說在漢口的八路軍辦事處，而非東湖寓所。可能周恩來初次在東湖見艾黎，鄧穎超不在場。[185] 不過也有人說兩人是在漢口首遇。這可能是因為周恩來也在漢口八路軍辦事處接待過路易・艾黎而引起誤會。《路易・艾黎在中國》一書說，此後在武漢，「艾

【182】Han Suyin, *Eldest Son: Zhou Enlai and the Making of Modern China, 1898-1976*, Hill and Wang, 1994, p104.

【183】蕭波，「1938：一區 27 號」，《武漢大學報》，2010 年 4 月 2 日總第 1192 期。

【184】*Rewi Alley: An Autobiography*, Foreign Languages Press, Beijing, 2003, p99.

【185】鄧穎超，《艾黎自傳》序言（一九八七年三月），中國共產黨新聞網。

黎經常去向周恩來匯報情況，每次周恩來都鼓勵他一定要堅持下去。」【186】

這兩位同性戀者的初次邂逅，彼此會有什麼反應？是否可能在這次初遇或後來頻繁的交往中辨認出彼此是同類？

英文有個詞 gaydar，翻譯為同性戀雷達，意思是說，同性戀者可以從人群中認出自己的同類而發展交往。西方學者的研究證實同性戀者確實有通過細微的外貌特徵及眼神的對視來辨認同類的能力。社會學家李銀橋說，同性戀男性凝視男性時眼神含有渴望感，雙方眼光一碰就象觸電一樣，能意識到。【187】在同性戀圈子打滾已久的艾黎在辨認同類應該比周恩來更為敏銳。

但無論如何，路易・艾黎在武漢見到周恩來，對他來說是人生重大事件，但詳細情況他在自己的自傳中完全沒有提到，寥寥幾句概括話，沒有任何細節，沒有他一眼半句的感受，似乎整件事不過爾爾。這是相當令人疑惑的。

首先，他的工合計劃獲得中共重要領導人支持，這是一件大事。其次思想左傾的西方人見到周恩來後，都紛紛被他的魅力所傾倒。喜愛男色的路易・艾黎對中共這樣一個重要人物，並對其人生有很大影響的美男子，竟然完全無動於衷，是很難理解的。

據《路易・艾黎在中國》，在這之前艾黎對周恩來的了解是由於「西安事變」，覺得周恩來在關鍵時刻對民族產生了殊勳，由此對周恩來產生了一種特別的崇敬之情。艾黎隨後就工合計劃「經常去向周恩來匯報情況，每次周恩來都鼓勵他一定要堅持下去。」期間艾黎曾與周恩來和沈鈞儒交換意見，擬推薦當時任安徽省政府財政廳廳長的章乃器任工合協會總幹事，但最後沒有成事。

【186】朱健，《路易・艾黎在中國》，中共黨史出版社，2006 年北京，p67。
【187】「同性戀者有『同性戀雷達』能在人群中分辨同類」，人民網，2010 年5 月 30 日；「同志雷達，助你一臂之力」，網易女人；李銀河、王小波，「中國男同性戀群落」，社會紀實，華夏專欄。

　　周恩來在重慶時期，與路易・艾黎也有交往。周恩來一九三八年十二月中旬抵達重慶，艾黎也隨撤退的中國工合總部來到中國戰時的陪都。次年二月艾黎想到延安考察，周恩來就委託他護送一個印度援華醫療隊到延安。【188】

　　一九四三年上半年，周恩來和鄧穎超夫婦從重慶往返延安、西安時，第一次途經寶雞雙石鋪，在工合招待所停留居住，特地前往培黎學校探望艾黎，在艾黎的窰洞與他見面。次年第二次途經雙石鋪時，又前往探望艾黎。【189】

　　在路易・艾黎後來的歲月中，周恩來曾多次出面保護他這位外國密友。

　　據後來成為中共石油工業部長及副總理的康世恩說，在中共一九四九年「解放」甘肅山丹之前夕，周恩來指示西北野戰軍司令員彭德懷要保護路易・艾黎及其山丹培黎工藝學校，彭德懷將任務交給先頭部隊的西北野戰軍第九師，第九師政治部主任康世恩於是帶著一隻隊伍急行趕到山丹，在九月十九日（山丹縣城二十一日「解放」）見到了艾黎。康世恩在回憶文章中說，「我當面向路易・艾黎校長傳達了周副主席（周恩來當時職務為中國人民革命軍事委員會副主席）的命令，並告訴他，我們是奉命來保護培黎學校的。當時艾黎校長百感交集，感動得無法形容。」【190】

　　這是周恩來第一次出面保護路易・艾黎。但奇怪的是，路易・艾黎在他的回憶錄裏，對周恩來下令彭德懷保護他，康世恩當面向他傳達了周恩來的命令這件事一字未提，連康世恩的名字都未出現。只是說，解放軍派來一個代表接管了培黎學校，然後彭德懷聽取了軍代表對學校的報告，邀請他到酒泉會晤。後來又派其

【188】況鷹，「周恩來同志始終關心路易・艾黎的生活和事業」，博客中國，2010年6月5日。
【189】況鷹，「山丹培黎工藝學校（1940年-1953年）大事記」，博客中國。
【190】康世恩，「我與艾黎的第一次會面」，白求恩精神研究會。

助手張養吾到培黎學校再做考察，然後才寫了一紙證明，下令駐軍及過境部隊對培黎學校予以保護。

當時「百感交集，感動得無法形容」的艾黎難道將康世恩面見他傳達周恩來保護令的事情完全忘記了嗎？

這當然是不可能的。據一九九二年內部出版的《培黎石油學校發展史》，九月二十一日這一天，培黎學校召開了師生大會，康世恩發表了講話，解放軍文工團還為師生演出了《白毛女》和《劉胡蘭》。如此盛況，艾黎如何可能忘記。[191]

艾黎不是忘記了，可能是不願提起，因為後來的結果令他非常傷心。就在這一天，軍管代表張丕成受「中國工合」蘭州事務所軍管會派遣正式接管了培黎，[192]他嘔心瀝血創辦的工合已與他無關，他視如親生兒子的培黎工藝學校也不再是他自己的學校了。霎那間，他一生事業全部泡湯，兩手空空，一無所有。當時給他打擊之大可能如晴天霹靂，創傷之深在事過三十多年後，他提筆寫回憶錄時可能仍然在隱隱作痛，因此乾脆略而不記。

另一方面，也可能是艾黎試圖淡化他與周恩來的關係避而不談。

一九五一年五月，一位地下黨員被派到培黎當副校長，隨後學校建立黨小組、青年團、少先隊等中共體制架構。[193]艾黎雖然是校長，但學校事已非他可以做主。作為同情中國共產黨人的西方左翼人士艾黎，可能對未來的「新中國」一直有著不明真相的浪漫誤解和期待，因此沒有想到「新中國」這一天到來時，首先受衝擊的竟然是他創辦的工合運動和學校。

這年路易・艾黎曾到北京，參加決定工合命運的全國工合工作會議（全國工業協會在一九五二年被中共的中華全國合作社兼

【191】況鷹，「山丹培黎工藝學校（1940 年 -1953 年）大事記」，博客中國。
【192】同上。
【193】同上。

併，工合國際委員會隨即宣布結束），被安排住在大牌坊胡同一座小院，見到了相隔七年已經是紅色中國總理的周恩來。可能在這次見面中，艾黎向周恩來訴苦告了狀，情緒可能有點心灰意冷。但這是體制問題，教育屬於馬列主義所謂的意識形態上層建築，在共產黨極權國家必須由國家全面控制，私人辦校的時代結束了，工合這個中共上台之前游離在政府之外的 NGO 也一定是被國家接管。因此對於艾黎的困境，周恩來雖然是他的私交密友，但也無可奈何。若非艾黎與中共的淵源，以及來自周恩來的保護，他這個名義上的校長也當不成，因此周恩來的回應是「鼓勵艾黎仍回山丹工作，繼續辦好培黎工藝學校。」並建議他在北京多住一些時日，多走動，看看「新中國」首都的新面貌。【194】

艾黎在北京轉悠的時候，在書攤買了一本《工廠安全》的連環圖，因為他認為「新中國」的工廠應該注意工人的安全問題，並為此寫了封信給周恩來，說需要對工人作安全工作的教育。周恩來讀了這封信交勞動部長李立三批轉給勞動保護司執行。【195】可憐的艾黎，只可能用這點小事向新政權出力。但他或許沒有想到，他後來的命運還會起起伏伏。

安琳說，學校被接管後，中外教師在政治運動中遭到審查，外國教師因他們與前國民黨政權千絲萬縷的關係，還接受以美國為主的聯合國善後救濟總署的資助，被懷疑是間諜，艾黎也受到了攻擊。

周恩來再次為艾黎保駕，艾黎自傳這次提到了康世恩，說康世恩在周恩來的指示下，帶著艾黎在北京工作的次子邁克來到學

【194】況鷹，「周恩來同志始終關心路易‧艾黎的生活和事業」，博客中國，2010 年 6 月 5 日。
【195】朱健，《路易‧艾黎在中國》，中共黨史出版社，2006 年北京，p137。

校調查，保艾黎過關。周恩來指示說，培黎學校是進步學校，政府應該幫助培黎克服困難。【196】

可能周恩來在山丹「解放」前夕第一次下指示保護艾黎，是知道培黎學校即將軍管，他恐怕艾黎會受到衝擊，因此派康世恩親自前來傳達他的指示，既可防止艾黎對學校軍管有不適當反應，另外也可以避免不了解歷史的「解放軍」傷害到這位「洋鬼子」。

艾黎在隨後的「三反」運動中再次挨整，被扣反革命、西方帝國主義走狗和特務的帽子。艾黎因為將一件軍大衣送給一位學生，這位學生就被打成老虎，受到批鬥。最後培黎學校被石油局接管。一九五二年六月艾黎被周恩來召集到北京，以新西蘭代表的名義參加籌組亞太區域和平會議（這個所謂的亞太和平會議是中共和蘇聯在韓戰中的一次反美外交宣傳攻勢，目地是在韓戰問題上贏取國際支持），從此離開了培黎學校，僅保留一個榮譽校長的頭銜。此後艾黎定居北京。

周恩來將艾黎調到北京，可能有多重原因。一是他在培黎學校已架空，無事可做，他的教育理念必然與紅色中國的教育制度有衝突，最後可能將艾黎置於很危險的境地。調他到北京，有保護他的作用。其次顯然是要利用艾黎的國際聲譽，發揮其所長，為中共的外交做工作。

和艾黎一道前往北京籌備亞太和平會議的，還有他那位同鄉，即披露他的同性戀秘密的艾啟赫。艾啟赫接到一個任務，被派回新西蘭組織代表團赴北京參加亞太和平會議，但艾啟赫竟一去不返，回國後繼承了家庭事業，成為成功商人。【197】

【196】 *Rewi Alley: An Autobiography*, Foreign Languages Press, Beijing, 2003, p220.
【197】 Courtney Archer, 1918-2002, Local People, Christchurch City Libraries.

　　艾黎在工合運動被終止，培黎學校被接管後，一生事業泡湯，也面臨著何去何從的問題。可以相信，沒有與周恩來的友誼，他在中國的生涯可能就此結束了。但他在一生事業被剝奪一光後，仍然留在了紅色中國。在這之前，他是以個人奮鬥的姿態，從事中立的人道事業，是位真正的英雄。但現在則屈從於一個極權政權，放棄了個人的自由，甘心扮演一個工具角色，以他西方人的身份及其國際聲譽去粉飾美化這個政權。

　　據艾黎自傳，中共上台後，由於艾黎的親紅色中國的立場，新西蘭政府不給艾黎護照，使他自三十年代回過新西蘭後再也無法回國探親。這次也是周恩來出手幫了他一把。

　　一九五九年周恩來在北京接見新西蘭工黨代表團，艾黎本人也在座。因為新西蘭這一年是工黨執政，周恩來質問代表團，「你們為什麼不給艾黎護照？」

　　代表團回答說，「我們不清楚。不知道這件事。我們不知道他沒有護照。」

　　周恩來於是說，「如果你們不給他護照，我就會給他一本中國護照。」

　　新西蘭工黨代表團回國後，路易‧艾黎去申請護照，這次他成功拿到護照，於二十三年後的一九六〇年首次回到家鄉探親。【198】

　　一九六三年艾黎六十六歲生日，周恩來攜陳毅親自到艾黎家祝賀。【199】

　　周恩來最後一次出來保護路易‧艾黎是在「文化大革命」的瘋狂時代。

【198】況鷹，「周恩來同志始終關心路易‧艾黎的生活和事業」，博客中國，2010 年 6 月 5 日。
【199】同上。

「文革」爆發後，艾黎受到衝擊。他發起的工合被打成「反動」組織，因為孔祥熙是理事長，又說是特務組織，因為有外國人參與。艾黎自傳說，他熱愛中國傳統文化，一九六三年出版了他翻譯的蔡文姬《胡笳十八拍》，「文革」時被說成是毒草，這使他十分傷心，對自己說，「從今後不再研究中文，我這樣做是蠢蛋。今後只專注於英文，這才是我的媒體，我的工作語言。不要再做翻譯的事了。」【200】

在他和 W‧貝卻敵（W.G. Burchette，澳洲共產黨人，曾任澳共《論壇報》和法共《人道報》駐華記者）為毛澤東「文革」擦鞋的著作《中國見聞錄》中，提到一九六七年五月，正是「文化大革命」在最高潮時，艾黎在北京家裏突然來了位紅衛兵，要把艾黎幾十年來收集的陶器、銅像、象牙、卷軸和其他的藏品當做「四舊」清理出去，氣得艾黎想要脫掉他的褲子打他的屁股。這個帶著紅衛兵袖套的光頭小夥子是他一個養子的兒子，從老遠的省份來到北京，想給「文化大革命」加一把力。【201】

韓素音在她記述「文革」這段歷史的回憶錄《再生鳳凰》說，艾黎被揭發是特務，與國民黨暗中來往，審查他時發現他曾寫過讚揚已被打倒的元帥賀龍的文章，及一張他與賀龍的照片。他被造反派開會批鬥，他的書籍被燒毀，而鬥他的竟然是在北京的外僑造反派，他們成立了一個名叫「白求恩」的造反組織。

「你應當看看他們當時的那個樣子」，幾年後路易溫和地笑著對我說，「他們就像無知的孩子，眼睛都瞪出來了，噴著怒火。他們認為他們是站在革命的最前列。」路易還對韓素音談到，外國專家「造反派」們不僅對他提出各式各樣的

【200】 *Rewi Alley: An Autobiography*, Foreign Languages Press, Beijing, 2003, p255.
【201】W‧貝卻敵 路易‧艾黎 合著，龔念年譯，《中國見聞錄》，南粵出版社（香港），1975 年 4 月初版。

「指責」，而且還不讓他去醫院看皮膚病，後來還是周恩來得知此事才下令讓路易到醫院看病。【202】

在路易‧艾黎最困難的時候，他的養子們都因為他這個外國關係慘遭迫害。在蘭州石油學校（即前培黎學校）當校長的長子段士謀（阿蘭）多次遭毒打，被關牛棚。次子邁克（黎雪）全家受迫害，他本人被強迫挖溝渠兩年。斯諾一九七〇年八月再訪中國，見到老朋友艾黎，艾黎向他述說自己的困境，說他身邊的朋友挨毒打，被餓飯，被迫自殺，朝不保夕。斯諾說，艾黎已被隔離，孤獨無助。【203】這時的艾黎，朋友們對他避而不見，只有兩位醫生馬海德和漢斯‧米勒雖然承受了種種難以想像的壓力，還敢接近他。就在這個時候，周恩來再次向他伸出了援手。【204】

一九七〇年九月，周恩來在北京工人體育館一次群眾大會上看到艾黎，立刻走下主席台，來到艾黎的座位旁邊與他交談，並且和他拍了一張照片。【205】

「文革」期間，周恩來處境相當艱難，不是所有親近的人他都保其過關，比如他對自己的親弟弟周恩壽和養女孫維世就放棄保護，甚至親自簽署逮捕他們的決定。（有關周恩壽被捕，也有說是周恩來為了保護他，先把他抓起來，以免他落入「四人幫」手中）。保誰不保誰，以及如何保，對周恩來來說，必定是經過相當認真的權衡和考慮。但周恩來在北京體育館保艾黎，是事出突然，看見了艾黎才作出的決定，未必是一個深思熟慮的行動。但

【202】何蜀，「被瘋狂愚弄的外國人——在華外國專家文革經歷」，《當代中國研究》2002 年第 2 期。
【203】Anne-Marie Brady, *Friend of China—the Myth of Rewi Alley*, Routledge Curzon, 2003, p114, 115.
【204】何蜀，「被瘋狂愚弄的外國人——在華外國專家文革經歷」，《當代中國研究》2002 年第 2 期。
【205】況鷹，「周恩來同志始終關心路易‧艾黎的生活和事業」，博客中國，2010 年 6 月 5 日。

也由此可見艾黎在他心中的分量。所有提到此事件的大陸文章都指出，在當時的政治氣候這個姿態是一次清楚明白的表態，等於說宣告艾黎仍然屬於人民之列，在政治上是沒有問題的。如此即幫助艾黎度過了他一生最凶險的難關。在周恩來的表態下，艾黎獲得解脫。他的養子段士謀不堪造反派虐待逃到北京養父家中藏匿，後來也在周恩來干涉下獲得自由。【206】

　　兩人並肩而坐時，艾黎向周恩來述說他在「文革」中的困惑和苦惱，他在自傳中說，他當時問周恩來，在這樣的環境下，他應該如何辦。周恩來沉思了一下，然後告訴他：「你還可以工作。今天在中國有很多好事，也有壞事。在國外壞事傳千里，中國的好事知道的很少。你可以利用你在中國的經歷，去把這些好事寫出來。」【207】

　　「文革」時期，住在中國的外國人行踪受到嚴格限制，家居北京的連北京郊區都不可前往，但被周恩來解放了的艾黎卻可以周遊全中國。斯諾說，據他所知，艾黎是唯一享有此優待的外國人。【208】

　　優待也好，特權也好，實際是有任務和代價的。在周恩來的建議下和安排下，路易‧艾黎和那位澳大利亞共產黨記者貝卻敵一九七三年夏天在中國四處遊覽觀光，並訪問了毛澤東的兩個工業農業革命樣板——大慶油田和大寨大隊，進行所謂調查，好把中國的好事寫出來傳之與國際社會，以粉飾因為「文革」動亂被蹂躪得慘不忍睹的紅色中國面孔。

【206】Anne-Marie Brady, *Friend of China—the Myth of Rewi Alley*, Routledge Curzon, 2003, p115.

【207】*Rewi Alley: An Autobiography*, Foreign Languages Press, Beijing, 2003, p255.

【208】「附录：埃德加‧斯諾著：周总理的一个暗示」，《周恩來自述——同外國人士談話錄》，人民出版社，2006 年 7 月。

　　雖然艾黎被「文革」攪得一度如熱鍋上的螞蟻要周恩來出面保護，雖然他本人對「文革」的許多做法私下怨言甚多，但他這本《中國見聞錄》描繪新中國的美景，並為毛澤東的「大躍進」和「文化大革命」辯護，合理化毛澤東對其政治對手劉少奇的迫害。比如下面兩段文字：

　　　　根據我們自己當時在現場的觀察，以及在其後所進行的調查，「大躍進」實在是一項劃時代的成功，它的全面意義，直到現在，外面世界仍然對它只有一些模糊的認識。在尼克森訪華以後的時期中，參觀者所感到驚詫的建設，大部分源出於在「大躍進」時期所建立下的經濟基礎。幾乎聽有主要灌溉和築路工程，所有的關鍵性經濟發展，包括中國最邊遠的地區都有了當地工業，並在蓬勃發展，其根源都在於這一富有想像力的運動。毛氏一向保持他的作風，不公開反駁對他的批評，寧可讓歷史寫下最後的判斷。

　　　　除了其他特點以外，「大躍進」在全國變成了一個大學校，打破舊傳統，做出新事物。在技術方面，它使農民生出信心，相信自己也能夠做到過去認為只有城市工人才能做的事情。全國農村部煉鐵煉鋼（儘管品質時常很低），這就具有重大價值，起碼它打破了技術的神秘性。有些苛求的人一再指出，全國農村有很多地方堆著未經使用的鋼鐵，認為這是運動失敗的例子。然而，這些存貨很快就不見了，變成了大車車軸、車輪護鐵或鋤頭。反正它們本來就不打算用來充當坦克或戰艦的鋼板。

　　　　農民們能在自己的後院裏，用土爐煉鐵煉鋼，這件事就很有啟示，這是他們掌握技術的起點。經此起點，他們就一往直前。後院士高爐，正如我們在當時所報導的、只是農村大煉鋼鐵的一個臨時階段，其目的是使農民生出信心，只要他們敢想敢幹，他們就能做出一些事情。在這個意義上，「大躍進」代表著一次工業革命，它不僅沒有打亂、而且是

鞏固了農村經濟和社會制度。它並沒像歐洲工業革命那樣，把農村併入工業中心，而引起大破壞，而是把工業直接送到農村裏。加上人民公社，它向著社會主義社會所揭示的目標——減少而且最後消滅農村和城市勞動的差別、城鄉差別，邁進了一大步。

……

為人民服務，五個大字，用毛澤東的難以模仿的字體，懸掛在街市、工廠、醫院、學校、軍營裏；也用大致仿照的字樣，漆在或寫在農村的牆壁、橋樑的拱道、鐵路的兩側、公社工作隊的橫額，或工程地盤上——凡是適合於「為人民服務」這句口號的活動的地方，都有這五個大字。看來，它已被吸收到民族血液裏，成為毛氏有關革命最終目的和推向共產主義社會的方法的概念最簡化提法。初看之下，它很容易被人輕視為這又是一句口號，其實，在「文化大革命」期間，當人們難以判斷在許多論戰之中哪個只有戰術性意義、而哪個又有長期戰略性意義時，這句口號便是進行衡量的一個標準。

當你到處參觀、深入瞭解情況時，你會驚異地發現，這個概念不僅已經被接受為人們日常活動的指南，而且作為一把尺，來衡量對於整個人生，對於工作和同事，對於學習和同學以及對於鄰居的態度。這不同於童子軍的「日行一善」的格言，而是要求人們對整個社會，以及對每個人生活、學習或工作的小天地，都要採取「日日行善」的態度。

「為人民服務」關係到掌管經濟的各個方面，其廣泛之程度，會使專從成本會計的角度來打算盤的經濟學家，陷入深深的絕望狀態。它是各個級別的主要指標，從計劃一個重型工業到販賣花生，都是如此。以對於污染的態度為例，它就對人很有啟發。【209】

【209】W.貝卻敵 路易.艾黎 合著，龔念年譯，《中國見聞錄》，南粵出版社（香港）1975 年 4 月初版。

　　艾黎如此歌頌毛澤東的「大躍進」和「文革」，恐怕是在「文革」那段險惡環境中的一種生存之道，內心未必真的認同毛的路線。但非常諷刺的是，艾黎吹捧毛澤東路線，他個人的榮辱和聲譽忽略不計，但他那時絕對想不到，他歌頌的毛澤東「文革」在鬥垮了劉少奇及另一位對手林彪後，轉向開始瞄準他的保護人周恩來，發動以周恩來為目標的「批林批孔批周公」的運動。此時，不知艾黎有何感受？他是否會覺得《中國見聞錄》是白寫了？是否更加惶恐，擔心大樹一倒，覆巢之下豈有完卵？

　　而更加諷刺的是，艾黎這本「文革」歌德書雖然一九七四年已完稿，但最後在西方出版時已是一九七六年六月，幾個月後「文革」派「四人幫」倒台，隨即毛澤東「文革」被徹底否定，艾黎的歌德行動也就失去了作用。

　　周恩來和路易・艾黎關係如此密切，兩人是否通過同性戀雷達知道對方是同類人？如知道，雙方又是一種什麼樣的關係？有沒有精神上的愛戀？甚至超越精神的交往？

　　受蘇東波浪潮衝擊，一九九一年澳洲共產黨解散，幾年前澳洲共產黨一批黨內同志的來往書信被解密。澳洲和新西蘭新聞界和外交圈子中有傳聞說，在這批解密信件中發現有信件披露中國總理周恩來和大洋洲某人有不尋常的友誼，這個人很可能是路易・艾黎。一年前這個消息還出現在中文網上，但至今已搜尋不到。

　　艾黎有個關係相當密切的澳洲共產黨朋友、即與他合作寫《中國見聞錄》的記者 W・貝卻敵。此人與中共有長達幾十年的交情，一九五二年已首次在墨爾本出書，為中共革命和參加韓戰辯護。在中蘇兩黨發生嚴重分歧後他百分之一百地支持中共，並在中國文革期間由周恩來安排與艾黎到中國各處採訪，出書《中國見聞錄》。貝卻敵與艾黎結識於抗戰時期的重慶。在《中國見

聞錄》中，貝卻敵不顧艾黎的謙虛反對，堅持用了兩章介紹艾黎在中國的經歷，對艾黎評價很高。此人對艾黎人生相當了解，會否就是在這個善於觀察的記者的書信中，談到了艾黎與周恩來的友誼？

　　雖然坊間有很多傳聞，但在新的文獻資料出現之前，上述問題是無法作結論的，既不能肯定，也不能否定。從現在可以看得到的資料來看，至少周恩來可能知道艾黎的性傾向。

　　周恩來的侄兒說，「七爸非常關心艾黎的婚事，要給他介紹中國姑娘，他以年齡大為由拒絕了。」[210]

　　艾黎生前的醫生趙改英在一九八八年四月二十日的《人民日報》海外版的「懷念路易‧艾黎同志」文章中說，在戰爭年代周恩來關心艾黎的生活，建議他結婚，但艾黎說他四處闖蕩，行踪不定，而且很危險，怕一旦有事會傷害到另一方。

　　周恩來本人是同性戀者，他以婚姻來掩飾自己的性傾向。現在又勸艾黎結婚，可能也是因為知道艾黎的性秘密，希望他仿效自己製造一個煙幕婚姻，以中國式的方法來加以掩飾。[211]

　　周恩來與艾黎關係密切，是大家都知道的事實，鄧穎超也說周恩來在「解放前後都經常關心艾黎同志的工作和生活，」但是在艾黎的自傳中對與周恩來的交往只是寥寥數語，著墨很少，包括兩人第一次在武漢見面的細節，甚至對一些兩人交往的重要事實，完全不提。比如一九五二年是在周恩來邀請下前往北京定居等，沒有提起。

【210】周爾鎏，《我的七爸周恩來》，香港三聯書店，2014 年，p351。

【211】Anne-Marie Brady, *West Meets East: Rewi Alley and Changing Attitudes towards Homosexuality in China*, Number 9, June 1995, The Continuation of Papers on Far Eastern History, Institute of Advanced Studies, Australian National University.

　　艾黎對周恩來的感情應該是不容懷疑的,但周恩來逝世,他在自傳中只是用了九行字記述中國民眾的反應,沒有只言片語提到自己個人的感受,比如如何悲傷之類。按周恩來與他的深厚交情,他如此惜墨如金,令人費解。是否有某種不便出口的心理障礙使他要有所迴避。如果有這種心理障礙,想來也應該與政治無關,因為他的自傳是在「文革」結束後的一九八六年出版的。

　　安琳指出,在他的自傳中,艾黎對與他在上海共同生活過八年的英國工程師甘普霖就很少提及,而他們那位共同的朋友文森(Vincent)更是避免提到。背後的原因很可能是相同的。

　　周恩來和艾黎都是左翼革命者,同時都是秘而不宣的同性戀者,但兩人一個結婚,一個未結婚,對自己婚姻的選擇或不婚的選擇,兩個人都採用了同樣的口實:他們之所以作了這樣的選擇,都是為了革命的事業。今天,雖然沒有出櫃,但艾黎是位同性戀者,在他自己的祖國,幾乎已是家喻戶曉,更有學者親自調查,得到他朋友和同事的指證。但周恩來的性傾向真相似乎已隨他去世被帶走,從此消失在歷史的迷霧中。可幸的是,無意中他留下了一部青春時代的日記,透露出大量信息。

　　比對他們的一生,這兩個本來就惺惺相惜的友人,實在有太多符合之處。艾黎後半生生活在共產中國,和周恩來一樣內心有無法公開於世的秘密,但又身處思想控制最嚴的毛澤東時代,因此心懷恐懼、人格扭曲,表裏不一,做違心事,說違心話,生活在謊言中。他就是周恩來的一面鏡子,從艾黎身上照射出周恩來矛盾扭曲的人生。他比周恩來勇敢的是:他始終扛住壓力,沒有用一場虛假的婚姻來掩飾自己的性秘密。

第八章　紅色中國的總理

1　制度的迫害與人格分裂

作為二十世紀的政治家，周恩來人生愛情的大悲劇是他不能公開於世的性傾向；而道路的大悲劇是他選擇了革命為他的人生事業，儘管他當時是走投無路下的無奈選擇，是身不由己，被逼上梁山。

周恩來因為反抗社會的歧視和壓力而投身革命，由於民國時期整體的寬鬆環境及本人還未受到革命內部整肅的威脅，周恩來性格的分裂尚不嚴重。隨著他逐漸發現，他投身於其中的革命對他們這些「性小眾」絕對冷酷無情，他內心的性慾求更加飽受壓抑，這是他投身革命之初絕對沒有想到的。

雖然二十世紀初，中國受西方基督教文化影響改變了對同性戀寬容的傳統，對同性戀歧視加深，但並沒有將同性戀置之於死地，尚留有不少的空間。但蘇聯十月革命一聲炮響，給中國帶來了馬克思列寧主義，也使得中國同性戀者在民國時代僅有的一點空間喪失殆盡。

斯大林執政時的蘇維埃政權，秉其歧視同性戀的俄國東正教傳統，並將其意識形態化，將同性戀定性為資產階級的罪惡行為，與反革命活動、「反動」顛覆活動及間諜罪相提並論。同性戀不算普通犯罪，是比一般刑事犯罪更嚴重的罪行。同性戀受到普遍的歧視和迫害，同性戀者不能加入共產黨，而黨員一旦被發現為同性戀者即刻被開除出黨。

　　一九三六年蘇聯司法部長稱，經過二十年的社會主義教育，沒有人有理由再變成同性戀，若果有人堅持這樣做，將成為剝削階級餘孽，自絕於人民。蘇聯革命文學之父高爾基當年曾發表文章支持立法將同性戀入罪，說容忍同性戀會將蘇聯導向法西斯國家，而立法打擊同性戀則是「無產階級人道主義的勝利」。【212】

　　一九五二版的蘇聯大百科全書稱，「具有良好道德風氣的蘇聯社會視同性戀為頹廢、羞恥與犯罪。除先天形成的以外，同性戀受到法律的制裁……在資產階級國家，同性戀表現了統治階級的道德敗壞，從來不受懲罰。」【213】

　　一九三三年斯大林在原有的蘇聯刑法中增加了反同性戀的一百二十一條款，對有同性戀性行為者判處五至八年的苦役。此法律直到蘇聯解體才廢除。

　　在此法生效後的六十年間，蘇聯約有二萬六千到五萬男同性戀者被送往古拉格服苦役。【214】其中包括被譽為二十世紀最偉大的電影導演之一的謝爾蓋·帕拉傑諾夫。他在一九七三年因為同性戀行為被判服苦役五年，罪名是「強姦一位共產黨員及傳播淫穢物品。」【215】他偉大的前輩、世界級電影大師愛森斯坦因同性戀受到蘇維埃政權威脅而被迫假結婚以作煙幕。【216】蘇聯唯一一位出櫃的同性戀詩人金納迪·特瑞福諾夫在蘇聯時代僅僅由於自己

【212】二言，「俄國同性戀概史」，2002 年 8 月 18 日，愛白網。
【213】同上。
【214】「斯大林嚴刑打壓 俄主流民意反同」，香港明報，2013 年 8 月 12 日報導。
【215】「蘇聯電影大師天才導演帕拉傑諾夫專題展映——帕拉傑諾夫 生平簡介」，豆瓣讀書網。
【216】Vanessa, 譯者江明親，《性別多樣化——彩繪性別光譜》(Sexual Diversity), 台灣書林出版社，2003 年，p92。

的性傾向被 KGB 騷擾迫害二十多年，並根據刑法一百二十一條款被流放到西伯利亞服苦役四年。【217】

　　自上世紀三十年代起，同性戀在蘇聯成為禁忌，同性戀作家和詩人的作品或被有意忽略或作新的詮釋。【218】如俄國音樂大師柴可夫斯基是同性戀者，但在蘇聯時代這一事實完全遭受封殺，沒人知道柴可夫斯基是同性戀者，直到蘇聯解體，人們才開始獲知這位音樂大師的性傾向。【219】

　　由於迫害同性戀在蘇聯已成為打擊「反動派」的革命準則，從而影響到整個國際共產主義陣營。甚至到五十年代，西歐的共產黨還把同性戀者開除出黨。由於長達半個多世紀在意識形態上對同性戀的污名和抹黑，直到現在前東歐共產國家，對同性戀仍然不夠寬容，俄國反同性戀者指責同性戀是西方勢力針對俄國的陰謀。俄國領袖普京二〇一三年還重新立法，將同性戀刑事化。【220】

　　蘇聯斯大林政權對同性戀的迫害也不可避免地影響了其扶持下產生的紅色中國。中共上台後也採取了與蘇聯一樣將同性戀性行為刑事化的法律，將同性戀行為定性為雞姦罪和流氓罪。新西蘭坎特伯雷大學政治學教授安琳（Anne-Marie Brady）在她的學術著作中指出，在一九四九年中共上臺之前，中國人享受了很高的性自由，許多西方同性戀者來到中國如魚得水，但在毛澤東時代，對同性戀政策非常嚴厲，實行完全禁止。同性戀者一旦被發現，就會被監禁，甚至處死。由於現實的嚴峻，連備受中共禮遇

【217】Simon Karlinsky, "The Case of Gennady Trifonov, *The New York Review of Books*, April 10, 1986 issue.

【218】Vanessa，譯者江明親，《性別多樣化——彩繪性別光譜》(Sexual Diversity)，台灣書林出版社，2003 年，p92。

【219】Arit John, "Sorry, Russia, but Tchaikovsky Was Definitely Gay", *the Atlantic Wire*, Aug 23, 2013.

【220】《俄國下議院杜馬通過禁止傳播同性戀法案》，2013 年 6 月 11 日，BBC 中文網。

有同性戀傾向的國際友人也被迫隱藏他們的性傾向，以為革命奉獻一生的藉口來為他們的獨生不婚辯護。【221】

在同性戀已被蘇聯共產主義教條污名化為反革命犯罪時，作為國際共產主義運動中一位傑出領袖的周恩來，不得不用一生的時間來掩蓋他的性傾向，極為小心地保守他的性秘密，維持他與鄧穎超的所謂模範婚姻，甚至故意製造一些緋聞出來。比如讓人誤會張若名曾是他在歐洲時期的女朋友，對於他在德國哥廷根有私生子的傳聞不做確切的澄清等。也因為這個原因，他要掩飾他與李福景的友誼，迴避他和李福景一道赴英國留學這段歷史。

嚴苛的革命教義、性壓抑和內心的恐懼改變了周恩來的人生，更扭曲了他的人性。

後半生的周恩來人格已一分為二，公開身份是無產階級的革命領袖，但隱藏在革命外衣下卻是被紅色革命定性為剝削階級餘孽的道德犯罪份子，一個革命的異教徒。兩者之間的劇烈衝突對周恩來形成精神高壓，內心罪惡感深重，焦慮恐懼，迫切需要走出這個精神困境。

青少年時代那個感情細膩豐沛，富有生活情調，熱愛友誼，為友人的分離可以悲痛得夜不能寐，手不忍書寫的多愁善感的男子最後真的被迫變成一個革命的清教徒。食色本性也，周恩來今天所為人稱道的一些美德，如道德上的過度潔癖和工作狂，以及曾經被廣為稱道的忍辱負重等並非出自於他的純然天性，更多是性壓抑和內心恐懼驅使下的矯正行為。

在中共上臺之後，周恩來成為一國之總理，而他的壓抑感和恐懼感開始加深，到「文革」時候達到頂峰，至死未得解脫。

【221】 Anne-Marie Brady, *West Meets East: Rewi Alley and Changing Attitudes towards Homosexuality in China*, Number 9, June 1995, The Continuation of Papers on Far Eastern History, Institute of Advanced Studies, Australian National University.

周恩來所有過人的偉大革命情操和聖人言行，並非完全出於天然，很大程度是以內心恐懼為動力的矯枉過正之舉。

這就像毛澤東時代，出身所謂剝削階級家庭的子女被社會打入十八層地獄，被視為「狗仔子」，受盡歧視和不平等待遇，等同於社會賤民，照理說他們應該反感這個不公正的制度，應該是不合作，但有些「狗仔子」不但不反感這個不人道的制度，反而對這個歧視踐踏自己的制度表現出過份狂熱的忠誠。我的母校成都一中，「文革」時候，一位帶頭剃校長陰陽頭的同學並不是當時的紅五類紅衛兵，令人意想不到的他竟然黑五類子弟，父親是國民黨軍人。

為什麼會出現這樣變態的現象？心理學上有解釋。這是人類在恐懼的險惡逆境中一種自覺或不自覺的自保生存術，為了逃離恐懼，轉而認同配合施虐者，換來現實和內心的安全。這就是心理學精神分析防衛機制理論認定的角色認同機制，也就是大家熟知的斯德哥爾摩綜合症。

周恩來十六歲時在南開學校刊發表的一篇文章記載了他幼年時的一個故事：九歲那年他家鄉淮安城審判和處決一位被官府捉拿後逃亡時殺害一個護兵的盜匪，審案時官府讓被殺的護兵遺孤出來作證，本來面帶凶相的盜匪一見這位少年立刻面露「愧赧之色，幾不可狀」，大哭著請求少年寬恕，說自己與少年之父並無恩怨，只是為了自衛而殺人，現自知罪孽深重，願意以死謝罪；而這個失去父親的少年非常悲傷，一直流淚痛哭。周恩來看到如此悲慘的場面，也感動到「失聲而號」。而這悲哀一幕，他一直記憶猶新。【222】

【222】「射陽憶舊」，周恩來發表在南開中學校刊《敬業》一九一四年十月第一期，署名「飛飛」。

　　這篇文章顯示了少年周恩來有能夠感受他人痛苦的能力。這種能力心理學叫做「情感同理心」（Affective Empathy）。有這種同理心，我們就會有不忍之心，能夠設身處地感受他人的情感，能為他人的不幸流淚。現代心理學研究發現，那些可以毫不動心殺人的冷血殺手，就是因為缺乏情感同理心，對他人的情感和痛苦毫無感應，所以才硬得下心來殺人不眨眼。

　　但就是這位能感受他人痛苦，熱愛友誼的少年，參加鼓吹仇恨和暴力的中共後，竟至天性逆轉，曾率隊屠殺顧順章一家無辜老幼，為革命埋葬了他善良的天性。我們不知他揮刀殺害無辜者內心是否有過艱難的心理掙扎，是否有過天人交戰的煎熬？眼前是否閃現過那個痛哭少年和悔悟盜匪的面容？如果他內心有過掙扎，他心中天人交戰又到何種程度？或許，面對無辜者的哀嚎求饒之時，他想到的只是那不可抗拒的革命鐵血紀律和神聖原則，以及他必須向革命證明自己不容懷疑的忠誠。

　　由於他先天的「原罪」，周恩來要比他同輩的革命家更加賣力去證明自己的革命熱情和對革命的忠誠，對革命的付出要比他的同志更多更好，對革命的敵人要更殘忍更無情。

　　周恩來後人及身邊工作人員回憶周恩來，盡是節儉奉公，一絲不苟，忘我工作的故事。或許在當年毛澤東時代，國人被中共的革命清教的意識形態和革命英雄高大全的形象所洗腦，會認同這種道德準則，因而認為周恩來確實偉大。但今天馬列毛革命意識形態已除魅化，人民恢復常識，回過頭來看周恩來這些動人偉績，就會覺得太過矯情，難以令人感動。

　　但筆者也同情周恩來的困境，感到他很可憐。周恩來要轉移和釋放內心的恐懼和焦慮，因而拼命壓抑自己的天性，犧牲自己的生活、愛好、情感和自尊，苦心積慮地要將自己打造為一個紅

色道德完人。他實際是一個被自己的革命綁架，喪失了人的自由意志，心靈被封鎖禁錮，全然身不由己的所謂「聖人」。

2　恐懼感與工作狂

江青做了毛澤東夫人，一生最忌諱的就是她上世紀三十年代在上海當電影明星的往事被人提起。這是她最大的心病，「文革」時期一旦掌權，就想法設法要消除這段歷史，甚至將知情者打入黑牢，殺人滅口。

與社會大眾主流相異的性傾向秘密也是周恩來的「死穴」，他用了整整一生的歲月來掩飾他的這個秘密。如果說在中共打天下時，他還有一些自由的空間，還不太擔心秘密被洩露，但在中共打下天下，開始坐江山後，民間社會被剷除一空，人人都被置於老大哥的監視下。加上黨內鬥爭愈發殘酷，對異端的迫害愈發無情，周恩來不得不更加小心守住自己的秘密，他內心的恐懼隨著中共黨內高層權力鬥爭的日趨白熱化而一步步加深。

一九四九年中共建政，開始對中國大陸實行中國有史以來最嚴的統治，一個現實版的《一九八四》。在中國兩千年皇權統治下老百姓所能享有的私人空間被奪取一空，在民國時代開始擁有的一些現代社會的自由權利（雖然不完全，但也確實存在），如出版、新聞和結社自由等皆全數取締，更增加密如羅網的思想和行為控制。

中國大陸一直有一個傳聞，說中共建政後一位西方記者問周恩來：「請問總理先生，現在的中國有沒有妓女？」周恩來肯定地回答說：「有！」然後又補充了一句：「在中國的臺灣還有妓女。」

周恩來是否真的與一個西方記者曾如此言語過招？

這個傳聞沒有新聞的基本要素，即所謂的五個 W 和一個 H（When, Where, Who, What, Why, How），事件的發生沒有時間、地

點、以及是哪國記者，姓誰名什麼之類的說明，就像給兒童講童話「從前有個國王…」一樣的空洞，根本就是一個廣為流傳但卻查無出處的段子，一個編寫出來的虛構故事，既用來神化周恩來的智慧，亦滿足國人以為可以智壓「別有用心的西方帝國主義者」，兼及唱衰對岸「蔣匪幫」這種阿Q精神式的自慰快感。[223]

但關於周恩來這一段子也傳達出一宗歷史事實，即中共上台後以極權國家機器雷霆萬鈞的力量一舉取締了賣淫，全部妓女被拘押集中管制改造。[224] 賣淫這個人類最古老的行業一夜之間在中國消失得一乾二淨，中共以此自豪，並為此嘲笑國民黨治下的台灣。

中共打江山幹革命時候，因為生活朝不保夕，受蘇聯布爾什維克的一杯水主義影響，徹底打破人類家庭婚姻的束縛，換妻換女友視如等閒，今朝有性今朝樂，享受著充分的性自由。

但待他們打下江山，建立政權，卻以最嚴厲的意識形態教條規範全民，橫掃中國傳統社會庶民豐富多彩的生活方式，嚴密監視和干涉完全屬於私人領域的家庭、婚姻和性生活的各種方面，凡是逾越其革命歸管的就被當做革命的敵人予以無情消滅。在「老大哥」的監視下，人性壓抑是普遍的現象，同性戀更是絕對的禁忌。毛澤東時代的中國比所謂歐洲中世紀黑暗時代更加令人窒息。

賣淫、同性戀、婚外情、婚前性行為這些所謂「腐朽沒落階級的生活方式」受到嚴厲打擊。婚外情是所謂「亂搞男女關係」，同性戀則完全從官方的話語中消失掉，彷彿同性戀不存在，唯一出現的是被懲處的「流氓罪犯」和「雞姦犯」。

【223】有關周恩來這類與西方人或西方記者機智對答的段子流傳甚多，但多查無出處，是一種大眾造神的民間創作。

【224】黃金生，「建國初期封閉妓院與妓女改造運動」，香港中文大學中國研究服務中心主辦《民間歷史》。

在毛澤東時代成長起來的一代人許多甚至根本不知道世間還有同性者相戀這樣的事存在。那時很多青年讀《紅樓夢》，就對書中的同性戀描寫感到很奇怪，不明白這是什麼一回事。曾有一篇文章，作者說他當年問父親賈寶玉因蔣玉菡挨打的情節到底是怎麼回事，其父吞吞吐吐不予回答，因此他始終不明白賈蔣兩人到底什麼關係，只覺得很神秘，直到八十年代，他才明白那是同性戀。

在這樣的社會氛圍中，周恩來只能更深的壓抑自己的性衝動，用繁忙的工作轉移自己的情慾。如果說在一九四九年之前，周恩來可能有一些低調的同性感情交往，四九年之後他應該已把自己真實的情感完全封鎖在內心。在嚴酷的現實下他的性壓抑更為強烈。

熱愛交友和戲劇，富有生活情調的周恩來最後變成了只知有工作，不知有生活的工作狂。

周恩來以工作狂著名，其工作量是中共黨內第一。周恩來最後十年，在他身邊做保健醫生的張佐良說，「在那十年中，我沒有發現周恩來的頭腦裏有什麼節假、休息，或是外出度假這類概念。我所見到的他，只知道工作，工作，再工作，直到最後……」

《周恩來年譜》統計，他在一九七四年六月一日因癌症住進醫院之前的一至五月共一百三十九天，他每天工作十二至十四小時有九天，十四至十八小時有七十四天，十九至二十三小時有三十八天；連續二十四小時有五天，只有十三天工作在十二小時之內。而從三月中旬到五月底，在兩個半月期間，他在日常工作之外，又參加中央會議二十一次，外事活動五十四次，其他會議和談話五十七次。

　　權延赤《走下聖壇的周恩來》中「六個辦公室」這一段很詳細生動地寫了周恩來的工作狂細節。周恩來日理萬機，他的第一辦公室竟然是廁所，每天起床坐在馬桶上解大便已開始辦公，秘書們拿著文件圍著他等待批閱。女祕書只好把文件交給男秘書代勞。

　　周恩來如此繁忙有必要嗎？他終日忙忙碌碌，停不下來，但實際的工作效益與他的忙碌並不等值。張聞天的秘書何方在回憶張聞天在外交部工作的文章《張聞天和周恩來》即指出張聞天對周恩來日理萬機，管得太細，很不以為然：

> 　　一直認為總理有事務主義的毛病，事情管得太具體，對下面不放手。特別是他認為，總理對形勢政策研究不夠，也不太重視基本業務如規章制度等的建設；可以花很長時間接見個別記者或中外人士，卻沒時間及時審批一些重要文件如年度總結和規劃等；有時參加使節會議或外事會議的代表等候總理接見，得等上一兩個月，一次等了兩個多月，最後宣佈總理沒時間，不見了，讓大家回去。張聞天對這些都很有意見，我也聽見他在部務會議上正式提過。[225]

　　其實周恩來這種忙碌，很多時候毫無價值。毛澤東的「大躍進」，周恩來明知荒腔走板，但不敢出來糾偏，待大饑荒的惡果到來，幾千萬人餓死，他竟然下令銷毀餓死人數據。[226] 更荒誕的是，全國糧食吃緊，他親自手拿算盤和紙筆，親自製作各地糧食調配表，不厭其煩地一筆一筆計算全國各色人群（工人、幹部、學生等）的糧食配額定量，密密麻麻的數字填滿一張張白

【225】《張聞天與周恩來》何方，2011 年 2 月 11 日，共識網：
　　　　http://www.21ccom.net/articles/rwcq/article_2011021129626.html
【226】美國之音《解密時刻：大饑荒 — 周恩來下令毀證》。

紙。【227】一個統籌六億人大國事物的總理，面對全國餓殍盈野，國家最困難的時候他大事不理，卻去拿著算盤做算賬先生，代辦了一個糧食部門普通文員的工作。這種忙碌符合常識嗎？

對周恩來這種忙於事務的周式工作風格，毛澤東曾用來攻擊他忙於小事忘記大事，是事務主義者。高文謙也認為周恩來可能是故意忙於瑣碎事務，但他解釋周恩來是以此用來應付中共內部殘酷的權力鬥爭。

周恩來製造忙碌，筆者認為首先他是以此下意識逃避對鄧穎超的丈夫義務。前面已經說過，這種逃避從他新婚的第一天就開始。鄧穎超抵達廣州，因為他忙於工作，沒有去碼頭接人，因為忙，見到鄧穎超第一天，只是抬頭笑笑，一句招呼也沒有。因為忙，洞房之後次日即趕著去幹革命。以後也因為忙，夫妻之間雖然同住一屋簷下，但卻像參商二星，妻子連與丈夫說兩句話，吃一頓飯的機會都寥寥可數。因為忙，兩人的夫妻關係只是一個外表華麗的空殼。周恩來在為革命忘我工作。如此捨己為公的高尚情操，自然人人膜拜頌揚，而被丈夫以革命工作怠慢冷淡了的妻子，黨性又如此之強，怎麼敢抱怨不滿呢？

但周恩來的工作狂更是一種心理逃避。

心理學家認為工作狂是一種並非很健康的心理，不是僅僅單純的「熱愛工作」可以解釋。中國心理衛生協會會員舒唱指出，工作狂有逃避現實、補償自卑或者抵禦某種恐懼的成份在內，背後是有某種心理「動力」在推動。【228】

【227】日本 NHK 電視台電視紀錄片《家人和親信口述周恩來》第一集《試煉——肩負新國家》。

【228】《愛情急診：工作狂就應該獨身嗎？》新浪伊人風采，2006 年 7 月 11 日：

　　　http://eladies.sina.com.cn/qg/2006/0711/1606268241.html

　　如果按照性心理分析大師弗洛伊德的心理防衛機制理論（Self-defense Mechanism），周恩來的工作狂應該是出於其性壓抑的反饋，他需要這樣反常和低效率的忙碌來釋放他內心無法獲得滿足的情慾。

　　弗洛伊德這個理論認為，在人類最原始的人性本我（ID）受到社會禁忌、環境制約等因素壓抑後會潛意識的作出心理調節，抗拒或扭曲現實，以釋放痛苦，緩解焦慮和恐懼，求得心理上的安寧。[229]

　　在這裏，周恩來工作狂的動力，就是他的性壓抑。按弗洛伊德的理論，他的本我就是他先天的性傾向——同性戀，而他為了逃離其無法實現的情慾，以及社會壓力給他帶來的精神痛苦、緊張焦慮、羞恥和罪惡感，從而下意識地在其心理上作出調節。周恩來超乎常人的工作狂熱符合弗氏三種心理防衛機制，即補償、昇華或分離。[230]

　　補償機制是指一種慾望無法達到，而用另一這種慾望來補償。在這裏，周恩來的情慾無法達到，他用事業上的成就來補償。

　　昇華指將有悖於社會一般道德規範的原始慾望引導到符合社會期望認可的行為上，以此獲得心理上的安全感。周恩來將內心的焦慮昇華為革命工作的激情，也塑造了他公而忘私的革命聖人形象，把自己置於極之安全的位置上。

　　分離（Dissociation），指為擺脫精神痛苦而將自己置身於某種可轉換情緒的行為中，其中就包括讓自己整日忙碌不停，為工作中出現的問題而操心，而非引起自己真實痛苦的本原問題而煩

【229】陳少華編著，《新編人格心理學》，暨南大學出版社，2004 年 8 月，p57。
【230】楊淳斐，「一般常見的自我防衛機制」，台商心理諮詢網；《常見的 22 種自我防禦機制（六度心理諮詢)》，豆瓣網。

惱。周恩來用無休止的不間斷的瑣碎事務佔滿大腦的活動，可以抑制內心湧動而又無法滿足的情慾，以及罪惡感引起的恐懼。

幾年前中國有一宗報導即指有女性農民工因為性壓抑而變成工作狂。這篇報導說，二〇〇二年中國衛生部公布一組數字表明，中國 88% 在外地打工的農民工因為無法戀愛結婚或夫妻被迫分離都患有不同程度的性壓抑症，其中 19% 的女性農民工變成工作狂，通過拼命幹活來發洩性壓抑。

其實不光是農民工，很多錯過了婚齡而獨身的職業女性也以拼命工作來逃避情感上的空虛和壓抑。有的人失戀後也會把全部身心投入工作，以期獲得感情挫敗後的解脫。周恩來的工作狂有相當類似之處。他們不是天生熱愛工作，要從工作中獲得樂趣，而是為了精神上的逃避。

3　被壓抑的回應式防衛

周恩來是個自制力很強的人，但奇怪的是，有時在公開場合竟突然失態，若依照弗洛伊德的性心理理論，則可以作出解釋。

權延赤在《走下聖壇的周恩來》中提到寫周恩來在中共高層舞會上看到有人調情，他的反應相當失控，大發脾氣，缺少他一貫的從容應對和處變不驚。

> 周恩來第一次為跳舞發脾氣是在北京飯店。舞會一般是八點開始，總理往往是十點到，象徵性跳幾圈，同大家見見面，向舞伴問些部隊或社會上的情況，同各部門負責人簡單交流一下工作意見就退席。開初周恩來心情很輕鬆，…
> 然而，跳過三場後，總理臉色忽然變了。笑容被一隻無形的手用力抹去，他的臉脹紅起來，仿佛為什麼事感到羞恥，眉頭微蹙，目光朝某一個目標一瞥又一瞥……原來是一位相當一級的負責幹部跳舞「很不嚴肅」，年輕的女文工團員舞伴摟得很緊，臉與女文工團員的臉時觸時離，若離若

即。隨著舞會漸漸熱烈，他跟那個年輕女團員也漸漸熾烈，他的手也開始不老實，上下輕移，摸摸捏捏……「總理的臉色由紅漸漸轉蒼白，他的感情從羞恥而變成惱火義憤；他的目光開始還犀利地朝那位幹部掃射，後來終於黯淡下來，傷心失望地再不肯看那位幹部一眼。」繼之向身邊工作人員無故大發脾氣，最後板著面孔登車而去。

……

　　我們經常跟隨總理去參加舞會，他又常常是在舞會進行一段時間後到場，正是熱烈起來的時候，有時難免遇到不嚴肅的場面。遇到了他就生氣。記得第二次遇到時，他當場就不跳了，就在舞場中間氣憤地喊了一聲：「不跳了！走！」隨著這下聲，我們這些身邊工作人員就都停下舞，追著總理往出走。有名衛士跳舞中沒聽見，等發現追出去時，總理已經甩下他坐車走了。

有時周恩來就像道學家一樣，對這些敢於在公開場合調情的黨內同志很不客氣，直接干涉：

　　總理在場，這種個別幹部注意些，總理不在，他們還是不肯放棄這種「放鬆」和「愉快」。總理參加舞會沒有準點，有時仍然要碰上。他終於忍無可忍，開始了當面的嚴厲批評。我們這些跟隨左右的人，見他批評過不少次，對有些人很不滿，不留情面地表達了義憤。記得有次一位幹部「不嚴肅」，見總理來到，跳舞「放」不開了，就想帶著結識的年輕舞伴一起登車走。總理攔住了他，嚴厲訓斥：「你年紀也不小了，連這一點自我約束也做不到？你這樣。胡鬧台，不覺得羞恥嗎？……」

一九五三年毛澤東將東北王高崗（中共「開國」任國家副主席）來北京，任國家計委主任。權延赤在書中說，高崗性好漁色，周恩來看到很不快。

　　高崗到北京後，在他家組織舞會，總要讓秘書通知我
們，請總理務必光臨。

…

　　第一次邀請，總理興致勃勃地趕去參加了。剛見面時當
然都很熱烈禮貌，還免不了互相客氣一番。一個是總理，一
個是中央人民政府的副主席，互相都很尊重。舞一旦跳起來
了，高崗便漸漸有點「原形畢露」，目光像獵手一樣搜尋和
享受女性特有的曲線部位的美，調情的話多起來，有些甚至
講得很粗俗。

　　對此，總理開始雖然有些感覺，有些意外，但還能寬
容。他並不要求別人都像自己一樣高雅，參加到革命隊伍裏
的人本來就有各自不同的出身、經歷及所受教育，怎麼能不
允許人家各有千秋呢？彭德懷見了高崗可以直呼其：「哎，
高大麻子！」高崗聽著很親。總理如果這樣叫，高崗一定就
不舒服了。同樣，總理在舞場上仍然保持高潔文雅，如果要
求高崗也高雅，那就虛假不成其為高崗了。倒是逗幾句粗話
來得本色。若走到這一步而止，總理不會發脾氣。過去在工
作的接觸中，總理就知道高崗的性格中有著粗獷熱烈，大大
咧咧，不修邊幅的一面。可是，高崗並沒到此為止，他又加
上了「按摩」動作，並且也要享受舞伴的「按摩」。

　　還動真格的了？這位東北來的陝西漢子令總理吃驚。他
後來在不同場合曾多次向我們感慨「山高皇帝遠」，有些地
方官「胡鬧台」，中央難於很快都查明。

　　這一次跳舞，總理後來是生氣了。雖然強忍住沒發作，
但是告辭時態度已經明顯地冷淡下來。

　　此後，高崗又連續幾次邀請總理去跳舞，總理拒絕了兩
次。考慮到高崗身兼中央人民政府副主席、中央人民政府革
命軍事委員會副主席、東北人民政府和東北軍區一把手的重
要職務，特別是在國務院兼任著計劃委員會主任，今後還要

在許多方面合作共事，不能鬧太僵，就勉強又接受邀請去了一次。

這樣的場合（顯然不宜）對其公開發脾氣訓斥，所以總理在跳到門口時，仍然是朝舞伴點頭，禮貌地說聲：「對不起，我有事。」便轉身退場了。

這一次其實發脾氣更大，因為對高崗是不辭而別，並且上車就走，又把衛士們丟下了。

「大大咧咧」的高崗這才發現北京不是東北，總理是真發脾氣了。他有些尷尬，有些不安。後來又多次讓秘書來電話請總理「光臨」，總理之光卻再也不曾照臨高崗之家。

他向我們吩咐：「告訴他，不去。他的舞會我再不要參加！」

弗洛伊德的心理防衛機制理論中，另外一種機制叫住「回應結構」（Reaction formation），指因為某些人的真實意識若表露出來會不符合社會道德規範或會引起內心焦慮，就會下意識地朝相反的途徑釋放。周恩來在這些場合的反應即可歸之於他同性戀傾向導致的回應式心理防衛。周恩來的同性戀傾向為社會不容，壓抑很深，無法釋放，以厭惡的方式表達對他人的情慾流露的反感，實際是他對自己被壓抑的情慾的強烈衝動的一種防衛式反應，從而可獲得某種情緒上的釋放。

但周恩來對毛澤東的私生活從來不會干涉，也不會有任何不滿的表示。看來這也是一種下意識的防衛心理，只對權位比他低的官員發洩，而絕不敢犯上。他對自己的親信也比較寬容。比如有花帥之稱的葉劍英，有六個老婆和三個紅顏，但從未有記錄說周恩來對此有過微言。

4　毛澤東與周恩來

中共是一個按照蘇聯布爾什維克模式建立的列寧主義政黨，自建黨後不久就不斷以殘酷的內部整肅和清洗來強化核心領導、鐵的紀律及領袖神話。周恩來參加中共革命後遭遇的第一個政治危機就是著名的內部清洗——延安整風，周恩來在這次內部清洗整肅中受到猛烈衝擊，其人格和自尊被徹底擊垮，形成他後半生以「顧全大局」、「忍辱負重」自我作踐自甘受辱的政治人格。

在延安整風中，中共黨內公認他「過分檢討自己的過失」。【231】《晚年周恩來》作者高文謙指周恩來在三個月的延安整風中，在毛澤東的壓力下，在政治局會議上整整作了五天的發言檢討，是中共黨內高幹在延安整風中檢討時間最長的一人。而且周恩來還按毛定的調子，系統清算自己在歷史上反毛的錯誤。「給自己上綱上線，戴帽子，潑污水，」什麼「極大的罪過」、「教條主義的幫兇」、「不可饒恕的罪過」，用詞相當嚴重。【232】

此後一生，面對毛澤東，周恩來一直是忍讓忍讓再忍讓，展示了非同尋常人的忍功，對毛的霸氣，他從來不敢忤逆，用高文謙的話來說，永遠採取順守之道。而對於毛及同樣霸氣的妻子江青對他的作踐和凌辱，他永遠忍氣吞聲唾面自乾。

黃永勝兒子給父親寫的傳記中指周恩來「在政治局簡直就是一個受氣的小媳婦。江青整他，他就逆來順受，一句都不敢反駁。」還不惜以一國總理之尊，為江青解決排泄馬桶之事，自我屈辱到極點。

毛澤東的橫蠻霸氣和周恩來低聲下氣的自甘示弱，使兩人關係既如皇權時代的君臣關係，也好像是貓玩老鼠的虐人和自虐的遊戲。毛對周恩來是又拉又打，倚重其組織管理才能為他收拾

【231】劉明剛，「延安整風運動中的周恩來」，《紅岩春秋》2013 年第 2 期。
【232】高文謙，《晚年周恩來》，明鏡出版社，2003 年 4 月，p78。

「文革」殘局，但又隨時對周恩來敲敲打打，告誡其不得有異心二意；甚者對周恩來施以凌虐，有重病不准其治療，重病期間還對他展開政治迫害，加重其病情。而周恩來就像惡婆婆面前的小媳婦，對毛澤東「一年三百六十日，風刀霜劍嚴相逼」，未敢抱怨一句，力盡臣婦之道。毛澤東一敲打他，他就作檢討，自我作踐，化解毛的怒氣，並不斷向毛表態效忠。

關於毛和周的關係真相，至今在歷史學界仍然是一個討論熱烈、爭議很大的研究題目。有的認為兩人是施虐和受虐，一個願打一個願挨的關係，周恩來有以受虐為樂的傾向。更甚者還說，周恩來對毛有依戀情結，猶如三從四德的弱女子對專橫的丈夫，甘心忍受毛的精神虐待，自我作踐。有些則認為周恩來對毛低聲下氣是一種權術手段，「扮豬吃老虎」，假作誠惶誠恐，是為了麻痺猜疑心很重的毛澤東，用太極軟功手段消化掉毛的剛性打擊，周恩來對毛內心並無恐懼。

分析「文革」時期兩人的交鋒，尤其是「伍豪脫黨啟事件」和批判周恩來的內部會議「幫周會議」，周恩來的反應可以說是真恐懼，而且恐懼到骨髓，不能說是以受虐為樂，或者是假裝恐懼。

有關「伍豪事件」，周在他生命垂危，最後一次動大手術前，以虛弱之體支撐著再次為自己的歷史清白做出澄清。其恐懼之深甚至壓倒了他對死亡的畏懼。此時，對周恩來，死不足畏，可怕的是被對手利用「伍豪事件」將他死後鞭屍。

再說「幫周會議」。[233]

一九七一年，林彪「九一三」墜機溫度爾汗後，周恩來成為毛澤東之下中共第二號人物，一九七二年尼克松訪華，中美關係

---

[233] 關於批鬥周恩來的這次「幫周會議」的資料主要來源於高文謙的《晚年周恩來》。

解凍，周恩來個人事業達到了頂峰，但功高震主，他也隨之陷入人生最大一次政治危機，因一次與基辛格的會談未及時匯報給毛澤東，引毛「雷霆震怒」，一九七三年十一月二十一日開始召開二十天的政治局會議（後為政治局擴大會議）內部批鬥周恩來。這次名之為「幫周會議」的批鬥會的所有記錄和檔案在「文革」結束後胡耀邦應鄧穎超要求已全部銷毀，現所有披露的材料都來自當事人的回憶。

在這個「幫周會議」上，毛澤東翻譯唐聞生作了八個小時的講話，傳達毛澤東批判周恩來主持的外交部及外交路線，指外交部是周恩來的獨立王國。江青引述毛對周恩來的誅心之論說：「周恩來對蘇聯怕得不得了，如果他們打進來了，他要當蘇聯人的兒皇帝。」根據毛澤東指示，指責周恩來「喪權辱國」、「給美國人下跪」、「投降主義」，說周恩來迫不及待「急於搶班奪權」，還說與周的鬥爭是繼劉少奇、林彪之後的黨內第十一次路線鬥爭。

看到周恩來即要慘遭沒頂，牆倒眾人推，全部與會者，包括周恩來的原親信部下喬冠華等競相發言無情批鬥；許世友這個表面耿直的軍頭還跳上桌子對周大罵。被打倒後剛復出以列席身份出席的鄧小平察言觀色，也說了份量很重的話，警告周恩來不可有野心：「你現在的位置離主席只有一步之遙，別人都是可望而不可及，而你卻是可望而可及，希望你自己能夠十分警惕這一點。」

當時周恩來病情相當嚴重，膀胱癌細胞已開始轉移，出現血尿，帶病遭受精神凌虐，鬥得很慘。他要求見毛澤東解釋，但被毛一口回絕，要他在會上檢討。周恩來身體虛弱，眼花手顫抖無法記錄會上發言，求助於毛身邊兩位女子唐聞生、王海容，兩女杏眼圓睜，呵斥他「怎麼，你想秋後算帳？是批你還是批我？自己記！」

　　周恩來的警衛員張樹迎的回憶說，會議期間嚴禁各首長警衛員入內，有一次他撞進會場給周恩來送藥：

　　　　會場裏的緊張氣氛一下把他的心揪緊了：真難以置信和忍受，總理單獨坐在大廳的一個角上，前面擱個茶几，一人孤零零地坐在一張單人沙發中。其他人圍成一個圈，完全是一個批鬥的架勢。雖只聽了只言半句發言，張樹迎便血向上湧，心臟「砰砰」亂跳，他幾乎不相信自己的耳朵，卻又不能不相信自己的眼睛：似乎眾口一致，聲色俱厲，都在批總理和葉劍英……
　　　　（周恩來）每次走出會議廳，總是面色灰白，緊抿雙唇，眼神悲涼，步履踉蹌，有好多次都是張樹迎和高振普（周恩來另一位警衛員）迎過去，趕緊用雙手插進他的腋下，幾乎用盡全力架著他挪步上電梯。[234]

　　當時情景，周恩來好像要被毛澤東打倒，因此連周恩來的衛士也被當時守在會場外的其他醫護人員衛士冷遇，無人與他們說話，張樹迎和高振普私下已做好了精神準備，「跟著總理一起去蹲大獄！」

　　高文謙《晚年周恩來》說，最後周恩來俯首認罪，向中央政治局擴大會議作了一個「上綱很高」的檢討，強迫自己喝下種種難以下嚥的污水後，這場批周的殘酷鬥爭才收場。

　　周恩來雖然過關，被毛放過，但在精神上卻遭受了很大的創傷。高文謙引述其保健醫生張佐良回憶說，那段時間周恩來精神很痛苦，心情極度抑鬱，「幾乎變了一個人，臉色很難看，一天到晚呆坐在屋子裏，不說一句話，甚至連鬍子也不刮了，人一下子蒼老了許多。」但滿肚子苦水甚至連妻子鄧穎超也不吐露一句。

【234】周秉德，鐵竹偉執筆，第八章「苦澀的輝煌」，《我的伯父周恩來》，遼寧人民出版社，2000 年 10 月。

「回家後呆在辦公室裏，進餐也大多在辦公室，偶爾與鄧穎超同桌吃飯，也聽不到老倆口的說話聲，搞得整個西花廳的氣氛很沉悶。」衛士張樹迎說周恩來「神情憂鬱，落落寡歡」，「每次開會回來總理面色都很不好，但他什麼話也不說，只是飯量銳減，常常一個人默默地坐在那裏想心事。」病情也隨之加重。

對「伍豪事件」和「幫周會議」，周恩來表現出如此強烈的恐懼，是因為毛澤東和「文革」派不止是對他作路線鬥爭的批判，還想把他打成革命叛徒和賣國賊，周恩來認為如果是後者，他必打倒無疑。因此周恩來雖然對自己作過度的自我檢討，上綱上線自我抹黑，但堅決不承認他是叛徒和投降派。他可以作踐自己，但不能接受被徹底打倒，不能接受其照片臉上被打 XX，即或是發生在他死後。

其實當時毛澤東要打倒周恩來已非易事。林彪「九一三」事件後，「文革」已是強弩之末，天怒人怒，毛澤東形象因副統帥的背叛受損，「偉大舵手導師領袖」的神話開始剝落。周恩來成為中共掌握實權的第二號人物，毛澤東被迫作出妥協同意恢復部分在「文革」前期被摧毀的中共官僚系統，解放了一批被打倒但非劉少奇系統的黨政軍高級幹部，這些具體工作由周恩來負責，周恩來這時不但鞏固了自己的派系（周恩來人馬在「文革」中是僅免於難的中共派系，有的受到衝擊，但始終打而不倒，如陳毅、葉劍英等），掌握了軍隊大權，還收編了一大批被解放的老幹部的人心，因而贏得「參天大樹護英華」的美名。這時的周恩來的威望已超過了毛澤東，權力達到他人生的最高峰。

功高震主，毛才要重重地敲打周恩來，要讓他知道誰才是中共的老大。毛未必不想如祛除劉少奇和林彪那樣搞掉周恩來，但他知道今非昔比，整個官僚系統是站在周恩來這一邊，自己只能依靠江青「文革」派，實力不夠，無法成功，「反周必亂」。所以

在「幫周會議」後，他又主動向周恩來示好，將「幫周會議」的責任推到那兩位女翻譯身上。毛最後的辦法一是拖死周恩來，二是重新啟用他自己舊派系的鄧小平，以抗衡他無法打倒的對手。

對於自己的實力，周恩來豈有不知，但還是缺乏信心，只求委屈自己保持晚節。

對於周恩來這樣的委曲求全，高文謙先生認為除了他獨特的隱忍順守的政治性格之外，周恩來確實有一種與眾不同的心理恐懼。「周恩來內心深處一直有著強烈的宗教式的原罪感，」因此在政治上「小心謹慎，處處夾著尾巴做人」，「工作上盡心盡力，任勞任怨，以求補過」，對毛澤東則「低首下心，隱忍屈從」。他說，周恩來的這種宗教原罪感一是他在三十年代與毛有歷史恩怨，被認為犯過路線錯誤，第二他出身為破落封建家庭，即出身不好，這兩點成為周恩來心病。周恩來的工作狂也是因為這種原罪感使他要以工作來求得平衡。

筆者讀高文謙先生的《晚年周恩來》收益良多，但對他這一看法卻不敢苟同。

周恩來歷史上確實反對過毛，但他也支持過毛，幫毛度過危機。政治人物以利益和意識形態為宗旨，在政治上反反覆覆，今天和這個結盟明天和那個翻臉根本是常事，在政治泥潭中打滾半世紀的政客周恩來怎麼可能為此誠惶誠恐到原罪感的程度？而且周恩來拿此作檢討，中共高層很多人都不以為然，認為他小題大做。權延赤的《走下聖壇的周恩來》引周恩來身邊工作人員回憶說：

> 從我到他身邊工作，到他去世，講過不下百次。由於他大會小會總把「錯誤」掛在嘴邊，李富春等副總理和好幾位老部長或直接向總理進言，或托我們身邊工作人員「勸勸總理」，「有些歷史上的錯誤不要再提了。就那麼小點事，我

們都聽總理自我批評一百多次了，還要自我批評到什麼時候啊？」

其實周恩來之所以小題大作，是用來應付毛澤東，與其讓你說不如我自己來說，以退為進。

至於周恩來心病的第二點則說不通，因為中共早期領導人十有八九都不是工農家庭出身，所謂「根正苗紅」的極少。就拿「文革」前中共七大巨頭「毛劉周朱陳林鄧」而論，除陳雲和朱德之外，五人按中共的階級分析全部都出身於剝削階級家庭。朱德雖然家庭出身貧農，但本人有相當嚴重的歷史污點，當過袍哥和軍閥，抽過鴉片娶過姨太太。

周恩來雖然出身官僚世家，但已沒落。而且按毛澤東時代家庭出身查直系三代的政治審查，其父只是「舊社會」幫人做點收收發發、抄抄寫寫的小文員，謀生都很困難，更談不上養家；其祖父也不過是由師爺出身的縣知事而已。與這些中共元老不同的是，唯有周恩來愛拿自己的家庭出身說事，常說要與自己的剝削階級家庭劃清界限。因為說得多，給人印象深，似乎也就很嚴重了。

但周恩來對自己的家族階級性質真有如此介意，真會成為心病嗎？未見得。

周恩來在公開場合不停表白與他出身的沒落封建家庭劃清界限，但私下對於他的家世實際是愛多過恨，甚至有很深的歸屬感。

其侄兒周爾鎏在《我的七爸周恩來》二〇一四年由香港三聯出版社出版。出書時間已早過了講究階級鬥爭的毛澤東時代，而且又是在境外出書，不需經過中共官方嚴格審查，書中記述周恩

來對他出身的家庭的真實看法與他生前公開場合的說法完全是兩回事。【235】

　　周爾鎏說，從一九四六年他在上海中共駐滬辦事處（周公館）見到周恩來，到一九六六年「文革」前夕，周恩來和他有十多次談起他們的家世，有幾次是一談就是半日，甚至是徹夜長談。周恩來對自己的家世感情很深。

　　一九五五年，堂弟周恩霆（即周爾鎏父親）從上海來見他，周恩來特地將在天津南開大學讀書的周爾鎏召來北京參加西花廳的兄弟會晤。周爾鎏印象最深的是周恩來與他父親饒有興致地長談一份有關周氏家世的族譜資料《周氏淵源考》。這份族譜將周家的譜系的始祖認定為傳說中的華夏始祖軒轅黃帝，然後傳到也是遠古傳聞中的周民族的始祖后稷，到西周列王，一直到九十五世的北宋理學家周敦頤，再延續到近代。此族譜道光年間為周家後裔周文灝按照舊族譜謄錄。

　　對這些虛無縹緲的家族傳說，周恩來興致很高，並不覺得荒誕無稽，還很以周家為正統的炎黃子孫而得意。周恩來對周恩霆說，因為年代久遠，歷史變遷，先人的記載準確與否很難去考證，只能留給研究人員去探討，但說，「這些家族資料的記載對後輩子孫的精神影響還是不小的，我們從小就覺得自己是正統的炎黃子孫，所以在年少困難時都不免有一種落難王孫、不甘人後的感覺啊。」

　　黃帝是個中國遠古傳說中的神話人物。黃帝為華夏民族的始祖這一說法始於清朝末年，當時的漢族知識分子在建構中國國族之時，企圖為國族的起源提供堅實的「歷史基礎」，於是從遠古的傳說中，尋覓出一個茫昧迷離的神話人物—黃帝，奉之為中國

【235】以下周爾鎏談周恩來及其家世皆出自《我的七爸周恩來》一書，香港
　　　三聯書店，2014年。

民族的「始祖」，作為國族認同的文化符號。【236】但有趣的是周恩來家族將神話當真實的歷史，周爾鎏竟然稱，據世界各地周氏宗族及專家研究，周恩來可能是黃帝軒轅氏的一百二十七世孫。

　　除了這份《周氏淵源考》，周恩來還有一份從其高祖父周元棠以來的周家五世世系表。這是他一九三九年駐重慶時被中央派到皖南調解葉挺和項英的矛盾，順途回紹興老家祭祖帶回重慶。周恩來將這份家譜交給其堂弟周恩霆考證，中共上台後，又讓胞弟周恩壽再加以修訂。可見周恩來對家譜的重視。

顯然周恩來很為自己的家族感到驕傲。周爾鎏說，周恩來曾表示想退休後寫一本名叫《房》的小說，講述周氏大家族各房的變遷。周氏家族以學幕為生，人生道路是讀書——考科舉——進入官場——當幕僚，即前清所謂師爺，民國時候就在官場做秘書。周恩來在一次談話中為被醜化的紹興師爺的社會角色加以辯護說，

　　世人通過戲劇所看到的紹興師爺，往往是嗜酒成性、有個紅通通酒糟鼻子的文人，常常為某些官僚出謀劃策，不幹好事。…其實師爺這種社會角色的產生和科舉制度的形成有各自的歷史原因，它們也都是影響西方近代文官制度產生的歷史因素。

而更令人尋味的是，周恩來私下與周家人談話認為家族給他的影響是正面的。周爾鎏說：

【236】沈松僑，「我以我血薦軒轅——黃帝神話與晚清的國族建構」，北京大學社會學人類學研究所《民族社會學研究通訊》，2010 年 4 月 30 日第 65 期。

　　　　七爸結合自己的經驗和體會，多次和我談到近代人的性格、素養的形成主要依賴三個方面：一為家庭教育，二為學校教育，三為社會教育。他說自己出身於沒落的封建大家庭，但不容忽視的是這個大家庭裏悠久而深厚的文化傳統代代相承。滋養著後人，對他本人也有巨大的影響。

　　上述這些話才是周恩來對自己家庭的真實感情，那些要與剝削家庭劃清界限的場面話，只不過是周恩來一生中數之不盡的違心言論之一而已。周恩來母親和嗣父嗣母早逝，父親無力養家，他和兩個弟弟的成長和受教育完全是仰賴周氏大家族諸位伯父的撫養，他一直心存感恩報恩之思，因此在他內心世界中他不但不會與這個封建大家庭劃清界限，這個家庭還是私下支撐他人生的精神柱石，讓他得以熬過最殘酷的政治生涯。

　　周爾鎏說，影響他七爸一生的人物之一，就是周恩來從來未見過面的高祖父周元棠，即周恩來出身的這個封建家族的近代祖師爺。周恩來在身邊保藏一部周氏家族後人刊印的高祖父元棠公遺留的《海巢書屋詩稿》，放於床頭枕下，非常珍愛，私下反复研讀。這部詩稿「甚至伴隨他渡過了十年文革那段艱辛的歲月。」直到周恩來離開人世。鄧穎超去世後，她的秘書趙煒將這部詩稿交給了「淮安周恩來故居」展出。

　　一九四九年周恩來進京後，立即將在揚州的封建遺老六伯父周貽良接來北京生活，一是為了報答父輩親恩，也是為了保護這位封建遺老免在即將展開的紅色恐怖大清洗中受到衝擊。周恩來安排周貽良進中央文史館，將他保護起來，找的冠冕堂皇理由是周貽良在歷史中做過兩件好事，一是周貽良在江蘇督軍李純秘書長的任上平息了江、浙兩省的一場軍閥戰爭，使人民的生命財產免遭了戰火的塗炭；二是袁世凱稱帝時，周沒有跟著袁世凱走。周恩來為其六伯父的表功，非常牽強。如果按照周恩來的標準，

中共在土改，鎮反這些紅色恐怖運動中殺害的地主士紳中不知多少人一生所作好事要遠比其六伯父多好多，但最後也無法保命。

　　周恩來沒有家庭原罪感。所謂家庭原罪，如果是他有意表白，則是為了應付當時政治現實的違心之言，是為了避禍的政治手段。一九六四年八月二日，周恩來召集周家在京十四五名成員在西花廳召開了一個家族大會，講述家族史，指周家是封建官僚大家族，要求所有後人集體向無產階級投降，過好政治關、思想關。【237】

　　一九六二年秋，中共八屆十中全會確定推行反修防修的社會主義教育運動後，毛澤東和劉少奇都大談階級鬥爭，兩人分歧越來越大，政治嗅覺敏感的周恩來意識到中共內部又一場權力鬥爭風暴即將來臨，為了自保，防止家族成員給他若來麻煩，因此需要鄭重其事警告家人們。

　　「文革」前夕的一九六五年初，他派自己的侄兒周爾萃回家鄉淮安平掉周家的祖墳，將包括他祖父周駿龍共十三具棺木挖出後再掘地一點五公尺深埋，不留墳塚，土地平整後種上莊稼，原有墳地從此不留任何痕跡。周恩來平祖墳的理由是反封建迷信，平墳還田。【238】但真正的理由是恐懼權力鬥爭失敗，禍延祖墳被砸毀，因此提前深埋，不留下任何痕跡。後來「文革」紅衛兵造反，在全國破「四舊」，瘋狂砸毀無數名人墓地和「封資修」分子的祖墳，連宋慶齡父母之墓也未能倖免。這時回看周恩來平周家祖墳之舉，是很有先見之明的。

　　在瞬息萬變的「文化大革命」中，中共高層人人自危，都怕自己隨時倒台，但其他人的恐懼感都沒有周恩來那樣強烈。很多

【237】周秉德，鐵竹偉執筆，第九章「带着全家向無產階級投降」，《我的伯　　　　父周恩來》，遼寧人民出版社，2000 年 10 月。
【238】倪方六，「周恩來平祖墳和生母屍骨失落秘聞」，《鳳凰週刊》，2008 年　　　　2 月。

有關周恩來晚年的文章和著作都提到周恩來「文革」期間是生活
在恐懼中,尤其是在林彪倒台之後,憂讒畏譏到極點。

　　新華社駐東京記者何德功說,「文化大革命」期間周恩來還在
寫詩,據身邊工作人員回憶,周恩來用毛筆寫在信箋上,反復修
改,修改完成後即撕成碎片銷毀。這樣寫了改,改了撕,不止一
次。【239】這些詩因為已被周恩來銷毀,寫了些什麼,自然無人知
道。但他的一位秘書紀東有次在周恩來的文件中發現一張紙條,
寫有一首據稱來自《西廂記》的小詩「不公與不乾」:

> 做天難做二月天,
> 蠶要暖和麥要寒,
> 種菜哥哥要落雨,
> 採桑娘子要晴乾。【240】

　　紀東說,周恩來手抄此詩是發洩、抒發內心的鬱悶。周恩來
那些銷毀的詩可能也是他內心情感的抒發,而這些情感必然是不
符合當時的政治氣候,其敏感程度可能比這首「不公與不乾」還
要高很多,所以一定要銷毀。

　　「文革」期間,周恩來的戒慎恐懼是步步為營,毫不鬆懈。
他的姪女周秉建姪子周秉和一個下鄉到內蒙,一個到延安。兩人
後來被地方推薦當兵,周恩來聽說後立刻要求兩人脫下軍裝再回
牧區和農村。據鄧穎超秘書趙煒說,鄧穎超為姪兒女抱不平說,
兩人是按正常渠道當兵,並沒有靠伯父周恩來的關係,但周恩來

【239】何德功,「拜謁周總理《雨中嵐山》詩碑」。
【240】日本 NHK 電視台電視紀錄片《家人和親信口述周恩來》第二集《苦澀‧
　　　文革風暴中》。此詩出自明末馮夢龍的小說《醒世恆言》之十八卷,周
　　　恩來誤以為出於《西廂記》。

說：你要考慮這個後果，別人不會這樣理解，別人會因為是我侄兒侄女走後門，因此即使正常的也要退回去。[241]

林彪墜機溫都爾汗的「九一三」事件發生後，周恩來獲知林彪摔死竟然情緒崩潰，撕肝裂肺地嚎啕大哭。對周恩來之哭有很多解釋。侄女周秉德說這是周恩來長期壓抑到了極限而爆發的痛哭，是為了黨在文革中一次又一次犯錯誤而痛心。[242] 但我認為周恩來是在哭自己的不測命運。在這場大廝殺中，連林彪這個毛澤東最親密戰友，其接班地位已寫入黨章的人物最後都落到屍無葬身之地的可悲下場，周恩來難免想自己又何以能夠安全著陸？這是他的兔死狐悲，從林彪的殘酷結局中預見自己的最終命運可能不免步其後塵，悲從中來而痛哭。這也是周恩來長期心裏壓抑的情緒大爆發。

不過要將周恩來內心這種恐懼歸之於他的家庭原罪，則不太合理。自從蔣介石「四一二」清黨以來，周恩來已久經政治的腥風血雨，其心靈不會脆弱到以家庭出身為心病，並因此對毛澤東的威脅恐懼到這種程度。

如果周恩來大講其家庭原罪是發自內心，則很可能是潛意識地用家庭出身的原罪來疏導他對自己性傾向的不潔感。所謂原罪，不是來自家庭，而是來自於不為社會所容，更不為其黨所容的同性戀隱私。心理學稱之為「防衛機制轉移」，即把是危險的情感或行動轉移到另一個較為安全的情境下釋放出來。

可以說，他的最大心病既不是家庭出身的原罪，也不是曾在歷史上反對過毛澤東，而是他的秘密性傾向。他投身的革命將同性戀列為敵對階級腐朽沒落的犯罪行為，中共上台後更將之污名

【241】周秉德，鐵竹偉執筆，第八章「苦澀的輝煌」，《我的伯父周恩來》，遼寧人民出版社，2000 年 10 月。

【242】周秉德，鐵竹偉執筆，第八章「苦澀的輝煌」，《我的伯父周恩來》，遼寧人民出版社，2000 年 10 月。

化為流氓罪、雞姦罪，這一心病一定對他造成很大的心理煎熬。因此周恩來在意識形態教條的壓制下，對自己的性傾向有很強的罪惡感和羞恥感，他要求得到精神上的懺悔解脫，但無法把同性戀這種社會最大的禁忌宣之於口，於是下意識地拿自己的家庭原罪來頂替。畢竟家庭原罪相對於他的性秘密，還是小巫見大巫。

有此羞於言說，也萬萬說不得的秘密，才會有深植於心，揮之不去的焦慮和恐懼，才會使一個久經沙場，見慣革命風雨的老練政客如此憂讒畏譏，恐懼到極度，才會使他不顧個人尊嚴，以妾婦之道逢迎毛澤東，因此事事戒慎恐懼，如履薄冰。

中國大陸一位官方學者承認周恩來「戒慎恐懼是貫穿於周恩來的漫長政務生涯中的一個意識中心，它支配著周恩來始終保持審慎務實的精神，」但人格不獨立的這位學者反而讚許這種臣妾之道，認為這「是周恩來人格魅力中極為閃光之處。」【243】

中共建政後高層黨內殘酷而激烈的權力鬥爭時起時伏，周恩來多數都置身於漩渦中，但憑著他高超的平衡權術一一度過難關，但「文革」是他人生最大的危機。

「文革」風暴刮來，中共高層權力鬥爭變得空前的激烈，受到迫害的人被批鬥、遊街、抄家、家破人亡，命運非常悲慘。「文革」前的中共第二號人物、國家主席劉少奇被打倒後，受盡侮辱和折磨，經歷了痛苦的精神煎熬，最後精神崩潰失常，「死時，全身赤裸發臭，嘴鼻變形，白髮有一尺多長」，還被徹底的抹黑妖魔化。【244】

挖掘私生活，揭露隱私，進行人格形象抹黑的「批倒批臭」，是毛澤東「文革」派打擊政敵最常用的手段。劉少奇在政治上被

【243】陳榮昌，「周恩來『戒慎恐懼』思想的探析」，《周恩來百周年紀念論文集》，中央文獻出版社，1999年。
【244】「劉少奇女兒劉亭亭憶舊：一家4人慘死6人坐牢」，《魯豫有約‧名門》，江西人民出版社2008年5月。

打倒後，他的五次婚姻被挖出來示眾，前妻王前及其女兒劉濤被動員出來揭露他私生活，說他男女關係淫亂，還曾經貪污了黨的一隻金鞋拔子，劉少奇人格形象因此被徹底摧毀。【245】第二號被打倒的走資派鄧小平也被紅衛兵貼大字報揭露他生活腐敗，說他打橋牌鑽桌子，還曾把一位姓李的護士肚子搞大。【246】

　　以揭露隱私來抹黑對手並非始自文革。五十年代初，高崗被打倒後，毛澤東即曾經用高崗的私生活做文章，告訴蘇聯駐華大使尤金，高崗生活淫亂，有許多女人。【247】只是文革前中共內鬥尚有底線，不會公之於眾。但到文革，底線打破，打倒政敵，還要在全社會公開鬥倒鬥臭，對其人格予以無情抹黑，妖魔化。

　　久經政治鬥爭考驗的周恩來此時陷入了深深的恐懼中。如果毛澤東可以如此對待他以前的接班人劉少奇，也可以如此對待他周恩來，將他打倒在地，並挖出他的隱私將他盡情抹黑。想到被人臉上打上黑叉，並冠上「流氓」、「雞姦犯」，在全國聲討批判這樣可怕的前景，可以想像，極度重視個人形象的周恩來會是如何的不寒而慄。

　　為此周恩來以最大的毅力和韌性與毛澤東周旋，極力避免與毛澤東正面交鋒，甚至不惜犧牲自己的親人以保自己。

　　「文革」後期，周恩來與毛澤東數度周旋，纏鬥不已，鬥到最後，命運的天平開始向周恩來傾斜，對手毛澤東在黨內官僚階層真的成了孤家寡人。周恩來實際已處於不敗之地，但他仍然滿懷恐懼，因為同性戀這個原罪制約了他。

【245】《施毒計離間劉少奇家庭》，人民網文史頻道。
【246】丁抒，「毛澤東鄧小平私生活考証——有關李志綏回憶錄的幾點疑點」，原載《開放》雜誌。
【247】《紅牆見證錄：共和國歷史人物留給後世的真相》，當代中國出版社，2009 年 9 月出版。

　　周恩來紅色革命一生，他應該自信經得起中共嚴苛的檢驗，但政治上失敗了還可以東山再起，死後還可以獲得歷史的公正，但周恩來認為他輸不起。人家可以幾起幾落，比如鄧小平，但他不能倒，他一落下就將墮入永無翻身之望的深淵，一旦被打倒，同性戀身份被揭穿，身敗名裂，萬劫不覆，身後名將被徹底污化。這是他生前絕對無法承受的。這是周恩來的死穴，中共紅色革命聖人的「阿基里斯腳踵」（Achilles' heel）。

　　周恩來要堅持與毛澤東纏鬥到底，寧願唾面自乾，絕不意氣用事賭氣退讓。他曾經對親信中聯部長耿飆說：他们要打倒你，你不要倒，他们要赶你，你不要走，他们要整你，你不要死。[248]

　　這也是周恩來自己對付毛澤東和江青「文革」的戰術，隱忍到底，也堅持到底，臨死之前也要拼命為自己澄清，不給對手任何把柄，甚至交代妻子鄧穎超為他消除隱患，而鄧穎超也確實按照他遺囑，在他死後要求銷毀了「幫周會議」的記錄。

5　臨終前的悲哀與內心的痛苦

　　周恩來日理萬機，是「文革」時期國人心目中支撐分崩離析中國的參天大樹，但周恩來的悲劇是，儘管他以聖人的超高標準規範他的人生，為所謂的「革命」付出那麼多，甚至包括他的良知，但他無法把握自己的命運，無法把握他自己的身後之名。

　　他在病榻上忍受身體和精神的巨大痛苦和深不見底的恐懼，繼續扮演偉大堅強並且無限忠於毛澤東的無產階級革命家形象，唱《國際歌》，讀毛澤東《念奴嬌·鳥兒問答》，極力表現對毛澤東的忠誠。

　　但這只是周恩來公開的一面。

【248】《開國猛將耿飆：參與抓捕「四人幫」奪控電臺 電視臺》，鳳凰網衛視。

　　但私下周恩來卻有著傳統中國飛鳥盡良弓藏的悲哀，伴隨著他走完生命最後歷程的是他的高祖周元棠的詩稿《海巢書屋詩稿》。詩稿其中一首《留侯》詩寫幫助漢高祖劉邦打天下建立西漢政權的三大謀士之一的張良（又名子房，封留侯）的一生事業。周氏族人認為這首詩似乎預言了一百多年後的周家子弟周恩來在政治上的飛黃騰達。

<blockquote>
古來豪傑不多得，　非是太剛即過抑。
拔劍挺身未足奇，　總以識高見才力。
子房獨負蓋世才，　受書一事真偉哉。
取履漫云戲且辱，　回頭圮上驚蓬萊。
從此談兵多機變，　笑彼重瞳輕百戰。
隆準全鋒待斂時，　鼎峙蕭曹輸白面。
狀貌雖云如婦人，　經綸揆奮裕一生。
事成遠從赤松子，　漢家原是薄功臣。【249】
</blockquote>

　　詩中對張良的政治才能、忍辱負重的性格、勤勉的工作狂，乃至清秀如女子的外貌等描寫彷彿都是周恩來的寫照。周家族人如此認為，周恩來也如此認為。

　　周恩來侄兒周爾鎏說，周恩來生前對周元棠的詩稿無比珍愛，一讀再讀，直到生命的終結，鑑於周恩來對張良政治角色和人物個性的高度認同，讀這首《留侯》周恩來應該是把自己的經歷和感情也帶入了詩中，他將自己的歷史定位於張良這樣的千古良臣，以先祖的這首詩澆自己心中的塊壘，抒發他內心不容於世的真實情感。

　　周恩來表面上是與舊世界決裂的無產階級革命家，但內心始終以傳統中國的良臣賢相作為自己的期許，年輕時代已立志做張

【249】周爾鎏，《我的七爸周恩來》，香港三聯書店，2014 年，p29、34、35。

良這樣的人。十六歲的南開學生周恩來曾在校刊《敬業》上發表一首詩《春日偶成》，詠嘆兩千年前張良博浪沙刺殺秦始皇的傳奇故事：

> 極目青郊外，
> 煙靄布正濃。
> 中原方逐鹿，
> 博浪踵相踪。

到周恩來後半生，已成為共產黨的國家總理，他內心的志願仍然是以張良和諸葛亮為楷模。其侄周爾鎏說，周恩來生前去參觀留侯祠，是「久久深思不捨離去」。【250】留侯祠是供奉張良（生前封留侯）的祠堂，全國有多處，周恩來前往參觀不捨離去的可能是陝西漢中紫柏山留侯祠。一九四〇年五月周恩來帶領一百多人由延安到重慶，沿途古蹟甚多，他均不顧，只在陝西鳳縣特地繞道紫柏山拜謁張良墓，並興致勃勃地向文化不多的下屬大講張良的故事。【251】周恩來來此參觀曾留影拍照，但要求廟方不要公開展出他的照片。

周恩來臨終之前讀《留侯》這首詩，更會是百感交集，百味雜陳，既有自己終於成就了張良這樣的豐功偉業的欣慰，但也體會到張良當時飛鳥盡良弓藏，敵國破謀臣亡的危機感，「漢家原是薄功臣」，對照自己的處境，想到自己可能無法像張良那樣功成身退，得到善終，周恩來讀詩時的心情應該是無比的淒涼。

表面是忠於毛澤東的偉大無產階級革命家，內裏卻發出一個「封建社會」飽受委屈的功臣的哀嘆，如非他親侄兒的披露，簡直令人不敢相信。

【250】同上，p35。
【251】《周恩來最早預見當總理》摘自權延遲《走近周恩来》，人民日報出版社，強國博客。

筆者多年前讀高文謙的《晚年周恩來》，當時的感慨是周恩來歷史感的盲目。周恩來死前一直佩戴一枚背後刻有「為人民服務」的毛澤東像章。這枚像章很有象徵意義，像章表達他對毛澤東的效忠，「為人民服務」則傳達他對共產主義事業的忠誠，但最後兩種忠誠都被歷史嘲弄了，周恩來生前所忍受的痛苦完全白費了。對歷史的認知，周恩來不如劉少奇。

但現在看來似乎並非如此。

侄女周秉德的回憶錄講了一樁周恩來因反冒進在一九五八年杭州會議被毛澤東點名批判，經受黨內打擊後在訪問朝鮮時喝悶酒的故事：

> 葉飛是陳毅元帥手下的一員戰將，兩人情誼深厚。那是個星期天，他到中南海找老首長「擺龍門陣」，因為陳毅隨我伯伯周恩來去朝鮮訪問剛回到北京，他便隨隨便問起在朝鮮志願軍的情況。一向心直口快的陳毅突然長長地歎了一口氣，說：這次到朝鮮，總理白天神采奕奕，談笑如常，一到晚上，他關上門，就獨自一個人喝悶酒，也沒有菜，一杯接著一杯。我心裏最清楚，他是以酒澆愁啊！我就去勸他：總理，古人云，以酒澆愁愁更愁，酒喝多了要傷身體的。你想開一點，**歷史總是公正的！**【252】

周恩來實際也知道，他人之將死，死後毛澤東要如何批判打倒他，他生前無法著力，也只能聽之由之，一死了之，顧不了那麼多，而且相信無論毛澤東今天如何對他不公正，將來歷史會還他以公道。他真正恐懼的是，他的同性戀秘密被揭穿。

現在已清楚，周恩來並非歷史感完全盲目。他讀周元棠《留侯》詩，實際完全明白他自己的遭遇無非是歷史的重複，他正在

【252】周秉德，第六章 全國「大躍進」，西花廳「門庭冷落車馬稀」，《我的伯父周恩來》，遼寧人民出版社，2000 年 10 月。

經歷無數前朝幫帝王打江山的功臣的悲劇命運，而自己所希望做的就是如何能像張良一樣全身而退，安全上岸，而更希望的是像張良一樣千古留名，他的性秘密則將永遠帶入黑暗的墳墓。

周恩來並非歷史感完全盲目，他的看似盲目是因為他深藏有一個令他恐懼到極點的天大秘密，一個他以為是無法見陽光一旦曝露將萬劫不復的恥辱。這個天大秘密被起底是周恩來承受不起的噩夢。周恩來所謂的「保持晚節」，或保身後名，實際就是要保守他這個天大的秘密，把這個秘密帶進永恆的黑暗墳墓中，沉入歷史的深淵永不見天日。

周恩來歷史感並不盲目，但他對未來歷史的走向的認識在當時肯定和絕大多數人一樣是缺乏預見的。當他懷著無限恐懼辭世的時候，有三個想不到。

第一，他想不到，歷史的翻案，被他生前可能的想像要快了好多。他去世三個月後的清明節，爆發了紅色中國有史以來第一個真正民間自發的，以紀念他為名，聲討中國現代秦始皇暴政的民眾運動，給那個周恩來生前畏之如虎，不可一世的「紅太陽」帶來極大的驚恐和意外，再五個月後，「紅太陽」在權力將去，但身後事「怎麼辦？只有天知道」，「昔年種柳，依依漢南；今看搖落，悽愴江潭。樹猶如此，人何以堪！」的無限悲涼中去見了馬克思。再過一個月，中國發生驚天動地的政變，毛澤東扶持的「文革」派「四人幫」垮台。周恩來雖然生前沒有笑到最後，但威脅他身後名的政敵最終徹底失敗。再過一些時日，被毛澤東整肅的政敵紛紛恢復名譽，包括被永遠開除出黨，臉上打叉叉，被抹黑為「叛徒、內奸、工賊」，人格形象早已被認為粉身碎骨的劉少奇。

第二個沒有想到的是，他投身效忠的共產主義革命運動，在他死後僅十四年即宣告退出人類歷史舞台，共產革命的紅色故鄉

龐大的蘇聯帝國頃刻間分崩離析轟然崩塌，而在這場波及全世界的共產主義運動中，僅次於蘇聯帝國的紅色中國則進入非毛非正統馬克思主義，以權貴資本主義為特色的後極權社會。而這個巨變，不只是周恩來未能預見，全世界的人都大跌眼鏡。

第三，這是他生前絕對想不到的，人類社會的發展終於到了可以寬容對待「性小眾」的時代，困擾他終身的同性戀痛苦和罪惡感將不再困惑到新世紀的人類。他以為自己見不得陽光的性傾向已走出黑暗，進入陽光。周恩來在上世紀七十年代去世時，同性戀爭取權益的解放運動已在西方蓬勃展開，中國當時仍然在鐵幕中，這個信息無法傳入周恩來生前的中國。也許周恩來居於上位，可能有特權獲得這類信息。但即或他對西方社會方興未艾的爭取同性戀權益活動略知一二，但以他精神被禁錮的狀態，這會否在他心中掀起一點波瀾？是很令人懷疑的。

人類跨入二十一世紀的新時代後，同性戀在全世界多數發達國家已非禁忌，同性戀者也從陰暗世界走進陽光，西方很多同性戀政要紛紛出櫃。他們有：

法國第一個出櫃的同性戀政治家、曾在二〇〇一年至一四年任巴黎市長的貝特朗·德拉諾埃（Bertrand Delanoë）；第一位公開同性戀身份的國家領導人冰島總理約翰娜·西于爾扎多蒂；比利時首相埃利奧·迪呂波；瑞士蘇黎世市長科琳·毛赫（Corine Mauch）；二〇一五年五月十五日與同性愛人戴斯特尼舉行了婚禮的盧森堡首相格扎維埃·貝泰爾（Xavier Bettel）；德國柏林市的市長克勞斯·沃維雷特（Klaus Wowereit）……等等。

周恩來若仍在人世已不會感到孤獨。

人類幾千年的傳統婚姻制度是僅異性才可以結為夫婦，青年時代的周恩來因為這種傳統而以「不婚主義」的假面來維護自己

的性自由，後來又不得不結婚來掩飾自己的性傾向。但這個傳統也被打破了。

在為此書煞尾之時，美國最高法院肯定了同性戀婚姻，全球一片歡騰，筆者為此感慨萬分——周恩來是否不幸早生了一百年？如果他生在當下，又會如何？他和李福景的愛情是否會有另一個結局？

周恩來是一個最成功的政治家，但也是一個內心充滿痛苦，人性最扭曲，人格最分裂的悲劇人物，他不幸早生了百年，也不幸選錯了人生道路。

周恩來青年時代否定婚姻，主張「不婚主義」，是因為人類幾千年的傳統社會婚姻，都是為了繁衍子孫為目地的男女異性結合的婚姻，不是以愛情為宗旨，更沒有為另類的「性小眾」留下任何空間。他的性傾向不容於主流社會，他對異性女子沒有激情，但社會又給他強大的結婚壓力，周恩來為此困惑、痛苦、徬徨。與少年李福景的友誼曾像一道燦爛亮麗的閃光照亮了他的人生，但閃光瞬息即逝，卻讓他陷入無盡的精神黑暗中，等他摸索著找到黑暗的出口，沒想到落入的是一個更加深不見底的黑洞。他走上中共革命之路有很大一部分原因是因為性傾向不見容於社會，走投無路，是被迫上了革命的梁山。

周恩來這一悲劇的人生選擇，讓他陷入無法自拔的精神苦痛深淵。他與生俱來的天性被社會偏見、馬列意識形態、紅色革命的殘酷現實壓倒在內心最深處不見天日，備受壓抑，而縱橫捭闔的巨大政治才華和內心的秘密交織，想愛的得不到卻偏偏要在最殘殺人間之愛的政治絞肉機中打滾，這一切最終扭曲了他的人性。他為這個天大的秘密束縛，內心充滿焦慮和壓抑，但又要在全世界面前扮演一個凜然正氣的革命者。表裏的扭擰，真實情感和外在表演的衝突撕咬著他的靈魂，也扭曲了他的天性。周恩來

從參加共產革命那一天開始已注定是一個悲劇人物，後來的處境使他掉入更大的精神陷阱而無法自拔，並導致他晚年最大的政治危機和精神折磨。

周恩來的情感之惑至死也未得到解脫，他之死可以說是無限痛苦。

在周恩來彌留的時刻，他是否動過念頭向被欺騙的妻子鄧穎超道出真情，求其原諒，把他的心裏話講出來？鄧穎超是個智力很高的女政治家，但她幾十年一直生活在中共這個封閉的系統中，可能和當年大多數中國人一樣，從來不知道人類有同性戀這樣一回事，或只知其名，但不知其事，因此也永遠無法理解她摯愛的丈夫一些違背情理的行為。在那個最後時刻，對丈夫真實情感疑惑一生的鄧穎超是否也曾有意想抓住這最後的機會找到答案？但要講的滿肚子話，周恩來放棄了，妻子鄧穎超也放棄了。兩人情感壓抑一生，最終還是在壓抑之中告別人世，生前沒有留下相關的只言片語。至於夫妻兩人生離死別的最後時刻，他們兩人頭腦中曾閃現過什麼樣的思緒念頭，則更是無人可以回答了。

周恩來死前讀高祖周元棠的《留侯》詩，可以想像是在抒發他對自己歷史功業的真實感受和無法善終的痛苦。而他在彌留前夕，不顧身邊工作人員的勸阻，一而再，再而三地傾聽越劇《紅樓夢》的《黛玉葬花》和《寶玉哭靈》的悲涼唱段，這一脆弱情感的真情表露，有否可能是他人性扭曲一生最後的真我復甦、天然人性的迴光返照？

在此一刻，他七十八年的整個人生是否會如幻燈片一樣在他眼前倒轉回播？那沉睡已久的青春往事：同學少年友誼的純真，與青年教師伉鼐如、慧弟李福景一起合影自詡為林妹妹時無拘無束的快樂，與慧弟朝夕相處的美好日子，以及那許許多多刻骨銘心的悲歡離合……是否一一在他眼前閃現，讓此時此刻的他傷感

不已？他是否仍然在懷想他一生摯愛的慧弟？在《寶玉哭靈》淒婉的唱詞「落花滿地傷春老，冷雨敲窗不成眠」中，他是否在感受著和慧弟最終無法結合的千古遺恨？

在此彌留時刻，他是否會首次誠實地面對自我？是否會對當年失意英倫後的選擇有所悔恨和頓悟？是否會感嘆命運的無常和捉弄？一個以冰雪聰明、溫情脈脈、心靈潔淨如春花的美麗少女林妹妹自比的青年周恩來，何以會趟入「一年三百六十日，風刀霜劍嚴相逼」的險惡政治渾水。本性善良的他和這場革命本來是南轅北轍的兩回事，但竟然會合而為一體，他會否自嘆「卿本佳人，為何做賊」？

「天盡頭，何處有香丘？」這是林妹妹在黛玉葬花詞中追尋真善美的詠唱，林妹妹「潔本質來還潔去」，以清高乾淨的靈魂告別渾濁的人世，但對於周恩來，面向未知的彼岸，可惜「一杯淨土掩風流」早已是不可企及的幻夢，已被污染的身軀和靈魂不會有潔淨的歸宿。

以紅色聖人終的周恩來，將來未必是以聖人的歷史定位作結束；而當初讓他痛苦終身的秘密，以為是見不得陽光的罪惡，在今天已被人類社會除罪化，走入陽光，獲得社會的接納和認同。他生前死守自己的性秘密，唯恐曝光將使自己的身後名一敗塗地，但今天這一曝光，使人們看到的是一個也有真性情的周恩來，一個更令人同情和惋惜的悲劇政治家，決非他生前想像的萬劫不復。

歷史的錯位，人性的扭曲，這才是周恩來最為悲涼的結局。

後記

　　此書出版後，筆者想會有很多人有這樣一個疑問：周恩來在中國當代史是如此重要的歷史人物，在國際上也享有極高的聲譽，對他的研究可以說是汗牛充棟，如果他是位同性戀者，為何這樣多的中外研究者都沒有發現？

　　這個問題，筆者也向自己問了無數次。但在寫作此書的過程中，接觸到各方資料後，我得出這樣一個結論：對於身在中國大陸的研究者來講，周恩來這個秘密並非完全無人知道，但得以長期維持無人捅開，是一個三方合力隱瞞的結果。

　　這個三方之一首先是作為當事人的周恩來。周恩來從意識到自己性傾向不容於主流社會的青少年時代，就已經開始有意地保守這個秘密。同毛澤東的隱私不一樣的是，毛澤東私生活的淫亂在中共最高層幾乎是公開的，毛以獨裁者的肆無忌憚，對此並不加以隱瞞。但周恩來卻戒慎恐懼，拼命壓抑自己的情感，並和中國大多數同性戀者一樣，很早就用婚姻來掩飾自己的性傾向，然後又在大眾心目中精心打造了他與鄧穎超模範革命夫妻的形象，將這個煙幕婚姻維持到終身。由於周恩來的謹慎保密，有關他同性戀傾向的史料，不是那麼顯而易見。

　　其次是中共官方對周恩來聖人形象的維護。經歷過「文革」後，中共的所謂「開國」領袖群像已不再光輝偉大，而毛澤東更是以荒淫著稱，周恩來就成為維持共產黨顏面的唯一聖人，因此也成了中共官方要極力維護其偉大形象的聖人。在我寫此書時，可以感受到中共御用學者在極力掩飾淡化曲解乃至抹去有關周恩

來青年時代同性戀傾向的資料。我想，即或有學者發現這個真相，只要他們仍然身在中國，在目前中國的政治環境下，他們也不可能展開研究。

在前蘇聯時代，因為蘇共政權將同性戀上綱上線為資本主義腐敗「反動」生活方式，定性為反革命行為，曾有意抹去俄國歷史上一些文化偉人，如果戈里（Nikolai Gogol）、柴可夫斯基（Tchaikovsky）等的同性戀色彩，掩蓋其為同性戀者的事實。直到蘇聯解體，許多被封閉的資料解密，這些偉人的性傾向真相才開始為世人所知道（但普京當權的俄國，同性戀遭受打壓，又有人出來否認柴可夫斯基是同性戀）。而中國當局今天所做的，和前蘇聯已做過的完全一樣。中國要能夠公開討論周恩來的性傾向，需待中國有言論自由的這一天。

第三，中國民間對同性戀知識的缺乏和對周恩來聖人形象的盲目崇拜。在清教的毛澤東時代，同性戀被污名為「流氓罪」、雞姦罪，有關同性戀的話題則成為禁忌，完全從社會上消失。在毛澤東時代成長起來的一代人甚至不知何為同性戀。中國最著名的古典文學作品《紅樓夢》有大量的同性戀描寫，但很多人不知所云。而至今中國社會大眾依然缺乏對同性戀的認識，對同性戀現象感知非常遲鈍。比如周恩來鄧穎超身邊工作人員對兩人婚姻中大量違背常情的行為，從沒有懷疑過其婚姻的本質，而一般解釋成周恩來是為了革命工作才犧牲了夫妻生活。一些研究周恩來的學者雖然接觸到周恩來感情生活方面一些讓他們感到困惑，難以解釋的材料，因為缺乏同性戀知識，而未能從這方面著手研究，甚至可能從未懷疑過周恩來有同性戀傾向。

另外周恩來的兢兢業業、克己奉公的聖人形象特別符合中國人對公眾人物的道德要求，因此傾向於將周恩來拔高來仰視，而下意識拒絕其他角度的解讀。或許中國有些研究者可能知道，或

懷疑過周恩來情感真相，但囿於社會對同性戀的偏見，有不願正視的心理障礙，不願意承認他們心目中的偉人周恩來是個「同志」，他的婚姻是建築在謊言上。因此才造成對周恩來同性戀傾向的資料，有意或無意地集體視而不見，集體沉默。

　　一個最能說明問題的例子是有關著名的中共國際友人路易‧艾黎（Rewi Alley）的研究。路易‧艾黎為同性戀者在澳洲、新西蘭已是公開秘密，但新西蘭學者安琳（Anne-Marie Brady）的有關研究不但受到來自中共官方的打壓，甚至新西蘭的一些艾黎研究者和新西蘭中國友好協會也參與封殺她的相關論文，因為艾黎是新西蘭的英雄，新西蘭中國友好協會說，討論他的性傾向「不利國家利益」。既然在言論自由，學術也自由的新西蘭，正視一個平民英雄路易‧艾黎的性傾向都有難度，何況在仍然有嚴密思想控制出版審查的中國，何況周恩來是中共國父級的聖人，非路易‧艾黎可比，其難度之大可想而知。

　　對西方學者來講，可能最大原因是史料的缺乏。能有力證實周恩來為同性戀者的史料是周恩來一九一八年在日本留學的日記，這部日記在一九九八年周恩來百年生日紀念時才首次出版。海外兩本重要的周恩來傳記，即韓素音（Han Suyin / Elisabeth Comber）和英國記者迪克‧威爾遜（Dick Wilson）的周恩來傳記，都是在這以前出版的，因此兩位作者無可能看到這本日記。我讀兩人的周恩來傳記，感覺兩人字裏行間有點懷疑周恩來的性傾向，都提到周恩來青年時代不近女色，都在某處用了同性戀這個字眼。但因為沒有史料支持，兩人都沒有朝這個層面做更多著墨。

　　儘管如此，我還是感到奇怪，中共當局在周恩來百年生日紀念首次公佈的周恩來一批早期文稿，包括一九一八年《旅日日記》，提供了周恩來青少年時代婚姻愛情觀最真實可靠的資料，

研究周恩來的學者專家竟然都視若無睹，爲何在海外也沒有得到
足夠的重視。

　　在《開放》雜誌工作時的初期（九十年代），我曾寫了很多
有關中共黨史的文章，其中也有幾篇是寫周恩來的，但後來很
少寫，最多是寫點書評。因為寫歷史必須是立足在堅實的史料之
上，但中共黨史很多真實的史料仍然封存在官方保密的檔案中至
今不見天日，而我是一個在中國大陸境外生活的傳媒人，無可能
去查中共檔案，也沒有辦法通過中共官方渠道去獲得一些確實的
資料。自己又是個新聞工作者，終年忙忙碌碌窮於應對熱點新聞
不斷，沒有時間和精力對一個專門的歷史題目做認真的研究和考
證。大陸近年出現很多專業的歷史學者，如高華、楊奎松、高文
謙等人，他們有學術功底、有充裕的時間和條件對中共黨史作認
真的爬梳和研究，最後都有卓越的成就。

　　但想不到從《開放》雜誌退休後，竟然斗膽寫了這本周恩來
的書，而所談的內容更是前所未有的敏感。寫這本書實在源自於
偶然。幾年前，有次朋友聚會，談到周恩來，說坊間傳周恩來是
同性戀者。這個傳聞觸動了我無法遏制的好奇心，花了一點時間
去認真查詢，最後看到周恩來早期文集中他留學日本的日記，赫
然發現坊間傳聞不是空穴來風，竟真有那麼回事。在青年周恩來
的日記中有清楚明白無誤的同性戀立場和情感的表達，更有他對
一位同窗好友刻骨銘心的感情記載。

　　然後我再檢視周恩來的婚姻和感情生活，亦發現周恩來和鄧
穎超所謂模範夫妻，僅只是一個空殼，而周恩來終其一生沒有與
任何一個女子熱戀過，包括周恩來自稱與他有過戀情的女友張若
名。而更令人不解的是，中共官方的周恩來傳記和御用學者有關
論文，對周恩來早期文集中明白無誤表達的婚姻戀愛觀及他和這
位同窗好友的情誼，這樣重要的資料是藏藏掩掩，輕描淡寫，甚

至公然曲解。這也從另一個角度說明周恩來的性傾向確實是有異於社會主流，否則官方不會將這樣的表達視為敏感內容以至於作出掩飾和淡化的處理。這個發現激起了我寫這本書的願望，決心要把這個中共官方保密至今的天大秘密挑出來，曝露在陽光下。

當然我寫此書也有點必然的因素。我生活在思想無禁忌、言論有自由的香港，中國大陸不敢觸及的敏感話題，我敢觸及，對周恩來我沒有聖人崇拜情結，也不怕因此捅了馬蜂窩。而且因為人在大陸之外，也容易接觸及直接引用海外出版的資料，比如高文謙的《晚年周恩來》、張國燾的《我的回憶》、許芥昱的《周恩來傳》等。但我又在中國大陸出生長大成人，經歷過毛澤東的「文革」時代，因此自認比西方作家更能讀懂中國人和中國事，不那麼容易隔靴搔癢。

筆者寫這本書大量閱讀了周恩來及其親密友人之後人所寫的回憶和紀念文章。雖然官方正史審查相當嚴格，但這些出於個人的回憶錄和紀念文章受限尺度則比較鬆懈，尤其是九十年代之後政治時空已不同往日，因而可以披露一些官方正史不容的敏感史料，如周恩來堂侄周爾鎏在香港出版的《我的七爸周恩來》之類。這給我很大的幫助。

周恩來作為舉世知名的共產主義運動的政治家，是紅色中國曝光度僅次於毛澤東的人物，他一生舉手動腳都在萬眾矚目的新聞聚焦之中，為舉世所知，但這只是他人生其中之一面，但其人就像永遠背向地球的月亮一樣，另一面則永遠背對人們的視野，充滿神秘，讓人困惑。周恩來既風雅又殘忍，既溫情又冷血，政治人格處處顯現矛盾和衝突。周恩來在毛澤東時代晚期，是中共政治體制中真正掌握實權的人，並且享有很高威望，最後甚至超越毛澤東，但他至死對毛澤東卑躬屈膝，逆來順受，極盡臣妾之道。很多人對所謂高風亮節的周恩來為何如此委屈自己，極度不

解。因此要解開周恩來之謎，就需要探究他背對世界的一面，揭開他隱藏一生的感情生活秘密。

　　周恩來是個很有魅力的政治家，他忠心為國、勤勞奉公、鞠躬盡瘁、死而後已的形象深入全國人心。我父親晚年憤世嫉俗，牢騷滿腹，常私下對家人發一些不滿中國社會現實的言論，按當時標準可以說「思想極其反動」。他不喜歡「新社會」，留戀民國時代，對共產黨沒有好感，特別討厭毛澤東，說毛澤東根本就是一個皇帝，他的《沁園春·雪》就是一個皇帝的自況。但他對周恩來印象好得無以復加，說他一生只崇拜三個人，古代的諸葛亮、近代的孫中山，還有就是當代的周恩來，有時他乾脆說周恩來就是當代的諸葛賢相。父親「文革」中間去世，未能見到周恩來去世在中國引起的政治大地震。我想如果他還仍在人世，其心情應該和當時的國人一樣，對當代諸葛賢相的去世一定悲痛不已，可能還會老淚縱橫。

　　但周恩來去世時，我沒有掉過眼淚。因為那個時候，我已對中國整個極權政治制度產生懷疑，對中共的政治不倒翁周恩來也失去了敬意。到香港後接觸到一些大陸看不到的資料，更覺得周恩來老奸巨猾、虛偽透頂，對他不敢恭維。但是寫這本書，多少改變了我對周恩來的原有印象，不由自主對他產生一些同情和諒解。

　　學生時代，由於受到官方思想洗腦，我以為所有的革命者都是擇善固執「追求真理」的勇敢戰士，成年後閱世多了，才知完全不是這麼回事，不是人人都以誠實生活為初衷，都有「朝聞道，夕死可矣」、「吾愛吾師，吾更愛真理」的強大精神力量，不是人人都能夠面對真實，敢於「以今日之身攻昨日之我」。人生道路的選擇有的初衷可能是追求真理，但更多的是隨波逐流。我第一次體認到這個現實是在「文革」中，發現好多人加入某個派

別最初是很偶然的，或者是隨大流的，並非是反覆思考認真選擇的結果，但一經加入，就出不去了，竟然衍生出對此派別狂熱的忠誠，死認真理就在自己這一派手中。或許感受到未必是正確的一方，但忠誠壓倒所謂「對真理的追求」，錯了也要一錯到底。

到香港後，記得有一次台灣著名文化媒體人高信疆到訪《開放》雜誌社，聊到「六四」屠殺發生後，台灣以左著名的異議作家陳映真最早前往大陸與「六四」劊子手陳希同等相談甚歡，還發表文章大罵中國流亡人士是帝國主義走狗。我問高信疆說，陳映真自稱是有良心的人道作家，為何面對人道善惡黑白分明的事，卻站在惡的一邊。高說，陳映真信仰馬克思主義，親近中共，現在即或錯了，也無法回頭，只有錯到底。我當時頗為愕然，脫口而出一句「難道陳映真不信奉真理？」

我們可以指責這些人不能誠實地面對自己和現實，放棄了對真實的追求，但這就是人性的複雜和脆弱，這種傾向也可能發生在你我身上。

人生而自由，但卻往往受制於身處其中的環境，當一個歷史大潮打來，由於種種社會和個人的原因，很多人往往不由自主被潮流裹挾而去，而且也不是每個人都有堅持誠實服膺真理的強大自由意志，發現上了賊船後願意落水重新上岸，再做人生第二次選擇，往往是第一次選擇就決定了其終身命運。在中共隊伍中，能夠堅持服膺真理初衷的人，即所謂「兩頭真」的人只是少數。那些敢於「以今人之我否定昨日之我」的自由意志者，更是少之又少，這些真正的真理追求者在中國以厚黑為上的政治傳統中，往往落得非常悲慘的下場，陳獨秀最後的結局就是最顯著的一例。

我在寫周恩來這本書之時對此深有體會，周恩來這個對中國陷入極權主義泥沼和毛澤東暴政負有不可推卸責任的中共第二號

人物，其真實的人性遠比其面譜化的定位複雜很多。周恩來在歐洲選擇投身共產革命，他自稱是「被逼上梁山」，有社會因素，也有他個人感情方面的原因。他追隨自己一生最愛的人前往英國留學失敗，流落萬里之外的異鄉，無顏歸國，人生就要被命運的驚濤駭浪打翻之際，他抓上了共產國際這根救命稻草。而這個選擇使他從此被自己的革命綁架，一生活在謊言之中，也活在暴力之中。周恩來貌似事業很成功，形象很偉大，但未來將證明他把自己的人生錯誤地託付到一個將被歷史否定的政治勢力上，是站在歷史錯誤的一邊，錯用了自己的蓋世才華。而且這個選擇最終並沒有使他擺脫掉讓他苦惱不已的感情之惑，反而讓他陷入更難解脫的精神危機中。

寫這本書，我對周恩來的命運感嘆不已。周恩來是一個不幸早生了一百年的同性戀政治家，一個多少值得人同情的悲劇性人物。他的一生也投射出中國同性戀者在中國近代一百年痛苦掙扎的命運。而更令人扼腕的是，他錯誤的人生選擇還禍延天下蒼生，讓今天的中國人至今還在承擔不幸的後果。

儘管在當代，同性戀權益已獲得西方國家以及港台主流社會的認同，而且西方已有不少同性戀政治家出櫃，其形象並未受到任何損害，甚至更令人佩服其敢於站到陽光下的勇氣，但由於周恩來此人的歷史地位和至今中國社會對同性戀的偏見，這本書可能會冒犯到許多人心目中當代紅色聖人的革命清教徒形象。

但在幾年的寫作過程中，我反覆研究和考證周恩來的婚姻愛情觀念和他現實中的愛情婚姻生活，以及中國官方對有關資料的處理手法，使我由開始的半信半疑、誠惶誠恐到後來深具信心，覺得自己的結論還是立得住腳的，而且相信今後會有更多史料出籠證實我的看法。我捅開了這個馬蜂窩，已做好出版後遭受來自各方抨擊的心理準備。

附錄：周恩來與國民黨密友張冲

　　周恩來好友很多，本書所提到的雖然都在中共革命隊伍之外，但這些人並非政治人物。他的黨外好友中有一位例外，此人相當傳奇，竟然是來自中共敵對陣營的國民黨中統特務二號人物張冲（字淮南）。張冲是蔣介石的親信、曾代表蔣介石參與國共和談，與周恩來交往相當密切。此人只活了三十八歲。他一九四一年八月十一日病逝於重慶，周恩來非常悲痛，三個月後的追悼會上周恩來致悼詞，念到動情處，幾度哽咽，語不成聲。在場的國民黨人士都十分詫異，有的說，周恩來太會作態演戲了。

　　周恩來在悼詞中說：

　　　　我認識淮南先生甚晚，「西安事變」後，始相往來，然自相識之日始，直到臨終前四日，我與淮南先生往來何止二三百次，有時一日兩三見，有時且一地共起居，且所談所為輒屬於團結禦侮。堅持國策，至死不移，淮南先生誠五年如一日。

　　　　…

　　　　我與淮南先生初交，且隸兩黨，所往來者亦悉公事，然由公誼而增友誼，彼此之間輒能推誠相見，絕未以一時惡化，疏其關係，更未以勤於往返，喪失黨格。

　　　　…五年來，我與友黨人士相識，無慮數百，唯因工作關係，始終安危與共的淮南先生實為其最。

周恩來又說，他與張冲為兩黨和談，「幾朝夕往還，達三四月」，其後張冲還「伴我一登莫干，兩至匡廬，凡所奔走，靡不與聞。」【253】

上述悼詞基本說明了兩人的關係，兩人作為國共兩黨的代表五年來交往至少兩三百次，雖然各為其黨，但相互之間建立了深厚的私人友誼，而在周恩來交往的國民黨數百名人士中，他與張冲關係最深厚。周恩來此說，並非僅止於統戰的場面話語，多少反映了兩人交往的真實狀況。

由於張冲生前曾交代親信全部燒毀他與周恩來的通信，而周在張冲去世後也做了同樣的安排，這給兩人的交往籠罩了一層神秘的霧紗。

在國共談判史上張冲是一位相當重要的人物，但因英年早逝，而且從事的多為不可公開的暗中任務（先是中統二號人物，所謂特務頭子，後又作中蘇、國共談判特使），行蹤神秘。而對於中共來說，他又是一個需要被抹殺的敵對的「反動」人物，因此其人其事好長一段時間被淹沒在歷史的塵埃中，他與周恩來的密切交往更少人知道。

直到上世紀八十年代後，台海兩岸交通，國共兩黨再次眉來眼去，張冲這個歷史人物也逐漸被挖掘出來。尤其是他與周恩來的交往，具有兄弟一笑泯恩仇的象徵意義，更被熱衷台海統一者拿來大作文章。近年有關張冲的史料，以浙江老記者馬雨龍經四年調查採訪（包括張冲的後人）廣泛收集資料所寫的《張冲傳》最為詳盡，資料也比較可靠。大陸報刊不少關於張冲的文章，內容即來自於這本書。

【253】有關張冲部分，除另外註解外，所有資料都來自於《張冲傳》作者馬雨農，團結出版社，2012 年 6 月第一版。

　　張冲是中國當代史一位奇人。浙江樂清人，一九二三年十九歲的張冲考上北京交通大學俄語專修班，兩年後升哈爾濱的中俄工業大學，後轉中俄法政大學，假期曾到莫斯科遊歷，因而精通俄語，是個俄國通，為蔣介石秘密派遣蘇聯談判時曾見過斯大林，長談四五小時，獲斯大林贈送一隻金表。

　　張冲在哈爾濱讀書期間加入國民黨，因參與國共兩黨反奉系軍閥政府的地下活動，一九二七年初被捕。東北易幟後，由蔣介石親電張學良獲得釋放。

　　回憶張冲的文章都指他青年英俊，一表人才，有智多星之稱。張冲因受到掌握國民黨黨權的二陳（陳果夫、陳立夫）賞識器重，於該年當選國民黨中央執行委員會常務委員，被派往哈爾濱發展黨務，隨即再被二陳調入中統，成為中統頭子徐恩曾下面的二號人物。馬雨農的《張冲傳》指張冲進入中統後，出謀劃策，建立起佈向全國的情報網絡，對中共地下活動予以了摧毀式打擊，包括捕獲周恩來領導的特務組織中央「特科」的要員顧順章，以及第三國際特工牛蘭等。

　　而最奇特的是，那個在「文革」中被江青毛澤東當作緊箍咒用來恐嚇迫害周恩來，搞得周恩來臨死無法解脫的「伍豪登報脫離中共事件」竟然就是張冲的傑作。

　　因顧順章叛變，中共在上海機關全數破獲，上海呆不下去，周恩來一九三一年十二月上旬逃離上海，月底抵達中共中央蘇區所在地江西瑞金。但次年二月十六日開始，上海多家報紙刊登了「伍豪等脫離共黨啟事」。這篇啟事實際是張冲與其部下中統駐上海站特派員黃凱合謀，打算用這篇假啟事瓦解中共組織，促使更多中共黨員向當局自首。黃凱後來成為中共俘虜，一九五三年在中共監獄中供出真相，說啟事是張冲起草，再由黃凱交上海各報刊登。張冲是個蘇聯通，瞭解共產黨的意識形態和歷史，因此撰

寫的「伍豪啟事」還蠻像一位迷途知返，覺今是而昨非的共產黨員的口氣。

張冲因為與徐恩曾的權力鬥爭離開中統，參與蔣介石的涉蘇外交顧問工作。一九二七年國共破裂後，蘇聯公開支持中共發動反國民政府的廣州暴動，中國宣佈對俄斷交。但「九一八」事變後，中蘇兩國為對付共同的敵人日本，開始秘密接觸，醞釀復交。作為俄國通的張冲本為兩陳心腹，因而堪當重任，成為蔣介石的親信近臣，與蘇秘密聯絡談判的特使。當時張冲第二位妻子是流亡東北的白俄女子娜達，蔣介石恐有國家機密洩漏的問題，在他的干涉下張冲被迫與其仳離，送了一筆錢給娜達，將她遣往蘇聯。

「西安事變」發生時，張冲因身負秘密談判任務也在西安，因此和其他十多位中央大員一道被拘押。「西安事變」和平解決後，張冲即作為蔣介石的頭號特使參與國共談判和中蘇談判。張冲在五年時間先後與周恩來經歷五輪談判，來往密切，如周恩來所說，有時一日兩三見，並且多次一道遊覽名山。

一九三七年二月八日，顧祝同率領中央軍進駐西安，同日作為蔣介石與共產黨談判的特使張冲也抵西安。(周恩來秘書童小鵬在《風雨四十年》說張冲是九日抵達)《周恩來年譜》說，十一日張冲首次見到共產黨談判代表周恩來。而馬雨龍的《張冲傳》則指兩人首次見面是二月十日農曆除夕這一天，因有周恩來當天致張聞天和毛澤東報告與張冲交涉中共和紅軍問題的電文為證。

張冲和周恩來這次會面在當時的時空下，確實很有戲劇性。兩人在上海期間，各領一隻特務隊伍做生死鬥，演出中統生擒中共大特務顧順章，大破中共中央機關，致中共多位要員被殺；然後周恩來再率領中共「特科」對叛徒顧順章一家無情滅門的大

戲。而如今兩個風度儒雅的特務頭子坐上了談判桌，使用兩人都擅長的外交辭令，展開文明的言辭交鋒，如此戲劇性的一幕，確實很能啟發人豐富的想像。

據馬雨龍說，兩人談判內容現只有公事公辦的電文資料，細節無從知道，大陸有些文章對張周首次會晤的記述，都是憑空想像的文學描寫。有的特別提到張冲對製造「伍豪登報事件」向周恩來表示歉意，其實根本無可能。因為「伍豪事件」在周恩來抵達中央蘇區後已向組織說清是國民黨特務所為，但究竟是誰經手，要到兩人首次會面的二十年後中共經由黃凱的「坦白交代」才知是張冲。此時坐在談判桌上，周恩來對此一無所知，張冲雖知真相，但絕不會向蒙在鼓中的對手提起這件陷害勾當以破壞談判氣氛。而且「伍豪事件」當時也未對周恩來造成困擾，要到三十多年後的「文革」時代才被毛澤東江青翻舊賬，以此為打倒周恩來的鋼鞭材料，給周恩來很大的精神創傷。相比那些國共分裂後雙方殺得天地為之變色的腥風血雨，在一九三七年的國共和談中，「伍豪事件」真是一件不值一提的芝麻綠豆小事。

西安談判歷時一個多月，談判代表中共方面有周恩來、葉劍英，國民黨這邊有張冲、顧祝同、賀衷寒。國民黨三代表，賀衷寒極端反共，但中共認為張冲較開明，通情達理，在雙方之間折中周旋，務求談判成功。周恩來的秘書童小鵬回憶說：

> 國民黨代表張冲，雖然屬於陳立夫 CC 系統，但是比較開明，對我黨表示友好…在談判休息時，他曾同周恩來、葉劍英一起到終南山郊遊，一路談笑風生。我也去了，給他們照了幾張照片。以後到南京、重慶，張冲都同我黨保持友好態度。他是一個為建立和鞏固國共合作作出貢獻的人。

馬雨龍說，在西安的談判日子裏，張冲與周恩來朝夕相處，雖然各為其主，在談判桌上唇槍舌劍，但在桌下，兩人很快就有

了私人感情,「兩人都有一見如故,相見恨晚的感覺。彼此的情感,在無意中自然地交流,就此建立起日漸深厚的友誼。」

西安談判結束後,張冲陪同周恩來到上海,安排週三月二十六日在杭州煙霞洞與蔣介石秘密會見。周恩來二十五日與潘漢年抵杭州,與張冲同下榻西湖畔的兩層西式別墅柏廬,兩人相鄰而居,童小鵬為兩人在別墅前拍下一張合照。

周恩來與蔣介石杭州密談隨後轉移到離杭州八十公里的莫干山,下榻山頂的白雲山館。三月二十七日這一天,因為蔣介石要為宋美齡慶祝生日,張冲陪周恩來和潘漢年在莫干山遊覽了一天。周恩來秘書童小鵬說,這一天周恩來「與張冲閒談了許多事情,心情輕鬆舒暢。」遊覽一天後,三人盡興而歸。談判雙方(蔣介石夫婦和張冲為一方,周恩來和潘漢年為一方)五人在白雲山館宿居同一層樓房。

蔣周莫干山密談後,四月二十八日張冲、顧祝同和周恩來在西安恢復秘密談判。期間,張冲和周恩來、葉劍英相伴遊終南山,童小鵬說,「一路談笑風生。我也去了,給他們拍了幾張照片。」馬雨龍根據照片三人的衣著神情,說:

> 三人全都面帶微笑,面部表情和形體姿態,都十分放鬆。而且彼此視線一致,照應和諧。無論人物個體,還是整個畫面,都透露出一種輕鬆、愉悅的神色,顯示影中人如同友朋相聚一般的親切感。【254】

六月入夏,張冲又奉命飛上海陪周恩來在六月四日來到廬山,準備面見蔣介石。張冲陪周恩來在廬山遊覽了兩天。

馬雨龍說,周恩來一九五九年七月參加廬山會議,重遊他當年和張冲一道遊覽過的仙人洞,「睹物思情,向隨行的工作人員

【254】童小鵬,《風雨四十年》,中央文獻出版社,1996年,p100。

和陪同深情地回憶起張冲陪同他初遊仙人洞的情景，深為張冲的英年早逝而惋惜。」當時已是「反右」之後，中國大陸政治氣候相當肅殺，周恩來私下與身邊人懷念一位敵對的國民黨政要，顯見他與張冲的友誼已超越了中共統戰的功利，有真實的個人情感因素在內。

一九三七年七月周恩來再到盧山，國民黨參與談判的有蔣介石、邵力子和張冲，但「七七事變」後，中國抗日戰爭開始，蔣介石即改派張冲做特使與蘇聯談判，爭取蘇聯軍援中國抗戰，因而其後的南京談判，由對中共立場強硬的康澤代替張冲與中共談判，周恩來甚感頭痛，覺得不及張冲好相處。九月二十一日和談達成，二十二日中央社發表國共合作宣言。周恩來認為國共和談，張冲厥功甚偉。一九四六年一月在南京召開的政治協商會議，周恩來發言特別提到他的好友張冲的功績說，「我想在這裏特別提出一位在抗戰前半期奔走團結而故去的國民黨朋友張淮南先生，應該對他表示紀念。」

張冲赴俄談判軍購之前，在西安見到周恩來，周恩來給他一張名片，將他介紹給在莫斯科的中共駐共產國際代表團負責人王明。周恩來和博古並聯名在名片後寫上一段推薦的話，「張冲先生奔走國共合作工作，卓著功勳，請以同志關係接待。」

張冲訪蘇回國後擔任軍事委員會顧問事務處中將處長，負責接待聯絡來華援助抗戰的蘇聯軍事顧問團和蘇聯空軍志願團。在武漢和重慶期間，因國共已公開合作，張冲與周恩來的也公開來往。周恩來常造訪張冲在漢口太平洋飯店的住所，並常由張冲陪同前往見蔣介石。

國共又開始新一輪談判，並成立國共兩黨關係委員會，國民黨方面有陳立夫、張冲、劉健群、康澤、鄭介民五人。共產黨方面為周恩來、王明、博古、葉劍英四人。張冲再次參加國共會

談。張冲生前秘書朱開來回憶文章稱，一九三八年春某一天，國共兩黨代表在張冲住處舉行了一次秘密會談，由張冲以邀請茶敘的名義邀集到會。朱開來說，國共兩黨代表在漢口的秘密會談，直到張冲一九四一年八月病逝，再無第二次集體秘密會談，「此後均是由張冲單獨與周恩來等直接談判。」

張冲下屬回憶，在重慶時候，周恩來有事要見蔣介石，事前打電話給張冲，請蔣介石約定時間，張冲再通知周恩來。他們經常聽到周恩來打來電話，張冲接電話通常如此開頭，「喂，我是淮南，你是恩來嗎？」

張冲對待周恩來很善解人意。某次談判中出現波折，為了不給周恩來帶來麻煩，使周恩來為難，張冲將難題攬到自己身上，親自給周的上司毛澤東發電說明事由，直接向毛陳述他的苦衷。

另一次，在重慶之時，周恩來受黨中央之名擬赴皖南調解新四軍正副軍長葉挺和項英之間的矛盾，但不獲蔣介石批准，無法成行。張冲於是向他出主意說，蔣介石很重孝道，周恩來（時任國民政府軍事委員會政治部副部長）可用過年回浙江紹興祭祖的名義向蔣介石請假，獲批准後，即可順道赴皖南。張冲的這一主意果然生效，一九三九年春節之前，周恩來陪同賭氣返回重慶的葉挺飛桂林，再經贛北抵達新四軍在皖南涇縣新四軍總部，傳達中央關於葉挺工作安排的意見，對項英做了批評。然後才回紹興老家掃墓祭祖。

周恩來回到重慶後的六月，欲往延安，在機場受阻，是張冲說服蔣介石發下准予放行的手令。周恩來回延安後，墮馬傷臂，又是找到張冲由國民黨派飛機將周恩來從延安送到蘭州，再乘蘇聯飛機到莫斯科療傷。

　　周恩來在悼念張冲的悼詞中，特地提到上述幾件事，說「民二十八年春，我有江南之行，是夏，復北返延安，均賴先生助其成。」

　　一九四〇年五月三十一日，離開重慶一年後的周恩來再回到重慶主持南方局工作。馬雨龍說，周恩來雖然與張冲仍然常見面，但國共關係已大不如前，雙方軍事摩擦衝突趨向白熱化。然後國共關係幾近破裂邊緣的「皖南事變」發生，國民黨內的軍人對中共立場極之強硬。馬雨龍指，一直致力於國共合作的張冲身心備受創傷，心力交瘁，甚至感到自己身處險境。張冲的秘書朱開來的回憶也說，「皖南事變」後，張冲心情至為沉重，終日鬱鬱寡歡。

　　馬雨龍說，軍事委員會顧問處的會計葉至剛是張冲親信，張冲的重要檔案，包括與周恩來等中共人士來往的信件等，都存放在他掌管的保險櫃裏。葉至剛後來寫的回憶張冲的文章「張淮南先生遺事」說，一天，張冲把他叫到辦公室，表情凝重對他說：「頑固派分子對我在國共兩黨折衝問題上很有意見。近來我的行動已受到監視，說不定有一天會被他們暗殺。」張冲還說，「我一旦身遭不測，你必須把保險櫃裏我和周恩來先生歷年往來信件全部燒毀，不能留下一書半紙。」葉至剛表示照辦。

　　國共關係惡化，作為國民黨一方與中共交涉的代表張冲因立場溫和，受到自己一方強硬派壓力而有危機感，尚可理解。但交代親信一旦他不測就全部燒毀與周恩來的來往信件就很難令人理解了。為何只提燒毀與周恩來信件，未及其他交往談判的中共人士，比如潘漢年等？難道這只是他和周恩來兩人之間的秘密？而更令人奇怪的是，據葉至剛說，後來張冲逝世，周恩來也曾囑咐葉至剛，將他與張冲的往來信件燒掉。可見，兩人通信並非僅止於國共交涉的事務，一定還有不可告人的秘密。大陸一些文章提

到此事，還引以為憾，說周恩來與張冲之間大量珍貴的信件被毀，是相當可惜的。

一個可能是，兩人信件中有張冲暗助共產黨，出賣國民黨的嫌疑。近來，大陸網上即有人如此猜想說，如果張冲沒有死，可能被周恩來拉過來，當了第二個張治中。但是否如此至今尚沒有任何證據。而且就是在「皖南事變」後，蔣介石提名張冲任國民黨中央組織部代理副部長，顯見蔣介石還是很信任他。張冲死後，中共肯定他對國共合作的貢獻，但這並不能說明他出賣國民黨。他是蔣介石的親信特使，一切親自聽命於蔣介石，所有原則問題皆由蔣介石決定，張冲未有任何超越之處。張冲之親共姿態，有可能在國民黨與中共談判交涉策略部署之中，他被安排扮演的是唱紅臉的角色，周恩來給中共中央的報告中也有「張冲仍糾纏不休」的描述，指張冲苦苦勸說中共接受國民黨方案。

張冲因為國共關係破裂如此憂心忡忡，是否為擔心他與周恩來之間的某些隱私會因此曝光？

實際張冲並沒有因親中共被強硬派暗殺，而是一九四一年八月十一日患急病去世。張冲先是在六月下旬患傷寒住院，但傷寒未愈，在一個月後又患了急性瘧疾，終於不治。之前，周恩來數度到張冲養病的山洞雲龍旅館探望他。

在後來的歲月中，周恩來沒有忘懷他這位國民黨密友。馬雨龍說，一九四九年十月一日，中共「開國大典」，周恩來見到中國寄生蟲學開創人洪式閭教授（洪為張冲朋友，曾治療張冲的傷寒症），聽洪說起他是浙江樂清人，就說，「樂清的張冲是我的好朋友。」並向洪打聽張冲後人的情況。周恩來多次說，「張冲的後代應該照顧」。

張冲女兒張雪梅在一九四四年即加入中共革命，丈夫也是革命同道，在中共上臺後是有功之人，際遇較好。據張雪梅說，其

兄張炎（張冲長子）無業，生計困難，貿然到北京找到周恩來。當年張冲在重慶去世時，周恩來見到來奔喪的張炎，曾對張炎說，張冲的孩子就是我的孩子，今後有什麼困難盡管來找。這次張炎來到北京，周恩來在家裏接待他。在周恩來親自過問下，張炎被安排進入華北人民革命大學。後隨王震進新疆，在烏魯木齊生產建設兵團八一農學院教馬列主義哲學。「文革」中因父親張冲的問題受到迫害早逝，年僅四十七歲。張炎育有四子一女，其遺孀在一九七二年十二月寫信向周恩來求助，在周恩來的過問下，張炎的女兒到山西落戶安排工作，三個兒子亦陸續調回溫州。[255]

　　周恩來與這位國民黨友人的關係究竟是一種什麼樣的友誼？是為了統戰對方而特意發展出來的虛假友情？或真正超越了黨派和意識形態的至交？抑或是一種更為密切也更為隱秘的情誼？恐怕只有兩人那些最神秘的通信可以解答。但是既然已被銷毀，似乎也就無法獲得真正的答案。但要是兩人只為統戰而虛情假意地應付對方或只是超越黨派發展出真正的友誼，這些信件也沒有什麼不可告人之處而非得燒毀不可。因為周恩來已公開表白過，他與張冲兩人因公誼已發展出私誼，儘管建立友誼，兩人仍然各為其主，並未因私廢公，因此兩人通信不需對外隱瞞。除非在此之外，信中另有不能公開的隱情，所以兩人的信件在張冲死後要全數銷毀。

　　無論如何，信件的燒毀，為周恩來與張冲的關係添加了神秘色彩，引發許多猜想。

　　網上有文章指當年周恩來和張冲兩人相互常有一些親暱的舉動，有時還有點肉麻，當時見者只以為是好朋友之間的親密表示。是否如此？尚待資料證實。

【255】張雪梅、邱清華（馬雨農代筆），《安危與共，風雨同舟》，大佳網。

新世紀出版社
New Century Press
www.newcenturymc.com

總經銷：田園書屋
www.greenfieldbookstore.com.hk
香港九龍西洋菜街56號2樓
電話：852-2385-8031

改革歷程
趙紫陽
完整錄音　還原歷史
杜導正 序　鮑彤 導言

騰飛之後
中國崛起與全球環境危機

趙紫陽在四川
(1975-1980)
蔡文彬

鮑彤文集
二十一世紀篇

中國80年代政治改革的
台前幕後
吳偉 著

胡趙新政啟示錄
并對「新民主主義」進行剖析
胡績偉 著

陳一諮回憶錄

生命之光
紀念陳一諮文集

中國影帝
溫家寶
余杰 著
鮑彤 序
英雄巨像千壽考　皇帝新衣半件多

陳希同親述
眾口鑠金難鑠真

回歸民主
和吳邦國委員長商榷十三個大問題
杜光 著

堂堂正正做
公民
TO BE A CITIZEN
我的自由中國
許志永 著

劉曉波文集
人權為目標　和平為進路

劉曉波傳
LIU XIAOBO: A BIOGRAPHY
余杰 著
余英時 序

亞洲
憲政啟示錄
CONSTITUTIONALISM IN ASIA
曹思源 著

平等團結路漫漫

1959 拉薩！
李江琳 著

父親金正日與我
金正男獨家告白
五味洋治 著

新世紀出版社
New Century Press
www.newcenturymc.com

總經銷：田園書屋
www.greenfieldbookstore.com.hk
香港九龍西洋菜街56號2樓
電話：852-2385-8031

毛澤東的大饑荒
1958-1962年的中國浩劫史
馮客 著

文化大革命的起源
人民內部矛盾 1956-1957年
羅德里克·麥克法夸爾(馬若德) 著　全譯本

文化大革命的起源
大躍進 1958-1960年
羅德里克·麥克法夸爾(馬若德) 著　全譯本

文化大革命的起源
浩劫的來臨 1961-1966年
羅德里克·李克法夸爾(馬若德) 著　全譯本

羅瑞卿案

「九一三」回望
林彪事件史實與辨析

李慎之的檢討書
(1957 - 1990)
李三達 編

胡開明

軍人永勝
黃正 著

邱會作回憶錄

落難英雄
丁盛將軍回憶錄

丁盛畫傳

七月圍城

盧芹齋傳

太后與我

中國文明的反思
蕭建生 著